Tel était leur destin

NATHALIE LAGASSÉ

Tel était leur destin

tome 1

De l'autre côté de l'océan

Roman historique

Hurtubise

Catalogage avant publication de Bibliothèque et Archives nationales du Québec et Bibliothèque et Archives Canada

Lagassé, Nathalie

Tel était leur destin

L'ouvrage complet comprendra 2 volumes.

Sommaire : t. 1. De l'autre côté de l'océan.

ISBN 978-2-89723-754-7 (vol. 1)

I. Lagassé, Nathalie. De l'autre côté de l'océan. II. Titre.

PS8623.A384T44 2016   C843'.6   C2015-942644-8
PS9623.A384T44 2016

Les Éditions Hurtubise bénéficient du soutien financier du gouvernement du Québec par l'entremise du programme de crédit d'impôt pour l'édition de livres et de la Société de développement des entreprises culturelles du Québec (SODEC). L'éditeur remercie également le Conseil des arts du Canada de l'aide accordée à son programme de publication.

Financé par le gouvernement du Canada
Funded by the Government of Canada | Canadä

Conception graphique : René St-Amand
Illustration de la couverture : Luc Normandin
Maquette intérieure et mise en pages : Andréa Joseph [pagexpress@videotron.ca]

ISBN 978-2-89723-754-7 (version imprimée)
ISBN 978-2-89723-755-4 (version numérique PDF)
ISBN 978-2-89723-756-1 (version numérique ePub)

Dépôt légal : 2e trimestre 2016
Bibliothèque et Archives nationales du Québec
Bibliothèque et Archives Canada

Diffusion-distribution au Canada :
Distribution HMH
1815, avenue De Lorimier
Montréal (Québec) H2K 3W6
www.distributionhmh.com

Diffusion-distribution en Europe :
Librairie du Québec/DNM
30, rue Gay-Lussac
75005 Paris FRANCE
www.librairieduquebec.fr

Imprimé au Canada
www.editionshurtubise.com

À ma grand-mère Marie-Paule,
ma plus lointaine ancêtre encore vivante,
qui est aussi l'arrière-arrière-grand-mère
de Zoey, ma petite-fille.

Note de l'auteure

J'ai longtemps traîné les pieds. À la retraite, j'aurai tout le temps nécessaire pour faire des recherches généalogiques, songeais-je. Je repoussais le projet, mais régulièrement revenait une petite voix qui me disait : « Tu peux toujours essayer. Si c'est trop difficile, tu attendras la retraite. » Je ne savais pas par où commencer, j'avais besoin d'une marche à suivre. Puis la vie m'a envoyé un signe. J'ai découvert le livre *Retracez vos ancêtres*, de Marcel Fournier, dans la brochure publicitaire d'une librairie. Je me suis précipitée pour me le procurer et je l'ai dévoré en un rien de temps. Ce que j'en ai retenu : retrouver ses ancêtres est relativement facile.

Alors, je me suis installée devant mon ordinateur, munie de ma nouvelle bible, et j'ai commencé mes recherches. J'en ai été littéralement soufflée : rapidement, j'avais trouvé plusieurs ancêtres sur une dizaine de générations. J'étais assise, hébétée, devant mon écran lorsque j'ai senti une sorte de tornade naître dans mon ventre et remonter jusqu'à mes cheveux. Je n'avais jamais rien ressenti de tel. Quel sentiment d'euphorie !

Après une année de pure frénésie à retrouver quelque quatre mille ancêtres, je me félicitais d'avoir plongé dans la généalogie. Ce projet m'avait trotté dans la tête depuis tellement longtemps que je ne me souvenais plus depuis quand. J'étais fière de l'avoir mené à bien.

J'étais un peu triste aussi, car j'avais vécu des heures exaltantes à tenter de retrouver ces lointains parents. Peu à peu, mon esprit s'était tourné vers un autre rêve qui germait dans ma tête depuis le début de mon adolescence : écrire un roman. Il faudrait bien que je réalise aussi ce projet un jour. Oui, mais écrire quoi ? Voilà tout le problème. J'avais essayé pendant plusieurs années d'élaborer des synopsis, mais rien que je juge assez satisfaisant pour me lancer.

Puis, dans un moment de grâce sublime, la solution m'est apparue clairement. Pourquoi ne pas écrire l'histoire de la vie de cet ancêtre patronymique qui avait décidé de venir s'installer de ce côté-ci de l'océan ? Mes deux rêves réunis ! Mon cœur s'est mis à palpiter. Je ferais des recherches, j'utiliserais toutes les informations que je trouverais et pour le reste, je laisserais galoper mon imagination.

De nombreux historiens ont fouillé les archives afin de décrire la vie quotidienne de nos ancêtres du XVIIe siècle, ces gens qui ont contribué, il y a plus de trois cent cinquante ans, à bâtir la société dans laquelle nous vivons.

Je ne suis pas une historienne, tant s'en faut. Mais en tant que grande lectrice de romans historiques, mon but a été de divertir et de raconter, autant que je sache, quelques tranches de vie de ces hommes et de ces femmes qui ont courageusement décidé de quitter leur pays et leur famille pour venir s'établir en Nouvelle-France.

Les personnages

SUR L'ÎLE DE RÉ (FRANCE)

André Mignier dit **Lagacé** : né vers 1640 sur l'île de Ré.

Michel Mignier : son père, né vers 1602 sur l'île de Ré ; laboureur.

Catherine Masson : sa mère, baptisée le 1er juillet 1613 à Ars-en-Ré, île de Ré.

Marie : sa sœur, baptisée le 24 janvier 1636 à Le Bois-Plage-en-Ré, île de Ré.

Pierre : son frère, baptisé le 6 février 1638 à Le Bois-Plage-en-Ré, île de Ré. Marié le 10 février 1661 à Catherine Raguenet.

Pierre : son frère, baptisé le 28 décembre 1639 à Ars-en-Ré, île de Ré.

Marie : sa sœur, baptisée le 30 mai 1645 à Le Bois-Plage-en-Ré, île de Ré.

Michel : son frère, baptisé le 10 janvier 1647 à Le Bois-Plage-en-Ré, île de Ré.

Jeanne : sa sœur, baptisée le 26 juin 1649 à Le Bois-Plage-en-Ré, île de Ré.

André : son frère, baptisé le 11 avril 1651 à Le Bois-Plage-en-Ré, île de Ré.

Catherine : sa sœur, baptisée le 6 avril 1654 à Le Bois-Plage-en-Ré, île de Ré.

Marie Jacques (Jacquette) Michel : née vers 1637 à La Flotte, île de Ré.

    Jeanne Dupont : sa mère ; aucune information sur elle.
    Jean Gardin : son premier époux, menuisier ; aucune autre information sur lui.
    Nouchka : personnage fictif.

SUR LE *BRÉZÉ*

Alexandre de Prouville, marquis de Tracy : né en 1596 à Amiens (France). Il fut chevalier, conseiller du roi et commandant en chef des troupes de Nouvelle-France avant d'être nommé lieutenant-général avec les pouvoirs de vice-roi. Il avait tout pouvoir sur les lieutenants-généraux et les gouverneurs de toutes les colonies françaises. Il arriva en Nouvelle-France avec quatre compagnies issues de quatre régiments différents. Décédé à Paris (France), le 28 avril 1670.

Isaac, devenu **Alexandre de Berthier** : né en 1638 à Bergerac (France) ; capitaine de la compagnie de Berthier.

Claude-Sébastien Lebassier de Villieu : né vers 1633 à Turin (Italie) ; lieutenant de la compagnie de Berthier.

Pierre Lauxain de Caviteau : aucune information sur lui ; enseigne (grade en dessous de celui de lieutenant) de la compagnie de Berthier.

Jacques Brin dit **Lapensée** : né vers 1645 à Ars-en-Ré (île de Ré, France) ; soldat de la compagnie de Berthier.

Siméon Leroy dit **Audy** : baptisé le 1ᵉʳ octobre 1637 à Créances (Normandie, France) ; charpentier, soldat de la compagnie de Berthier.

Honoré Martel dit **Lamontagne** : né vers 1632 à Paris (France) ; soldat de la compagnie de Berthier.

Moyze Aymé: originaire de Saint-Just près de Marennes (France); soldat de la compagnie de Berthier.

Michel Rognon dit **Laroche**: né vers 1639 à Paris (France); soldat de la compagnie de Monteil.

René Toupin: matelot, personnage fictif.

Mathurin Durand et sa famille, en Guadeloupe: personnages fictifs.

À QUÉBEC

Daniel de Rémy de Courcelle: né le 3 mai 1626 à Arques-la-Bataille (Normandie, France). Il fut gouverneur de Nouvelle-France de 1665 à 1672. Décédé le 24 octobre 1698 à Toulon (France).

Jean Talon: baptisé le 8 janvier 1626, à Châlons-sur-Marne (Champagne, France). Il fut intendant de Nouvelle- France de 1665 à 1668 et de 1670 à 1672. À son arrivée dans la colonie, Jean Talon avait le titre d'intendant de la justice, police et finances en Canada, Acadie, île de Terre- Neuve et autres pays de France septentrionale. Décédé le 23 novembre 1694 à Châlons-sur-Marne (France).

Thierry Delestre dit **Levallon**: né vers 1618 à Avesnes-sur-Helpe (France). Bourgeois de Québec, tailleur d'habits, marguillier de la paroisse Notre-Dame de Québec de 1663 à 1666, dont marguillier responsable en 1665-1666.

Marie Suzanne Peré: sa femme, sage-femme, née vers 1624 à Arthez-de-Béarn (France).
Marie: sa fille, née le 26 novembre 1656 à Québec.
Jeanne: sa fille, née le 27 décembre 1657 à Québec.
Thierry: son fils, né le 24 mars 1660 à Québec.
Marguerite: sa fille, née le 23 mars 1661 à Québec.

Louise : sa fille, née le 22 janvier 1663 à Québec.

Barbe : sa fille, née le 24 décembre 1663 à Québec.

Joseph : son fils, né le 17 février 1665 à Québec.

Jean Delguel dit **Labrèche** : né vers 1641 à Doissat (France); aide-magasinier du régiment de Carignan-Salières.

Bernard Chapelain : né vers 1646 à Poitiers (France); immigré.

Jean Giron : né vers 1641 à Saint-Jean-d'Angély (France); tailleur d'habits.

Michel Riffault : né vers 1636 à Fontenay-le-Comte (France); maçon.

André Barbault dit **Laforest** : né entre 1639 et 1641 à Fontenay-le-Comte (France); charpentier.

Jacques Galarneau : baptisé le 27 septembre 1643 à La Rochelle (France), habitant.

Pierre Chamard : né vers 1637 à Saint-Hilaire-du-Bois (France), cuisinier, pâtissier et huissier royal.

Jeanne Duguay dite **la veuve Lalime** : née à Saint-Michel (France).

Guillemette Hébert : né entre 1606 et 1609 à Paris (France), mariée le 26 août 1621 à Québec à Guillaume Couillard.

À TROIS-RIVIÈRES

Jacques Chevalier : né vers 1643 à La Flotte, île de Ré (France); engagé.

Martin Chevalier : né vers 1638 à La Flotte, île de Ré (France); engagé.

SUR LE *NOUVELLE-FRANCE*

Madeleine Deschalets: baptisée le 28 août 1647 à Fontenay-le-Comte (France).

Claude Deschalets: baptisée le 22 août 1645 à Fontenay-le-Comte (France).

Élisabeth Deschalets: née à Fontenay-le-Comte (France).

Françoise Leclerc: née à Juignac (France).

Marie Major: baptisée le 26 février 1637 à Saint-Thomas de Touques (France).

Informations complémentaires

La monnaie utilisée était la livre ou livre tournois.

En France, comme dans de nombreux pays faisant autre-fois partie de l'Empire romain, la livre était divisée en 20 sols (ou sous), chaque sol étant lui-même divisé en 12 deniers. La livre valait donc 240 deniers. Une livre correspondait vraiment à une livre d'argent (409 grammes) avec laquelle on frappait 240 deniers ou 20 sols.

Les mesures étaient en pieds et en pouces français (ou de Paris). Un pied équivalait à 12,8 pouces d'aujourd'hui.

La distance était mesurée en lieues. Une lieue équivalait à 4,9 kilomètres (km) ou 3,1 miles.

La superficie des terres était mesurée en arpents. Un arpent équivalait à 71,5 mètres (m). La terre d'André Mignier mesurait 30 arpents sur 2, soit environ 117 m sur 1755 m (0,12 km sur 1,75 km) ou 384 pieds sur 5755 pieds (0,7 mile sur 1,09 mile).

Prologue

4 juillet 1710, Rivière-Ouelle, Nouvelle-France

La vieille femme, assise aussi confortablement que possible sur une chaise en bois, laissait la brise caresser son visage entièrement ridé. Ses filles et ses brus finissaient de ramasser les derniers vestiges d'un repas pris en plein air, les maisons étant trop petites pour tous les accueillir. L'été, chaque dimanche après la messe, la famille entière se rassemblait chez l'un ou l'autre de ses enfants et, à plus de soixante-dix ans, elle était heureuse d'être encore parmi eux.

— Racontez-nous une histoire, grand-père !

— Oh oui ! Une histoire de lutins, s'écria Marie-Madeleine, sa petite-fille de quatre ans.

— Non ! Une histoire de pirates, rétorqua Michel, son petit-fils âgé de huit ans.

Elle sourit. Invariablement, après le repas, les petits-enfants réclamaient une histoire à leur grand-père. C'était devenu un rituel que tous appréciaient. Elle observa ses vingt-six petits-enfants qu'elle avait tous aidés à venir au monde et qu'elle voyait grandir jour après jour, puisque les terres de leurs parents étaient adjacentes les unes aux autres. Leur grand-père y avait veillé. Il ne manquait que leur fille aînée, qui habitait à plusieurs jours de marche avec son mari et ses enfants.

Elle poussa un soupir intérieur. C'était la seule ombre au tableau. Elle ne pouvait lui en vouloir cependant ; elle-même n'avait-elle pas tout abandonné à un moment de sa vie ?

— Aujourd'hui, je vais vous raconter mon histoire à moi.

La vieille femme sursauta et tenta d'accrocher le regard de son époux. Il leva enfin les yeux vers elle et lui lança une douce œillade suivie de son sourire en coin, qui la faisait encore fondre après quarante-deux ans de mariage. Pourquoi pas ? semblait-il dire.

— Vous avez déjà rencontré des lutins ? demanda Marie-Madeleine avec des yeux ronds.

— Non, mais j'ai déjà été soldat.

— Un vrai soldat du roi ? s'enquit Pierre, un autre de ses petits-fils, âgé de douze ans.

— Un vrai soldat du roi, confirma-t-il.

Tandis que le jeune auditoire s'installait sur l'herbe auprès du patriarche, celui-ci se plongea dans ses pensées. Son épouse tenta de se rappeler comment tout cela avait débuté. Lentement, les traits flous, puis de plus en plus clairs des visages aimés flottèrent dans son esprit. Que de chemin parcouru jusqu'à ce jour !

— Je suis né en France, sur l'île de Ré, débuta-t-il.

Les enfants étaient attentifs, même les tout-petits. Ils adoraient les histoires de leur grand-père et pouvaient l'écouter pendant des heures sans bouger. D'habitude, leurs parents en profitaient pour bavarder sans être constamment interrompus. Cette fois, ils approchèrent, soudain aussi attentifs que leur progéniture qui les observa avec surprise.

— Je suis né il y a déjà plus de soixante-dix ans. Mon père était laboureur dans les vignobles de l'île de Ré. J'ai eu huit frères et sœurs, et ma mère s'occupait de nous avec beaucoup de patience. Un jour, des soldats sont arrivés sur l'île pour recruter des hommes. J'ai décidé de m'engager et j'ai dit au revoir à toute ma famille.

— Et votre mère vous a laissé partir ? voulut savoir Jean-Baptiste, son petit-fils âgé de quatorze ans, tout en scrutant sa mère, surpris.

— Oui, elle m'a laissé partir, même si elle était très triste et très inquiète. Mais, tu sais, j'avais vingt-trois ans à ce moment-là. Il te reste encore quelques années à grandir avant de te lancer à l'aventure.

— C'est long, grandir, soupira le garçon.

— Je me suis embarqué sur un navire en plein hiver. C'était un immense bateau et nous étions très nombreux à bord.

— Le bateau n'était pas pris dans les glaces ?

— En France, c'est différent. L'hiver est beaucoup moins froid qu'ici et on peut naviguer toute l'année.

Il s'interrompit pour rouler des yeux apeurés et balayer de son regard les petits devant lui.

— En cours de route, nous avons été attaqués.

— Oh ! firent les enfants.

— Ah ! Je savais que c'était une histoire de pirates, argua Michel. Dites, grand-père, est-ce que c'étaient de méchants pirates ?

— Oui, et très féroces, ajouta-t-il en faisant gronder sa voix. Nous avons dû nous battre contre eux pendant plusieurs heures. Les canons tonnaient et il y avait de la fumée partout. Les soldats couraient en tous sens sur le bateau.

— Avez-vous eu peur ? questionna Marie-Françoise, âgée de six ans, qui s'était agrippée au bras de sa cousine Marie, de deux ans son aînée.

— Ça, oui ! J'étais effrayé, mais j'étais affecté à un canon et je peux vous dire que j'ai travaillé sans relâche pour notre défense. Ils ont finalement abandonné le combat et se sont enfuis. Il y eut un immense cri de joie sur le bateau, car nous avions tous eu peur. Puis, nous avons continué notre voyage.

— Pour arriver ici, conclut une fillette.

— Non, pas tout à fait.

— Où ? s'écrièrent d'une même voix tous les enfants.

Le vieil homme souriait, prenant plaisir à les faire languir.

— Laissez-moi vous raconter depuis le commencement…

1

22 janvier 1664, village de La Flotte, île de Ré, France

Il était incapable de s'abstenir de regarder dans sa direction plus de deux minutes. Les nombreuses personnes occupées à faire leurs achats et à discuter dans l'enceinte du marché l'empêchaient pourtant de l'apercevoir, la plupart du temps. Normalement, il prenait plaisir à marchander avec les clients, mais ce jour-là, il était trop préoccupé.

Soudain, une éclaircie dans la foule, au moment même où elle relevait la tête, lui permit d'accrocher son regard quelques secondes. De toute évidence, c'était un bon présage. Son cœur s'emballa lorsqu'il comprit que le moment était venu.

Avant de perdre courage, il se leva d'un bond et contourna les étals d'un pas décidé, ne saluant que d'un mouvement de tête les nombreuses connaissances qu'il rencontrait. Il se dirigeait vers elle lorsqu'il la vit relever la tête et scruter l'endroit qu'il venait de quitter. Il n'aurait pu souhaiter un meilleur signe d'encouragement que la déception qui se peignit sur son visage lorsqu'elle constata son absence. Il s'approcha silencieusement derrière elle et lui chuchota à l'oreille :

— Quelle est la personne que tu souhaiterais voir en ce moment ?

Elle sursauta, et un sourire se dessina sur ses lèvres.

— Notre roi, Louis le Quatorzième, pour sûr !

— Désolé, ce n'est pas lui...

— Je me contenterai donc d'André Mignier, déclara-t-elle d'une voix espiègle en se retournant pour lui faire face.

Il avait fait sa connaissance au marché, à l'automne de l'année précédente. Réservée mais chaleureuse, Marie Jacques Michel trônait derrière son étal qui croulait alors sous les plantes et les légumes. Lorsqu'une personne lui demandait des conseils sur l'utilisation des herbes, son visage s'éclairait et elle s'animait.

Pour lors, en cette froide journée d'hiver, elle n'avait à proposer à sa clientèle que des légumes de conservation facile ainsi que des herbes séchées.

— Pourrais-tu venir marcher un peu en ma compagnie ? s'enquit André.

Il s'éloigna de quelques pas vers une ouverture dans le mur d'enceinte, le temps que Marie Jacques se libère. De taille moyenne, mais doté d'une force considérable, il marchait comme il abordait la vie, avec vigueur et énergie. Ses cheveux brun foncé et bouclés, attachés sur la nuque à l'aide d'un lacet de cuir, virevoltaient dans son dos à chacun de ses pas.

Dès que Marie Jacques le rejoignit, il lui prit la main et entreprit de fendre la foule, la traînant littéralement à sa suite. Une fois sorti de la cohue, il ne ralentit pas pour autant. Ce matin-là, une fine couche de neige était tombée, rendant les pavés glissants.

— Pas si vite, protesta-t-elle.

Il se rendit soudain compte qu'il marchait à grands pas, préoccupé par ce qu'il avait en tête.

— Oh! Pardonne-moi, s'excusa-t-il en lui prenant le bras pour mieux la soutenir et en ralentissant son pas afin de l'ajuster au sien.

Le port du village de La Flotte, sur leur droite, bourdonnait d'activité. Plusieurs bateaux de toutes tailles y étaient amarrés. Ils contournèrent des matelots qui discutaient autour de ballots en attente de chargement.

— Mais que se passe-t-il donc? Qu'y a-t-il de si urgent? demanda Marie Jacques avec une pointe d'inquiétude dans la voix.

— Ne te fais pas de souci, la rassura-t-il.

Il finirait par tout gâcher avec sa précipitation habituelle. «Calme-toi!» s'admonesta-t-il intérieurement.

— Ne sois pas inquiète. J'ai un projet très important et je suis un peu impatient.

Marie Jacques accepta l'explication d'un hochement de tête. André lui jeta de petits coups d'œil tout en marchant. Un peu plus petite que lui, les cheveux châtains attachés en chignon et cachés sous son bonnet blanc, la démarche souple, elle était de nature simple, les pieds fermement ancrés dans le présent. André avait la conviction que Marie Jacques, âgée de vingt-six ans, savait exactement ce qu'elle voulait.

Maintenant, restait à savoir si Marie Jacques voulait la même chose que lui, c'est-à-dire l'épouser. André se sentait à la fois fébrile et inquiet. Il avait préparé une petite phrase qu'il répétait en son esprit: «Marie Jacques, nous avons appris à nous connaître ces derniers mois. Je serais honoré si tu acceptais de devenir mon épouse.» Facile. Trop facile. Jamais rien ne se déroulait comme il l'avait d'abord imaginé. Pendant un instant, il fut tenté d'attendre quelques jours, puis il se ressaisit. Que lui arrivait-il? Il ne se reconnaissait plus, lui qui était du genre à prendre des décisions à la hâte, puis à foncer tête baissée sans trop se poser de questions.

André se rendit soudain compte que Marie Jacques l'observait attentivement. Il eut l'impression qu'elle était capable de deviner ce qu'il pensait, et la gêne qu'il en ressentit devait se lire sur son visage. Il se morigéna intérieurement et s'efforça de reprendre contenance en redressant les épaules et en plaquant un air serein sur son visage.

Ils avançaient le long du rivage en s'éloignant du port. Un vent glacial soufflait de la mer et Marie Jacques resserra sa cape de laine sur ses épaules. Ils s'approchèrent d'un rocher et André balaya du revers de la main la légère couche de neige qui s'y était accumulée.

— Assieds-toi. J'ai une question importante à te poser.

Elle prit le temps de rassembler sa jupe avant de s'installer, puis releva la tête.

— Je t'écoute.

Pendant quelques secondes, il fut incapable de prononcer un seul mot. Il aurait bien voulu qu'elle puisse lire dans ses pensées à ce moment-là.

— C'est si préoccupant ? s'étonna Marie Jacques.

André s'inclina vers elle, mit une main sur son épaule et tenta de chasser sa nervosité.

— Oui... euh... non... Marie Jacques, veux-tu m'épouser ?

Il baissa les yeux et n'osa pas la regarder. Et si elle refusait ? Il aurait peut-être mieux fait d'attendre. Ce jour-là n'était peut-être pas une bonne journée.

— Je sais que je ne suis pas riche, ajouta-t-il sans réfléchir.

La seconde suivante, il voulait se frapper. Décidément, il ne mettait pas toutes les chances de son côté.

— J'en serais enchantée ! s'écria-t-elle.

— Mais, par contre…

Il releva brusquement la tête et la regarda dans les yeux.

— Tu as dit oui ? Tu veux m'épouser ?

Elle le fixait d'un air franc et il ne discerna aucune lueur de doute dans son regard.

— Oui, oui, oui ! Tu en as mis du temps ! Hésitais-tu ? s'enquit-elle doucement.

— Non, pas du tout ! Quelle idée ! s'exclama André.

Il avait attendu d'avoir rassemblé assez de courage, certes, mais il n'avait pas hésité. Il était convaincu d'avoir pris la bonne décision.

— J'ai peu à t'offrir cependant. Je voulais accumuler des économies, poursuivit-il, oscillant entre la joie et la honte.

— Je suis certaine que nous nous en sortirons bien. Le travail ne nous fait pas peur et nous sommes robustes, voilà le plus important, le rassura Marie Jacques.

Il sentit son cœur déborder de joie au point d'exploser. Il la souleva facilement, la fit virevolter dans les airs et la serra contre sa poitrine, profitant de cet instant de bonheur. Dieu qu'il l'aimait ! Que de chemin parcouru depuis leur première rencontre ! Il avait l'impression qu'il avait vécu les meilleurs moments de sa vie au marché. Ironiquement, ses frères étaient ravis qu'il ait été désigné pour accompagner leur père.

André se souvenait avec précision du jour où ils avaient fait connaissance. Il s'était blessé au bras et se rendait à grandes enjambées à l'étal de son père lorsque Marie Jacques l'avait arrêté. Après l'avoir conduit derrière son étal, elle avait entrepris de soigner sa blessure. Pendant qu'elle nettoyait la plaie, il ne l'avait pas quittée des yeux. Elle s'était ensuite penchée sur son bras pour appliquer un cataplasme d'herbes avec des gestes doux et assurés, et il avait pu sentir le parfum de fleurs que dégageaient ses cheveux.

Marie Jacques Michel, la jeune femme que tous les hommes du village rêvaient d'épouser, l'avait abordé. Elle les faisait tous désespérer par son indifférence polie et, pourtant, elle avait semblé lui porter un intérêt sincère.

Pour terminer, elle avait enroulé une longue bande de tissu autour de son bras et l'avait nouée. Il s'était relevé lentement, plus ému qu'il ne l'aurait avoué, et s'était éloigné en ayant la sensation que ses jambes ne le soutiendraient pas longtemps, oubliant même de la remercier.

Il sursauta lorsque Marie Jacques lui rappela qu'elle devait retourner à son étal. Puisque Jacques Michel, le père de Marie Jacques, était décédé l'année précédente, André irait se présenter à sa mère la semaine suivante pour lui demander la main de sa fille. André reconduisit Marie Jacques à la place du marché d'un pas assuré et fier, toute tension évacuée, le visage rayonnant.

De retour à l'étal tenu par sa famille, André aida son père, Michel, à remettre dans le coffre en bois les pièces de viande invendues ; la chasse et la vente du gibier apportaient un revenu supplémentaire dont la famille avait bien besoin. À eux deux, ils soulevèrent le lourd coffre et le déposèrent dans la charrette.

Sur le chemin du retour, les pensées d'André tourbillon-naient dans sa tête. Il réfléchissait à la meilleure façon d'obtenir l'approbation de la mère de Marie Jacques. « Madame, je voudrais épouser votre fille, y consentez-vous ? » Non, il aurait l'air insolent. « Madame, j'aime votre fille et je voudrais l'épouser. » Non, ça ne ferait pas sérieux. « Madame, je suis venu vous demander la main de Marie Jacques. Je suis en mesure de prendre soin d'elle, car j'ai un travail de laboureur en plus d'être engagé dans les marais salants à certaines périodes de l'année. Accepteriez-vous de bénir notre union ? » Voilà qui était mieux.

Il devait se parler à lui-même pour réfléchir, sinon ses idées s'entrechoquaient comme des grains de sable dans une vague. Non seulement ses méninges fonctionnaient sans relâche, mais André avait aussi un besoin viscéral de bouger au point que, plusieurs fois en revenant du marché, il aurait souhaité s'atteler à côté du cheval pour l'aider à tirer la charrette.

— Que se passe-t-il, mon fils ? Tu sembles songeur.

— J'ai demandé à Marie Jacques de m'épouser, révéla André.

Michel Mignier était un homme tout en muscles, et tous ses enfants avaient hérité de sa carrure. Contrairement à son fils, cependant, il était naturellement posé. Rien ne le perturbait ni ne venait faire de vagues dans cette eau calme, presque dormante. Âgé de soixante-deux ans, toujours laboureur puisqu'il lui restait encore huit enfants à la maison, il ressentait tout de même une certaine fatigue. Il donnait l'impression de préserver son énergie vitale en limitant ses gestes et ses paroles.

— Est-ce qu'elle pourra venir habiter chez nous, comme la femme de mon frère ? l'interrogea André.

Michel fit une moue désolée et répondit :

— Sa mère est veuve, elle voudra certainement que tu t'établisses chez elle. Tu ne crois pas ?

André n'avait pas envisagé cette possibilité. L'idée d'habiter dans la maison de Jeanne Dupont ne l'enchantait pas vraiment. La mère de Marie Jacques était autoritaire et de nature querelleuse. Elle vous toisait comme si elle avait déjà décidé ce que vous devriez faire, se demandait pourquoi vous n'étiez pas déjà en train de le faire et s'apprêtait à vous sermonner.

— Ah! Vous croyez que… chez la mère de Marie Jacques…

Son père se tourna vers lui d'un seul mouvement.

— Si tu épouses Marie Jacques, tu devras aussi prendre soin de sa mère, le coupa-t-il.

— Ce ne sera pas avec plaisir, grogna André.

— Plaisir ou pas, ce sera ton devoir et ne t'avise pas de te défiler, rétorqua Michel d'une voix impérieuse.

— Soyez sans crainte, affirma André, las, en se passant la main sur le front.

Au même moment, faisant écho à ses pensées, un lourd nuage masqua le soleil, éteignant du coup les milliers de petites étoiles qui brillaient sur la neige dans les champs. Il ne voulait pas, pour l'instant, gâcher son bonheur en imaginant sa vie dans la maison de la mère de Marie Jacques. Il repoussa cette pensée et réussit à se convaincre qu'elle finirait inévitablement par s'adoucir. Sa propre mère ne disait-elle pas que, lorsqu'il était petit, il pouvait charmer tout le monde grâce à son air angélique? Si son charme ne produisait pas les effets escomptés, il dicterait les règles. Après tout, c'était le rôle du maître de maison.

Le soleil était couché depuis peu et la mère d'André, Catherine Masson, avait allumé quelques chandelles qui éclairaient faiblement l'unique pièce du rez-de-chaussée de la maison familiale des Mignier. Le feu dans la cheminée réchauffait la maison tant bien que mal. Comme chaque soir, ils se serraient tous sur les bancs autour de la table. Celle-ci était constituée de planches posées sur des tréteaux et avait dû être allongée au fil des nouvelles naissances. Les planches étaient maintenant trop longues pour que les habitants de la maison puissent circuler aisément et étaient donc rangées le long du mur après les repas.

D'un seul regard, Michel Mignier obtint le silence et tous penchèrent la tête vers leurs mains jointes.

— Bénissez, Seigneur, la table si bien parée, emplissez aussi nos âmes si affamées et procurez du pain à ceux qui n'en ont pas. Ainsi soit-il !

Tous firent leur signe de croix, puis Catherine et Marie, sa fille aînée, entreprirent de servir le souper.

— Écoutez tous, j'ai une grande nouvelle à vous apprendre. Je vais épouser Marie Jacques Michel, annonça André.

— Ça m'étonne qu'elle s'y résigne ! s'exclama Michel fils.

André, habitué aux taquineries de son jeune frère, ne prit pas la peine de lui répondre.

— André ! Tu ne nous en avais pas parlé. As-tu bien réfléchi ? voulut savoir sa mère.

André allait répliquer lorsque sa mère prit une mine affolée.

— Tu n'as tout de même pas…

Catherine Masson s'interrompit et jeta un coup d'œil en direction de sa plus jeune fille.

— Te trouves-tu dans l'obligation de l'épouser ?

— Bien sûr que non, mère !

— Alors, félicitations ! s'écria sa sœur Jeanne.

La douce Jeanne, qui parlait peu, s'était animée de belle façon.

— Et peut-on savoir quand aura lieu ce mariage ? demanda sa mère en versant dans l'assiette de son époux une pleine louche de ragoût de lièvre aux oignons et aux panais.

— J'ai hâte de faire la fête! s'exclama Marie, qui déposa trois grosses miches de pain sur la table.

— Ah! Vous, les Marie, c'est tout ce qui vous intéresse, hein? lança Michel à ses deux sœurs portant le même prénom.

Les deux filles lui tirèrent la langue en même temps. La coutume voulait que les garçons prennent le nom de leur parrain et les filles celui de leur marraine, peu importe qu'il y ait déjà un enfant du même prénom dans la famille, ce qui amenait parfois bien de la confusion.

Dans la famille Mignier, il y avait deux Marie : l'aînée des enfants, âgée de vingt-huit ans, et la quatrième, âgée de dix-neuf ans. Il y avait également deux Pierre, soit l'aîné des fils, âgé de vingt-six ans et marié depuis trois ans, et le troisième de la famille, âgé de vingt-cinq ans, ainsi que deux André : le troisième des garçons, âgé de vingt-trois ans, et le plus jeune fils, un adolescent de treize ans. Un autre des garçons s'appelait Michel, comme son père. Enfin, à Catherine, la mère, et Catherine, la benjamine, s'était ajoutée Catherine Raguenet, qui avait épousé le premier Pierre.

— Tu dois être heureux, commenta doucement sa jeune sœur Catherine en posant une main sur le bras d'André.

Elle était celle qui le comprenait le mieux. À dix ans, Catherine était dotée d'un grand sens de l'observation, mais surtout d'une connaissance peu commune de la nature humaine.

— Tu peux le dire, attesta-t-il en la regardant affectueusement tout en recouvrant une main de la sienne.

Puis, il se tourna vers sa mère et lui avoua qu'il ne savait pas encore quand le mariage aurait lieu et qu'en fait, il n'avait pas encore obtenu l'accord de la mère de Marie Jacques.

— Ah! laissa tomber Marie, sa sœur aînée. Je ne me réjouirais pas si vite si j'étais toi, ce n'est pas gagné, le mit-elle en garde en avalant une bouchée de ragoût.

Soudain, la porte s'ouvrit avec fracas et André, son frère cadet, déboula dans la pièce. La porte claqua derrière lui et il s'empressa de prendre place à table.

— Désolé, dit-il en reprenant son souffle.

André, le plus jeune des garçons, aussi grand et musclé que tous les hommes de la famille Mignier, n'affichait cependant pas un visage navré, malgré ses excuses.

— Devine qui va se marier, l'interpella Marie.

Il s'apprêtait à dévorer son morceau de pain en deux bouchées, mais il interrompit son geste et releva la tête vers sa sœur.

— Hein? Un mariage?

— Eh oui, un mariage. Tu sais, l'union d'un homme et d'une femme? railla son frère Michel.

Le visage de l'adolescent refléta vivement son indignation.

— Ah non! Vous ne trouvez pas que douze personnes dans la maison, c'est assez? Je vais finir par devoir dormir dans l'étable, lança-t-il, irrité.

— André! lança sa mère en guise d'avertissement.

Le visage d'André, le soupirant de Marie Jacques, se colora et il ouvrait la bouche pour répondre quand Catherine posa une main apaisante sur son bras. Il se tourna vers elle pour découvrir que, de son seul regard, elle l'invitait au calme. Il inspira profondément et déclara:

— Ne t'inquiète pas, gros benêt, vous ne serez plus que onze. Quand j'épouserai Marie Jacques, je devrai probablement aller habiter chez elle et sa mère.

— Ah! fit le jeune André, penaud. Je ne veux pas que tu t'en ailles.

— Je sais, soupira André, moi non plus.

Ce dernier observa tour à tour les membres de sa famille tandis qu'ils bavardaient. Leurs taquineries allaient terriblement lui manquer.

— Tout le monde doit aller au lit tôt ce soir. Demain matin, il faut nous lever avant l'aube, rappela la mère à la fin du repas.

— Pourquoi ? s'indigna Michel.

— Ne me dites pas que vous avez oublié notre jour de pêche ! rétorqua-t-elle.

Un ronchonnement à plusieurs voix s'éleva.

Le lendemain, toute la famille fut debout à l'heure dite. Chacun prit une part de la miche de pain ainsi qu'un morceau de fromage qu'il mangea en route vers la mer. Le soleil n'était pas encore levé, mais une faible lueur colorait le ciel. Il faisait froid, mais le vent ne soufflait plus autant que la veille. Du haut des dunes qui longeaient la mer, André constata que l'eau ne recouvrait plus qu'une petite partie de la structure de l'écluse.

L'écluse, un long et étroit muret de pierre en forme de fer à cheval, s'avançait dans la mer. C'était un piège à poissons. L'eau la recouvrait entièrement à marée haute et, lorsque la mer se retirait, ces derniers se retrouvaient emprisonnés à l'intérieur. L'écluse appartenait conjointement à plusieurs habitants du village de Le Bois, et une rotation des jours de pêche avait été établie.

Au premier regard, André estima que la pêche serait bonne. Il accéléra le pas et dévala la dune en un rien de temps. Il aimait se lever tôt et aller à la pêche, même en hiver. Il était heureux de bouger et toutes les occasions étaient bonnes.

Près de l'eau, ils retirèrent leurs chaussures pour ne pas les abîmer, mais gardèrent leurs bas en grosse laine pour se protéger les pieds. Ils avancèrent sur le sable mouillé, leurs paniers à la main. Il ne restait plus qu'à se pencher pour ramasser les poissons, coquillages et crustacés qui s'étaient laissé prendre au piège.

Catherine, la benjamine, poussa soudain un petit cri qui fit sursauter André. Il se tourna vers elle et s'amusa de sa mine furieuse. Elle venait de mettre le pied sur une raie torpille et avait reçu une légère décharge électrique. Cette espèce se cachait dans le sable et était difficile à détecter.

— Belle découverte, petite sœur !

À l'aide d'une fourche, André souleva la raie et la lança plus loin sur la plage.

— Je préfère récolter la sole, dit-elle en grimaçant, c'est moins douloureux.

Deux heures plus tard, ils retournèrent chez eux, éreintés, mais chargés d'une grosse récolte de poissons et de crustacés qui remplissait la charrette.

⟋

Fulminant, André marchait d'un pas rageur vers la charrette où l'attendait son père. Il se laissa lourdement tomber à ses côtés.

— Qu'est-ce qui s'est passé ? demanda Michel, tout en donnant l'ordre au cheval de se mettre en route.

Voyant le visage empourpré d'André, ses lèvres serrées et ses poings fermés, il reprit d'une voix hésitante :

— Cela ne s'est pas bien passé ?

Dire que l'entretien ne s'était pas bien déroulé était trop faible. Affirmer que tout venait de s'écrouler serait plus juste. Comment en était-il arrivé là ? «Je ne laisserai jamais ma fille unique épouser un aventurier comme toi », lui avait crié la mère de Marie Jacques. En fait, elle le lui avait même hurlé au visage.

Qu'insinuait-elle par « aventurier » ? Le mot avait résonné dans sa bouche comme la pire des injures. Certes, il avait fait le tour de l'île plusieurs fois et avait exploré une bonne partie du littoral. Pendant la saison morte, il était incapable de rester sans rien faire. Pourtant, il n'aurait jamais cru que cela puisse être considéré comme un défaut.

— Elle ne veut pas que j'épouse Marie Jacques, s'indigna André, furieux.

— Pourquoi donc ? s'enquit Michel.

— Elle lui a trouvé un époux qui viendra habiter chez eux et qui lui obéira au doigt et à l'œil, bien sûr. Il terminera bientôt son apprentissage, sera maître menuisier et aura un bon revenu, le Jean Gardin, clama André avec sarcasme.

D'un coup, sa colère tomba et la tristesse l'accabla.

— En fait, il a toutes les qualités que je n'ai pas, souffla-t-il en se prenant la tête entre les mains, les coudes appuyés sur les genoux.

— Elle a peur, avança Michel.

André bondit sur ses pieds, manquant tomber de la charrette. Ses yeux lançaient des éclairs de fureur.

— Elle n'a pas peur, elle est méchante ! éclata-t-il. Sa seule peur est de ne pas pouvoir tout décider pour tout le monde !

Michel agrippa le bras de son fils et le tira pour le faire rasseoir. Après avoir laissé le temps à André de reprendre ses esprits, il ajouta calmement :

— Elle a peur que vous l'abandonniez. Elle est assez âgée et veuve depuis peu. C'est légitime de sa part de chercher un moyen pour assurer sa subsistance.

— J'étais prêt à aller habiter chez elle, se désola André.

— Tes nombreux périples des dernières années ne l'incitent sans doute pas à te faire confiance.

André se tourna vers son père, une lueur d'infinie tristesse dans le regard.

— Vous aussi, vous trouvez que je ne serais pas un bon époux pour Marie Jacques.

— Je n'ai rien affirmé de tel. Par contre, avoue que tu n'aimes pas rester en place, André. Je suis convaincu que tu serais en mesure de prendre soin de ta femme et de tes futurs enfants, mais tu ne pourrais plus te promener comme bon te semble. Serais-tu capable de maîtriser cette soif de liberté ? Aurais-tu l'impression d'être enchaîné à ta famille ? Et surtout, serais-tu capable de ne pas en vouloir à ta femme et à tes enfants ?

Des sanglots, qu'il étouffa rageusement, lui montèrent à la gorge. Son père lui tapota le bras en guise de réconfort.

— Il y a quelques mois à peine, tu étais loin d'envisager le mariage. Tu disais toi-même que rien ne pressait, poursuivit Michel avec douceur.

Son père avait raison. Néanmoins, en quelques semaines, Marie Jacques avait pris une place considérable dans son existence.

— Je ne sais pas ce qui s'est produit, commenta André, songeur.

Marie Jacques, à la fois douce et pétillante, avait indéniablement apporté une dimension insoupçonnée à sa vie.

— Tu sais, les mariages d'amour… Ta mère et moi, nous ne nous sommes connus que quelques jours avant notre mariage. Nos parents étaient les meilleurs juges pour décider du choix de la personne qu'il convenait que nous épousions. Au fil des années, la confiance et l'affection l'un pour l'autre se sont développées. Un mariage comme le nôtre est plus solide pour traverser les épreuves de la vie. Et Dieu sait qu'il y en a !

Son père disait-il vrai ? Les mariages d'amour étaient-ils voués à l'échec ? Pourtant, il lui semblait qu'il vibrait au même diapason que Marie Jacques. Mais que représentaient ces derniers mois comparés à une vie entière ?

— Au risque de vous contrarier, père, je crois que j'aurais été heureux avec Marie Jacques. Avec elle, je me sens bien.

— Être heureux ! Ce n'est pas ce qui nourrit la famille, tant s'en faut, rétorqua Michel, qui paraissait étonné, voire indigné par les paroles de son fils.

André décida qu'il valait mieux cesser cette discussion qui, de toute façon, ne menait à rien. Le sujet était clos, comme disait sa mère lorsqu'elle était à court d'arguments. Ils firent le reste du chemin en silence, perdus dans leurs pensées. André leva les yeux sur le ciel gris et refoula ses larmes une fois de plus, s'appliquant à aspirer l'air à pleins poumons pour se calmer. Il oscillait entre la rage et le désespoir.

Dès qu'ils pénétrèrent dans la cour, sa mère sortit en courant.

— Qu'est-ce qui se passe encore ? maugréa Michel.

André dut faire un effort pour sortir de sa torpeur. Ses frères et sœurs se précipitaient hors de la maison et atteignirent la charrette au moment où celle-ci s'immobilisait dans la cour. Ils parlaient tous en même temps, de sorte qu'on n'y comprenait rien. Michel descendit lentement de la charrette tandis qu'André sautait à terre.

— Calmez-vous ! s'écria Michel. Catherine, explique-moi ce qui se passe.

— Il est trop jeune ! s'indigna-t-elle. Ils ne peuvent pas le prendre !

La voyant trop bouleversée pour expliquer correctement la situation, Pierre, l'aîné de la fratrie, prit le relais.

— André est allé traîner à la grande place aujourd'hui et il a rencontré des recruteurs de l'armée. Ils lui ont payé à boire et il les a écoutés. Ils ont fini par obtenir son accord pour l'enrôler.

Le jeune fautif roulait des yeux effrayés et se balançait d'un pied sur l'autre, en proie à une vive agitation.

— Je ne savais pas que je m'engageais dans l'armée, se défendit-il. Ils m'ont parlé d'aventures et d'honneur, et ils m'ont expliqué qu'un homme fort comme moi, c'est fait pour servir son pays avec fierté.

— Mère est allée les informer qu'il n'avait que treize ans, mais ils n'ont pas voulu la croire, vu qu'il a l'air d'en avoir dix-huit. Ils lui ont ri au nez en lui disant qu'ils avaient entendu cette excuse des milliers de fois et qu'André s'était engagé devant témoins. Il doit se présenter dimanche prochain au fort La Prée, sans quoi ils viendront le chercher eux-mêmes, poursuivit l'aîné.

— Qu'est-ce qu'on peut faire, Michel ? s'écria Catherine. Notre plus jeune fils ne peut pas s'enrôler dans l'armée !

— J'irai, lança soudain André, d'une voix forte.

Tous se tournèrent vers lui, étonnés. André se passa la main dans les cheveux, surpris lui-même d'avoir émis cette idée. Son instinct l'avait incité à parler sans réfléchir, comme d'habitude. Pourtant, il lui sembla que ce serait la meilleure solution. S'il ne pouvait épouser Marie Jacques, autant s'éloigner. Il n'aurait pas la force de la côtoyer au marché chaque semaine en la sachant mariée à un autre homme. Et il était hors de question que l'on vienne chercher son jeune frère. Tout compte fait, c'était la meilleure décision pour tous. Il inspira profondément et ajouta d'une voix qu'il voulait ferme :

— André restera ici et c'est moi qui prendrai sa place.

— Et tes épousailles ? protesta sa mère.

— La mère de Marie Jacques a refusé, révéla-t-il tristement.

— Je ne veux pas que tu partes, s'écria sa mère. Nous pouvons demander l'aide de notre curé, il va leur confirmer qu'André n'a que treize ans.

Michel Mignier considéra sa femme avec chagrin et soupira.

— Nous devrons tout de même envoyer un de nos fils pour préserver l'honneur des Mignier.

— Je veux qu'aucun de mes fils ne parte, sanglota-t-elle, enfouissant son visage dans ses mains.

— Catherine, le roi a le droit de recruter des soldats parmi la population comme bon lui semble, tu le sais bien. Nous ne pouvons rien y faire.

Il prit son épouse dans ses bras, puis se tourna vers son fils.

— André, ta proposition est courageuse et t'honore, déclara-t-il. Je pense moi aussi que, compte tenu de la situation, c'est la meilleure solution, même si cela me rend malheureux.

Lentement, ils retournèrent tous vers la maison, mais André, ébranlé, se dirigea plutôt d'un pas pesant vers la plage. Il se laissa tomber sur le sable et laissa errer son regard sur l'océan. « Mon Dieu, que s'est-il passé ? Je ne peux pas épouser Marie Jacques et je me retrouve engagé dans l'armée. » Il ne pouvait y croire, tout s'était déroulé trop rapidement.

Il avait l'étrange impression de ressentir la même détresse que lorsque sa barque, filant toutes voiles dehors, s'était un jour écrasée sur un banc de sable. Sa vie telle qu'il la connaissait venait brusquement de prendre fin et il se retrouvait projeté en avant par une force qu'il ne pouvait contenir. Il était trop secoué pour tenter d'envisager ce que l'avenir lui réservait.

Il respira à pleins poumons l'odeur salée du vent marin et, fermant les yeux, laissa le vent caresser son visage et jouer dans ses cheveux. Le bruit rythmé des vagues entraîna ses pensées vers Marie Jacques et le souvenir de leur deuxième rencontre.

Ce jour-là, une tempête chargée de belles promesses de récolte avait soufflé. En de tels moments, la mer brassait les fonds et rejetait sur le rivage le varech nécessaire pour fertiliser le sol au pied de la vigne, qui constituait la principale culture de toute l'île. Il en fallait donc une énorme quantité, de sorte que tous les habitants devaient participer à sa récolte.

Le soleil venait de se coucher lorsque la tempête s'était enfin calmée. Les villageois de Le Bois avaient rejoint ceux de Sainte-Marie en route pour Le Martray. Ce groupe serait rallié un peu plus loin par les habitants de La Flotte. Le varech ne se récoltait qu'au nord de l'île, ce qui contraignait ceux qui vivaient au sud à faire une longue route pour le récolter. Ils y passeraient la nuit entière, car les algues devaient être ramassées au moment où elles se déposaient sur la plage. Plus précisément, elles devaient être recueillies directement dans l'eau avant qu'elles ne soient recouvertes de sable.

André se souvenait parfaitement de sa fébrilité ce soir-là. Trois jours plus tôt, Marie Jacques avait soigné sa blessure au bras. Il en était resté bouleversé, même s'il avait eu quelque difficulté à se l'avouer. En temps normal, il ne s'intéressait pas sérieusement aux femmes, mais il s'était surpris à penser à elle fréquemment. Il avait scruté la foule pour la repérer en remontant résolument la colonne, petit à petit. L'obscurité était presque totale, car seule une personne sur quatre tenait une faible lanterne. Soudain, il l'avait aperçue, quelques pas devant lui. Elle marchait et chantait avec les autres pour se donner de l'entrain. Qu'elle était belle !

Il n'avait osé s'attarder à ce qu'elle penserait d'un jeune homme sans expérience comme lui. Il avait vingt-deux ans, elle en avait vingt-cinq à ce moment-là. Plusieurs hommes avaient tenté de l'approcher, mais elle les avait tous éconduits. Gentiment, mais elle les avait tout de même repoussés. Pourquoi s'intéresserait-elle à lui ? Néanmoins, il avait perçu lors de leur premier contact une lueur dans son regard qui semblait de bon augure. Il avait rassemblé son courage et avait accéléré le pas. Une fois qu'il s'était retrouvé à sa hauteur, elle s'était tournée vers lui et l'avait examiné, le visage indifférent. Lorsqu'elle l'avait reconnu, ses yeux s'étaient écarquillés de surprise et elle avait cessé net de chanter.

— Bonsoir ! avait-elle lancé joyeusement.

— Bonsoir…

André n'avait su que dire d'autre, mais étrangement, il n'y avait eu aucun malaise entre eux. Ils avaient marché côte à côte, accordant leurs chants et se jetant de fréquents coups d'œil. André avait senti un grand calme l'envahir. Une sensation inhabituelle, pour lui qui était toujours fébrile. La présence de Marie Jacques et l'obscurité ambiante l'invitaient aux rêves les plus fous. Sans réfléchir, il avait pris sa main et, ô miracle ! de ses doigts, elle avait enlacé les siens. Ils étaient arrivés ainsi à destination, trop tôt au goût d'André.

Avant même de franchir les dunes pour rejoindre la plage, ils avaient entendu les cris d'indignation des habitants du nord de l'île, qui considéraient que ceux du sud les envahissaient pour la récolte du varech. Le même scénario se reproduisait à chaque tempête. Au début, ils devaient se faire une place malgré les bordées d'injures et la menace du fouet. Les Flottais étaient considérés comme de grands bagarreurs et il n'était pas rare d'assister à des échauffourées. Puis, le temps passant, chacun avait trop à faire pour s'occuper plus longtemps des autres.

Des feux avaient été allumés sur la plage et dégageaient une odeur de fumée qui se mêlait à l'odeur iodée de la mer et à celle, plus subtile, des algues. Le vent soufflait encore et les vagues gonflées par la tempête faisaient un vacarme assourdissant.

Marie Jacques, comme les autres femmes, avait relevé ses jupes et les avait accrochées à sa taille. Ils s'étaient avancés courageusement dans l'eau glaciale, André muni de sa fourche et Marie Jacques, de son grand panier qu'elle tenait à bout de bras afin de recueillir le varech directement dans la vague.

André s'était senti envahi d'une énergie nouvelle grâce à la seule présence de Marie Jacques, et les tas sur la plage avaient augmenté à un rythme soutenu. Il faisait tellement froid qu'il était impossible de prendre une pause. De temps en temps, ils s'arrêtaient quelques minutes pour se frictionner vigoureusement les pieds et les mollets afin d'activer la circulation sanguine.

Sa jeune sœur Catherine le ramena brutalement au présent lorsqu'elle s'effondra à ses côtés sur le sable.

— Tu vas tellement me manquer, gémit-elle.

André la prit dans ses bras et colla sa joue contre la sienne, leurs larmes s'entremêlant. Ils sanglotèrent un long moment ensemble puisque ce n'était qu'en compagnie de sa petite sœur qu'il pouvait laisser libre cours à son chagrin.

Pourquoi la vie l'éloignait-il ? Il savait que Catherine comprenait la raison de son départ et qu'elle ne tenterait pas de le retenir, malgré son immense tristesse. Son cœur fut près d'éclater lorsqu'elle souligna son courage.

Il observa intensément sa sœur qui avait tourné son regard vers la mer. Qu'elle était jolie avec ses longues mèches brunes qui s'étaient, comme toujours, échappées de son bonnet et volaient au vent ! Il lui raconta sa rencontre avec la mère de Marie Jacques et avoua à quel point elle l'avait blessé en ne le prenant pas au sérieux. Il ne savait pas comment il ferait pour vivre sans Marie Jacques.

— Dis-lui que mon amour pour elle est plus grand que l'éternité. Je suis incapable de vivre ici en la sachant avec un autre homme. Dis-lui surtout que je l'aimerai toujours.

— J'irai la voir demain. Je lui expliquerai ce qui s'est passé et je lui transmettrai ton message. Sois sans crainte, grand frère.

— De plus, je vais confier à Michel la tâche de surveiller en douce ce Jean Gardin, car je le connais et je n'ai aucune confiance en lui. Je ne voudrais surtout pas que Marie Jacques soit maltraitée.

Catherine approuva d'un signe de tête avant de se tourner de nouveau vers la mer. Elle inspira profondément, puis, les yeux droit devant elle, elle affirma :

— Je vais répondre moi-même à ta première lettre…

En entendant André soupirer, elle se hâta d'ajouter :

— Tu sauras sûrement trouver quelqu'un capable d'écrire une lettre pour toi. Je t'en supplie, fais-le pour moi. Trois ou quatre ans sans avoir de tes nouvelles, c'est trop long. Promets-moi de nous écrire, le supplia-t-elle.

André ne se sentait pas à l'aise de solliciter l'aide d'un inconnu pour écrire ou lire ses lettres. Mais le jeune homme se dit qu'après plusieurs mois d'absence, il lui faudrait donner de ses nouvelles s'il voulait en recevoir en retour. Après une dernière hésitation, il acquiesça en silence.

— André viendra te voir tout à l'heure. Il est complètement dépassé par les événements. Il se sent tellement coupable que tu doives partir à sa place. N'oublie pas, il n'a que treize ans, lui rappela Catherine.

— Et toi, quelqu'un t'a-t-il dit que tu n'avais que dix ans ? Je crois que tu l'as oublié, rétorqua André.

Il l'étreignit avec force entre ses bras.

— Petite sœur, tu es celle qui me manquera le plus.

2

3 février 1664, village de Le Bois, île de Ré, France

Des yeux, André fit le tour de la minuscule chambre qu'il partageait avec ses frères depuis sa naissance. Aménagée sous les combles, elle n'offrait qu'une petite superficie au centre où l'on pouvait se tenir debout. Ce matin-là, il avait assisté à la messe en compagnie de sa famille pour la dernière fois, car il était attendu au fort La Prée en fin de journée. Au retour, le repas du midi ne s'était pas déroulé dans les rires et les taquineries comme d'ordinaire.

Sa mère, Catherine, vint le rejoindre alors qu'il rangeait ses affaires dans son coffre en bois. Il appréciait leurs conversations en tête-à-tête et attendait sa venue avec impatience. Elle déposa dans son coffre un paquet enveloppé d'un linge. Il se doutait qu'elle lui avait préparé de la nourriture et de ces petites douceurs dont elle avait le secret. Elle s'assit à ses côtés sur sa paillasse et garda le silence un moment. C'était ce qu'il préférait chez sa mère : elle n'éprouvait pas le besoin de parler constamment.

André savait qu'elle était perturbée ; il ne l'avait jamais vue dans un tel état. Pour la première fois, elle devait faire face au départ de l'un de ses enfants. Elle n'avait jamais caché que, si elle avait pu, elle les aurait tous gardés petits.

Bien que son aînée soit âgée de vingt-huit ans, elle n'avait pas fait beaucoup d'efforts pour lui trouver un mari.

— Je suis vraiment désolé, mère, de vous faire de la peine, dit enfin André.

— Je devrais être forte, mais je m'inquiète pour toi, lui confia-t-elle.

Elle pencha la tête un moment, sembla chercher ses mots et poursuivit d'une voix chargée de chagrin :

— J'ai vu mourir la plupart des membres de ma famille. J'ai perdu mes deux frères, une sœur et mes deux parents. Il ne me reste qu'une sœur maintenant.

André lui passa un bras autour des épaules et l'attira vers lui.

— Vous êtes toute ma famille maintenant, ajouta sa mère. C'est difficile pour une mère de laisser partir ses enfants, dit-elle en levant la tête pour le regarder droit dans les yeux.

— Je m'en doute, soupira-t-il.

Les derniers rayons de soleil qui entraient par la petite lucarne éclairaient sa mère d'une lueur dorée.

— Je le connais, le Jean Gardin. Si je restais ici, Marie Jacques finirait par en subir les conséquences, car il est du genre jaloux. Elle ne pourrait plus sortir, de peur de me rencontrer, et son quotidien deviendrait vite un enfer. Jamais je ne lui ferai subir ce genre de vie.

— Mais pourquoi veut-il épouser Marie Jacques ? s'indigna-t-elle.

André haussa les épaules.

— Il sait que nous nous aimons, mais je crois qu'il n'a jamais toléré de se faire repousser, expliqua-t-il.

Après un moment de silence, Catherine se redressa et se secoua. Elle se tourna vers André et lui releva le menton, l'obligeant à la regarder.

— Tu es d'une nature optimiste, dit-elle affectueusement. Je sais qu'en ce moment tu souffres, mais la douleur s'effacera peu à peu.

— Mmphm !

— Tu me ressembles, confia-t-elle d'une voix attendrie.

André haussa les sourcils en signe d'incompréhension.

— Moi aussi, j'avais des fourmis dans les jambes. Je me souviens quand tu étais petit, ma mère m'interdisait de me plaindre de toi parce que tu étais infatigable. Elle ajoutait même que Dieu était juste et bon, ce qui, bien sûr, me rendait furieuse, raconta-t-elle.

Le visage d'André s'éclaira.

— Grand-mère était la seule personne qui ne me regardait pas avec de gros yeux chaque fois que je faisais une bêtise. J'ai longtemps cherché la raison de ses petits ricanements.

Ils souriaient, tous les deux plongés dans leurs souvenirs. André avait toujours vu sa mère travailler avec énergie, nettoyant la maison, cultivant le potager, cuisant le pain, ne s'arrêtant que le temps de consoler un enfant ou pour distribuer ses mots d'encouragement. Néanmoins, la dernière année, son rythme s'était ralenti. Elle n'avait plus la même force qu'auparavant. De plus en plus de rides marquaient son beau visage et ses cheveux étaient devenus entièrement gris. À cinquante et un ans, elle était devenue une vieille femme.

Se méprenant sur son air triste, sa mère poursuivit :

— Dans quelques années, quand tu reviendras, tu trouveras une épouse qui saura te rendre heureux, car tu as de belles qualités.

André ne voulait pas d'une épouse, il voulait Marie Jacques. À présent, il était trop tard. Il n'avait pas travaillé assez fort pour la mériter.

— J'ai perdu la femme que je voulais épouser parce que je n'ai pas de métier. Les belles qualités ne suffisent pas, rétorqua-t-il d'une voix bourrue.

Catherine posa une main sur son bras, soupira et le rassura :

— La mère de Marie Jacques ne s'arrête qu'aux apparences. Si on prend la peine de te connaître, on découvre un homme bienveillant et généreux. Tu es solide et digne de confiance.

— Pas si digne de confiance : je ne suis pas assez bien pour épouser Marie Jacques, répliqua-t-il.

— Tu es un homme honorable, ne laisse jamais personne prétendre le contraire, affirma-t-elle. Tu l'as encore une fois prouvé en prenant la place de ton jeune frère.

André poussa un soupir intérieur. Inutile de s'entêter à lui faire comprendre, il ne faisait que la troubler.

— Tu trouveras une épouse qui saura te rendre heureux, répéta-t-elle avec conviction.

Elle prit son visage entre ses mains et le scruta longuement.

— Et puis, tu es bel homme.

— Mère !

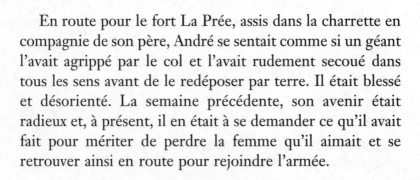

En route pour le fort La Prée, assis dans la charrette en compagnie de son père, André se sentait comme si un géant l'avait agrippé par le col et l'avait rudement secoué dans tous les sens avant de le redéposer par terre. Il était blessé et désorienté. La semaine précédente, son avenir était radieux et, à présent, il en était à se demander ce qu'il avait fait pour mériter de perdre la femme qu'il aimait et se retrouver ainsi en route pour rejoindre l'armée.

Les adieux à sa famille avaient été particulièrement déchirants. La conversation avec sa mère lui avait cependant mis du baume au cœur.

— André, ne te décourage pas, lui dit son père. L'armée va au moins répondre à ton besoin de bouger et de voir du pays. Tu es un très bon tireur de fusil, tu l'as prouvé des milliers de fois en touchant des cibles que tes frères et moi sommes incapables d'atteindre. Tu t'en sortiras bien. Essaie seulement de dominer ton impulsivité pour ne pas te retrouver dans toutes sortes de situations dangereuses.

— Hum !

— Je n'ai aucun doute que tu vas faire honneur à notre nom, car tu es courageux. Lorsque tu reviendras, l'armée t'aura transformé. Moi aussi, j'ai combattu. On y apprend des choses sur soi que l'on ne croyait pas possibles.

Il s'interrompit.

— Bonnes ou mauvaises, ajouta-t-il plus bas, comme pour lui-même.

André releva la tête et observa son père. Il remarqua que lui aussi avait vieilli sans qu'il en prenne conscience. La situation devait être difficile pour lui. Le jeune homme posa sa main sur son épaule.

— Ne vous inquiétez pas pour moi, père. Je sais que je m'en sortirai.

Après un moment, il ajouta d'une voix étranglée :

— Ce n'est pas l'armée qui me préoccupe.

— Je sais, mon fils, je sais, souffla Michel.

Le fort La Prée, entièrement construit en blocs de pierre, des remparts jusqu'aux casernes, était glacial en hiver. Le travail des recruteurs avait dû être couronné de succès puisque plusieurs jeunes hommes venaient d'y arriver. Dès qu'il fut à son baraquement, André choisit une paillasse au fond et s'y étendit, ne se sentant pas d'humeur à discuter avec les autres soldats. De même, il ne se présenta pas au repas du soir, préférant rester au calme.

Au cours de la semaine, ils ne firent que quelques exercices, de sorte qu'André se retrouva le plus souvent allongé sur sa paillasse. À certains moments, il écoutait ses compagnons, mais ne participait pas à leurs conversations. La plupart du temps, il était perdu dans ses souvenirs, indifférent à tout, même au froid.

Une semaine après son engagement, André apprit avec surprise leur embarquement prochain pour les Antilles. Il ne savait pas s'il devait s'en réjouir ou s'en attrister. Le dimanche, les soldats eurent droit à une journée de repos pour visiter leur famille et annoncer leur départ. André voulut en profiter pour voir Marie Jacques une dernière fois.

Il marcha jusqu'au village de La Flotte et se rendit à l'église Sainte-Catherine, où il savait qu'il la trouverait. Il l'attendrait à la sortie de la messe. Sa mère serait là et s'interposerait certainement, mais il était déterminé à lui parler à tout prix. André parvint sur la petite place de l'église, coincée entre deux rangées de maisons en pierre baignées de soleil, au bout d'une rue à peine plus large que les bras tendus de deux hommes.

Il arriva au moment où les premiers fidèles sortaient de l'église et chercha Marie Jacques des yeux. Il l'aperçut enfin et eut l'impression de recevoir un coup de poignard au cœur. Elle avait les traits tirés, ses joues s'étaient creusées et elle avait l'air triste. André maudit intérieurement Jeanne Dupont en serrant les poings.

Marie Jacques marchait lentement, les épaules voûtées et les yeux rivés au sol. Étrangement, elle était seule, sans sa mère. Elle sursauta lorsqu'il la prit dans ses bras et tenta d'abord de le repousser, puis elle leva la tête et le reconnut. Elle se laissa tomber contre lui en sanglotant. André l'entraîna plus loin, la portant presque tandis qu'elle se pressait au creux de son épaule. « Quel gâchis ! » se dit-il.

Ils s'éloignèrent de la place de l'église jusqu'à rejoindre la mer, quelques centaines de pieds plus loin. Après un long moment, serrée contre André, Marie Jacques parvint enfin à parler.

— Tu es venu, déclara-t-elle, semblant à peine en croire ses yeux. Je pensais ne plus jamais te revoir. J'ai eu tellement de peine lorsque Catherine est venue me transmettre ton message et m'expliquer ce qui s'était passé.

Il déglutit avec peine, comme s'il avait un nœud dur dans la gorge.

— Je n'avais pas eu la chance de te dire adieu, ajouta-t-elle.

Il prit son visage entre ses mains et plongea son regard dans ses beaux yeux bruns. Il passa doucement ses pouces sous ses paupières pour essuyer ses larmes.

— Je voulais venir te redire moi-même, une dernière fois, à quel point je t'aime, Marie Jacques. Tu as une grande place dans mon cœur, et tu la conserveras toujours. Peu importe où je serai, tu seras avec moi, prononça-t-il d'une voix défaillante.

— Je ne sais pas comment je ferai pour vivre sans toi. Es-tu certain qu'il n'y a pas d'autre solution ?

André serra les poings au souvenir de la conversation qu'il avait eue avec son père, mais il ne voulait pas laisser éclater sa fureur. Il se sentait profondément humilié de ne rien pouvoir faire pour changer les choses. Comme il n'avait pas encore atteint l'âge de vingt-cinq ans, il n'était pas majeur, et il ne pouvait l'épouser sans le consentement de ses parents. Bien sûr, il aurait pu s'enfuir avec Marie Jacques, mais elle n'était pas de celles qu'on condamne à une vie de fuite et de misère. Elle méritait d'être heureuse et qu'on prît bien soin d'elle. Le désespoir l'envahit soudain et le laissa sans force.

— J'en ai discuté avec mon père. Ta mère a parfaitement le droit de décider qui tu épouseras, affirma-t-il.

— Je le sais, soupira-t-elle.

Marie Jacques posa la tête sur l'épaule d'André et se blottit dans ses bras un long moment. Il voulait s'imprégner de son amour pour pouvoir puiser à cette source lorsque la douleur deviendrait trop lourde à supporter. Il enfouit son visage dans son cou et huma l'odeur familière de ses cheveux, un mélange de fleurs et de soleil.

En inspirant profondément, André prit Marie Jacques par les épaules et l'éloigna un peu de lui. Il la regarda intensément pour graver les traits de son visage dans son esprit.

— Ce n'est pas du tout ce que je souhaitais pour toi et moi, mais promets-moi que tu feras en sorte d'être heureuse malgré tout, la supplia-t-il.

— Comment peux-tu me demander une chose pareille?

Il hésita, ne sachant comment exprimer sa pensée. Il aurait voulu passer le reste de sa vie à la rendre heureuse. Néanmoins, il ne voulait pas qu'elle soit affligée parce qu'il n'était pas à ses côtés. Voyant sa mine désespérée, Marie Jacques intervint avant qu'il ne poursuive:

— Nous serons malheureux si nous pensons que l'autre l'est aussi…

André approuva d'un mouvement de tête. Elle avait certainement lu dans ses pensées.

— Je te le promets, à la condition que tu me le promettes aussi, dit-elle d'un ton empreint de tristesse.

Après un dernier baiser, il la laissa partir, le cœur lourd. Il fit à pied la distance d'une lieue qui le séparait du village de Le Bois où habitait sa famille. La longue marche lui fit du bien et lui donna le temps de mettre un peu d'ordre dans ses pensées.

Ce fut sa sœur Catherine qui le remarqua au loin. Elle était sortie chercher de l'eau au puits lorsque son regard fut attiré par la silhouette qui avançait d'un pas énergique. Elle courut vers son frère et se jeta dans ses bras, ses cris de joie attirant l'attention de toute la famille.

— Je suis si heureuse que tu aies pu venir nous dire adieu, soupira sa mère en s'accrochant à son bras.

— On nous a accordé une journée avant notre embarquement à destination des Antilles, expliqua André.

— Les Antilles ! répétèrent en chœur tous les membres de la famille, quelques-uns avec tristesse, d'autres avec une pointe d'envie.

Catherine, sa mère, faisait peine à voir. En un instant, son visage avait perdu ses couleurs.

— Non ! Pas les Antilles, mon fils !

Elle fut sur le point d'éclater en sanglots, mais s'efforça de se reprendre.

— C'est à l'autre bout du monde, ajouta-t-elle.

Son époux l'entraîna à l'intérieur de la maison tout en lui disant :

— Nous allons profiter de la présence de notre fils pour les prochaines heures, ensuite viendra le temps des larmes.

D'humeur taciturne, André était assis dans la barque qui amenait les soldats de l'île de Ré jusqu'à La Rochelle. Le bavardage des hommes lui faisait l'effet d'un bourdonnement monotone. Son regard était fixé sur le fort La Prée, de plus en plus flou à mesure qu'il s'en éloignait. Il distinguait encore les vagues s'écrasant paresseusement sur la plage, mais bientôt, il ne vit plus que la ligne sombre, presque sans relief, de son île natale.

Jamais il n'avait quitté l'île sans savoir quand il reviendrait. Son père avait eu raison d'affirmer que l'armée lui ferait découvrir de nouveaux horizons. Pour preuve, ils partaient dans quelques jours pour les Antilles. André avait assisté au départ de nombreux navires pour ces contrées lointaines où régnait en tout temps une grande chaleur. Les années précédentes, il s'était souvent entretenu, sur les quais de La Rochelle, avec des matelots qui lui avaient décrit des îles montagneuses à la végétation luxuriante.

Comme lors du réveil matinal, lentement, les voix de ses compagnons s'imposèrent à son esprit. Ils discutaient de ce qui les attendait avec un mélange d'inquiétude et d'excitation. Dans l'armée, on assignait aux nouveaux soldats un nom de guerre. Chacun essayait d'imaginer lequel on lui attribuerait. Assis à côté d'André, Jacques Brin participait à la conversation générale.

— J'aimerais avoir un surnom qui me décrit bien, confia ce dernier. Je ne sais pas, comme La Roche, La Montagne ou Le Fort.

André connaissait depuis l'enfance ce jeune homme de vingt-trois ans, laboureur comme lui. Il était certes robuste, mais il n'avait pas la carrure des Mignier. Ses compagnons se moquèrent en arguant que ces surnoms iraient mieux à son voisin de banc. Jacques se tourna vers lui, mais André haussa les épaules sans rien dire. Il y avait toujours eu une rivalité amicale entre eux, mais, pour l'instant, peu lui importait le surnom qu'on lui donnerait. Jacques grommela que l'on verrait bien.

Arrivés à La Rochelle, ils débarquèrent et furent conduits aux quartiers de l'armée. Les hommes faisaient la file et, quand venait leur tour, ils répondaient aux questions des clercs qui avaient l'air de subir une punition. Ils vérifiaient leur identité et les informaient du nom de leur future compagnie. Les officiers, quant à eux, s'occupaient des surnoms. Tout le monde y allait de son commentaire et les décideurs élevaient la voix pour se faire entendre. Jacques Brin s'était glissé devant André dans la queue et semblait ne pas vouloir rater sa chance. Quand ce fut à lui, il répondit aux questions des clercs, se vit attribuer une compagnie, puis se tourna vers l'officier :

— Pour mon surnom, commença-t-il avec assurance, j'ai pensé à…

Il fut interrompu par un concert d'exclamations ravies. Surpris, il se tut et attendit la suite. On pouvait distinctement lire sur son visage qu'il prenait conscience d'avoir commis une erreur. Il rentra la tête dans les épaules, prêt à en subir le contrecoup. Autour de lui, les hommes se tournèrent vers l'officier de la compagnie du sieur de Berthier et semblèrent attendre la suite avec impatience.

— Monsieur a pensé à un surnom ! s'écria l'officier.

Un murmure enthousiaste courut parmi les rangs des spectateurs. Bombant le torse, il poursuivit :

— Sachez, jeune homme, que le régiment n'a que faire de vos pensées.

Il marqua une pause dans le but évident de prolonger ce moment où tous étaient suspendus à ses lèvres.

— Pour être certain que vous ne l'oublierez pas, votre surnom sera Lapensée, déclara-t-il sous les rires de l'auditoire.

Vint le tour d'André. Il s'avança d'un pas lourd pour répondre à l'interrogatoire.

— Nom ? demanda le clerc d'une voix monocorde.

— André Mignier.

— Lieu de résidence ?

— Village de Le Bois, sur l'île de Ré.

— Tout est conforme. Vous allez rejoindre la compagnie du sieur de Berthier, annonça le clerc.

« Heureusement, les recruteurs n'ont pas noté l'âge de mon frère ; sinon, le clerc n'aurait jamais cru que j'avais treize ans. Que se serait-il passé si nous nous étions fait prendre ? »

Sans s'en rendre compte, il marmonna :

— Nom de Dieu ! C'est une chance que nous portions le même nom, mon frère et moi.

Constatant que le silence s'était fait autour de lui, André se tourna vers l'officier et découvrit qu'il l'examinait d'un air peu amène.

— Monsieur est agacé par le choix d'un surnom, s'impatienta l'officier. De plus, vous ne prenez même pas la peine de me regarder en vous plaignant. Votre surnom sera donc Lagacé, décréta-t-il sèchement.

André haussa les épaules en guise de réponse, ce qui acheva de mettre l'homme en colère. Ses yeux lançaient des éclairs. André s'adressa de nouveau au clerc devant lui pour qu'il lui répète le nom de sa compagnie, ne l'ayant pas noté mentalement, tant il était préoccupé par le mensonge qu'il aurait dû imaginer pour se faire passer pour son petit frère.

— La compagnie du sieur de Berthier, intervint l'officier avant que le clerc ne puisse répondre. Tout comme moi, ajouta-t-il d'une voix mauvaise. Soyez assuré que nous nous reverrons.

André tourna les talons et sortit sous les regards ébahis et les murmures des soldats. Il alla aux campements et se mit en file pour qu'on lui remette son uniforme.

— Pardi ! On ne peut pas dire que tu t'en es fait un ami, dit l'homme derrière lui.

Curieux, André se retourna pour découvrir celui qui l'examinait d'un air rieur.

— Il n'est pas bon de se mettre à dos l'enseigne Pierre Lauxain de Caviteau, commenta l'homme sur un ton qui laissait paraître le mépris qu'il éprouvait pour le personnage. Je suis dans la compagnie de Berthier depuis seulement un mois, mais c'est suffisant pour te conseiller de te tenir loin de lui.

Il était grand et donnait l'impression d'avoir une totale confiance en lui, sans être arrogant pour autant.

— Tu ne te laisses pas impressionner. J'aime ça, ajouta le soldat avec entrain. Au fait, je me nomme Siméon Leroy, dit Audy. Je viens d'un petit hameau nommé le Haut-Dy, alors mon surnom n'est pas aussi original que le tien.

— Je me nomme André Mignier, se présenta-t-il.

— Sois sur tes gardes, signala Siméon. Notre capitaine est occupé la majorité du temps avec les réunions d'état-major, et depuis que notre lieutenant s'est absenté, c'est Lauxain de Caviteau l'officier le plus gradé. Et il ne se prive pas d'abuser de son pouvoir !

— Je ne connais rien aux grades de l'armée…

— Notre compagnie compte trois officiers : d'abord un capitaine, Isaac de Berthier, puis un lieutenant, qui se nomme Claude-Sébastien Lebassier de Villieu. Je ne l'ai pas encore rencontré ; il a eu une permission pour s'occuper de ses affaires familiales à ce qu'il paraît. Ensuite, il y a l'enseigne, Lauxain de Caviteau, que tu viens de rencontrer, qui est chargé de porter le drapeau. En fait, l'enseigne n'a pas de soldats directement sous ses ordres, mais comme le lieutenant est absent, il transmet ceux du capitaine. Celui-là, on ne le voit pas souvent. Chez les sous-officiers, il y a les caporaux, puis les sergents. Tu t'y retrouveras rapidement. En fait, comme tu es simple soldat, tu dois obéir à presque tout le monde.

Les deux jeunes hommes récupérèrent leurs uniformes composés de plusieurs pièces, dont un justaucorps brun tombant presque jusqu'aux genoux, muni de larges poches à rabat, d'une quinzaine de gros boutons bruns et de manches à larges revers gris. Dessous, les soldats devaient porter une veste grise à manches longues dotée de nombreux boutons de la même couleur ainsi qu'un haut-de-chausse brun qui arrivait juste en dessous des genoux. Ils avaient droit aussi à deux chemises blanches, une cravate blanche, des souliers noirs à bouts carrés et un tricorne de feutre noir à larges bords relevés.

Tout en se dirigeant vers les quartiers de la compagnie de Berthier, Siméon apprit à André qu'il venait d'un hameau près de Créances, au bord de la Manche, puis lui raconta le long voyage qu'il avait fait pour venir jusqu'à La Rochelle. André voyait que l'homme lui lançait des regards interrogateurs de temps à autre, mais il était incapable de s'investir davantage dans la conversation, trop absorbé par sa peine pour lui accorder toute son attention. Pourtant, Siméon continuait à parler et à lui indiquer quoi faire et où aller, sans se formaliser de son manque d'enthousiasme à lui répondre – ce qui convenait parfaitement à André.

Le soir arriva enfin et tous se retrouvèrent couchés à même le sol, presque entassés les uns sur les autres. André ne parvenait pas à s'endormir, ses pensées étant encore tout accaparées par Marie Jacques. La douleur serait-elle moins intense après quelques jours ou quelques semaines, comme le lui avait affirmé sa mère? Parviendrait-il à l'oublier? Non, sûrement pas. «Seigneur, faites que ce soit un peu moins douloureux», pria-t-il.

Il finit par s'endormir au milieu de la nuit, épuisé.

André peinait sous le poids d'une caisse de bois qu'il transportait des baraquements jusqu'à une charrette. Les caisses seraient ensuite transportées jusqu'aux barques faisant la navette entre le quai et les navires. Il était à bout de souffle, sans être pour autant furibond comme Siméon. Le pauvre avait commencé le travail la rage au cœur, mais, à présent, il semblait sur le point de s'effondrer. André était conscient qu'il était visé. Lauxain de Caviteau avait tenu sa promesse et tentait de faire regretter à André son manque de déférence. Cependant, Siméon voyait aussi ses tâches augmenter, car l'officier s'était rendu compte qu'ils s'étaient liés d'amitié. Depuis deux semaines qu'ils travaillaient côte à côte, ils avaient appris à se connaître et à s'apprécier. En prenant soin de n'en rien laisser paraître, André choisissait les caisses les plus lourdes pour alléger le fardeau de son ami. Contrairement à Siméon, il était soulagé de travailler physiquement. L'activité lui permettait d'apaiser sa peine. Il lui semblait que plus ses muscles étaient sollicités, plus la masse dure et froide qu'il sentait peser sur son cœur s'amenuisait. Autre avantage: le soir venu, il était tellement épuisé qu'il s'endormait aussitôt la tête posée sur sa couche. Il n'était donc pas mécontent d'être assigné ainsi aux tâches les plus ingrates et les plus difficiles.

— Allons! Dépêchez-vous, nous n'allons pas y passer la journée, ordonna l'enseigne, debout à côté de la charrette.

André vit Siméon se raidir et sembler sur le point de répliquer, mais contre toute attente, il s'abstint.

— Dès que vous aurez terminé de charger cette charrette, vous viendrez avec moi. J'ai une autre tâche pour vous, leur dit-il avec un sourire mauvais.

Lorsqu'il s'éloigna, Siméon poussa un soupir exaspéré.

— Pourquoi est-il toujours sur notre dos?

Surprenant le regard en coin d'André, il ajouta:

— Il va finir par me faire douter de ma vaillance.

André haussa les épaules sans répondre et continua de travailler. Que pouvait-il lui dire? Siméon était vaillant, même davantage que la plupart des hommes. L'officier était injuste et exigeait d'eux plus d'efforts que de la part de n'importe quel autre soldat. André avait remarqué que Siméon était épuisé, mais il ne voulait pas le froisser. Il se résolut à abattre encore plus de besogne sans que son ami s'en rende compte.

Au moment où André déposait la dernière caisse, Pierre Lauxain de Caviteau apparut à leurs côtés, les ayant certainement surveillés pour s'assurer qu'ils n'auraient aucun temps de repos. Siméon et André le suivirent d'un pas lourd jusqu'à un entrepôt où ils furent accueillis par un aide-magasinier. L'enseigne lui expliqua que les deux hommes devaient ranger les caisses de munitions, ce à quoi il répondit:

— Il n'est pas nécessaire de ranger les munitions puisque nous les transporterons sur le navire dans quelques jours.

L'enseigne lui jeta un regard furieux.

— Est-ce que je vous ai demandé votre avis ?

— Euh… non, convint l'aide-magasinier.

— Moi seul détermine les corvées de mes soldats, clama-t-il avec hauteur. Ils classeront les munitions comme je l'exige. Je reviendrai dans quelques minutes et je veux que ce soit terminé, ordonna-t-il en sortant du bâtiment.

Les trois hommes se regardèrent sans rien dire pendant quelques secondes, puis Siméon vacilla et se serait retrouvé face contre terre si André ne l'avait pas retenu.

— Mais qu'est-ce qu'il a ? s'écria l'aide-magasinier.

Il contourna le comptoir en deux enjambées pour s'approcher de Siméon.

— Indique-moi plutôt où se trouvent les munitions, répliqua André tout en soulevant son ami. Je vais le transporter et je t'expliquerai. Il ne faut pas que l'officier le voie.

André venait d'installer Siméon au sol, le plus confortablement possible, entre deux rangées de caisses de boulets de canon, lorsque ce dernier revint à lui. Siméon tenta de se relever, mais André le repoussa d'une main ferme en lui signifiant de se reposer.

— C'est un ordre, soldat Audy ! Je vous interdis de vous lever, dit-il en imitant assez bien la voix de leur supérieur.

Se tournant vers l'aide-magasinier, il lui enjoignit encore une fois de ne pas révéler le fait à l'enseigne. Le visage aux traits sévères du témoin de la scène s'éclaira quelques instants, le temps de l'assurer de son silence. Pierre Lauxain de Caviteau avait mauvaise réputation et l'homme semblait heureux de contribuer à déjouer ses ordres.

André classa les munitions comme l'enseigne l'avait demandé. Les deux autres le regardèrent s'activer avec force et énergie pendant un moment, puis l'aide-magasinier retourna à son poste. En moins de vingt minutes, tout était terminé. André s'assit près de Siméon pour reprendre son souffle et constata que son ami était accablé de ne pas être à la hauteur. André lui expliqua, tout en ménageant son orgueil du mieux qu'il put, que ce que l'enseigne leur imposait était trop exigeant physiquement.

— Alors, pourquoi est-ce que tu tiens encore debout? rétorqua Siméon, sur un ton bourru.

— Je ne sais pas, admit André. Du plus loin que je me souvienne, j'ai toujours été incapable de tenir en place. Je dois bouger, aussi impérativement que je dois respirer. Cesse de t'en vouloir chaque fois que j'en fais plus que toi, parce que ça ne risque pas de s'arrêter. Lorsqu'on ne me donnera plus de tâches à faire, j'en trouverai moi-même. Notre enseigne adore exercer son pouvoir sur les gens. Le mieux est que tu continues d'avoir l'air de détester cela et d'être épuisé, sinon ce sera encore pire.

— Je n'ai pas besoin de simuler, déclara Siméon, amer.

Ils entendirent soudain l'aide-magasinier saluer Lauxain de Caviteau d'une voix forte dans le but évident de les avertir de son arrivée. Immédiatement, André se leva et tendit la main à Siméon pour l'aider à se remettre debout. Il lui fit signe de l'aider à soulever une caisse de munitions qu'ils redéposèrent aussitôt que l'officier pénétra dans la pièce. Celui-ci constata, visiblement dépité, que le travail était terminé et leur ordonna de rejoindre leur baraquement, car l'appel du repas du soir aller sonner d'un moment à l'autre. Il leur conseilla d'un air mauvais de bien dormir, prenant soin de préciser qu'il aurait encore des tâches à leur confier le lendemain.

Ils se rendirent donc au baraquement, manifestement construit à la hâte, où l'on servait à manger aux soldats. Assis à une longue table, les hommes discutaient tout en mangeant.

— Nous appareillerons bientôt pour les Antilles, paraît-il, lança Michel Rognon dit Laroche, enthousiaste.

C'était un jeune homme originaire de Paris avec qui André avait eu plaisir à bavarder à plusieurs reprises. Il avait intégré la compagnie du sieur de Monteil plusieurs mois auparavant et disait s'être engagé dans l'armée pour fuir la vie parisienne qu'il trouvait étouffante et, ainsi, découvrir de nouveaux horizons, lui qui n'était jamais sorti de son quartier. Il semblait ravi de partir pour des contrées aussi lointaines, contrairement à d'autres hommes, autour de lui, qui se jetaient des coups d'œil inquiets.

— Sais-tu pourquoi nous allons dans les Antilles ? chercha à savoir André.

— J'ai entendu dire que nous allons chasser les Hollandais de Cayenne et des îles, car ils auraient pris un peu trop leurs aises sur les territoires français, révéla Michel.

Il engouffrait par grosses bouchées le poisson et le navet qu'on leur avait servis.

— Notre bon roi Louis XIV ne peut le tolérer plus longtemps, ajouta-t-il la bouche pleine.

❧

André se trouvait au pied de la tour de la Chaîne, la plus petite des deux tours qui gardaient l'entrée du port de La Rochelle. À sa gauche, de l'autre côté du canal, s'élevait la tour Saint-Nicolas. Depuis des dizaines d'années, elles gardaient avec majesté l'entrée de cette grande cité maritime qui avait vu plusieurs navires partir vers la Nouvelle-France et les Antilles.

De gros nuages noirs étaient apparus peu à peu et le vent s'était levé. André était assis sur le quai en pierre, les jambes pendant au-dessus de l'eau, portant son regard sur la ligne d'horizon, juste au-dessus de l'océan, perdu dans ses pensées.

Il revoyait le visage de Marie Jacques aussi précisément que si elle avait été devant lui. Ses traits empreints tout à la fois de douceur et de fermeté. Une force tranquille. Par sa seule présence, elle avait un effet apaisant sur lui. Ses yeux pâles, d'un brun doré, brillaient de mille étoiles lorsqu'elle le regardait. Il put presque sentir ses lèvres si douces comme s'il l'embrassait encore. Il se souvint nettement de la caresse de ses cheveux pendant qu'il écartait une mèche qui s'était échappée de sa coiffe. Il se la remémora marchant à ses côtés sur le sable du rivage, sa main posée sur son bras. Ses cheveux, tout comme sa jupe, volaient au vent. Elle parlait en lui jetant des regards sereins qui lui chaviraient le cœur.

Malgré lui, ses pensées l'amenèrent ensuite à visualiser Marie Jacques à son mariage. Il l'imagina à l'église, à la noce qui suivrait et à… «Non, non, NON!» André serra les poings. Les griffes de la jalousie lui lacéraient le cœur et ses nerfs étaient tendus à craquer.

Soudain, Siméon se laissa tomber à côté de lui, l'arrachant à ses sombres spéculations. Ils restèrent assis en silence, à contempler la mer. Après quelques minutes, son ami lui demanda:

— Comment s'appelle-t-elle?

André n'avait pas parlé de Marie Jacques à Siméon, c'était trop douloureux. Il examina son ami avec étonnement, sans répondre.

— Ce n'est pas difficile à deviner, tu sais. La première fois que je t'ai vu, tu semblais vraiment abattu. Tu avais les épaules voûtées et tes yeux fixaient le vide la plupart du temps. Au fil des jours, tu as repris un peu de vie, mais, depuis que notre départ est imminent, tu ressembles à un condamné à la potence. J'en déduis que c'est une femme qui est responsable de ton état.

— Ce n'est pas elle qui est responsable. C'est sa mère, car elle a refusé notre union. Elle lui a choisi un autre époux.

— Ça ne doit pas être facile pour toi, je peux le comprendre, commenta Siméon.

André se tourna vers son ami et, d'une voix chargée de peine et de colère contenue, il lui dit:

— J'en doute fort.

En fait, peut-être Siméon avait-il été dans l'obligation de quitter une femme qu'il aimait, lui aussi. Peut-être avait-il vécu la même peine que lui. Qu'en savait-il? André prit un air contrit.

— Au fond, je suis heureux de partir à l'autre bout du monde. Comme ça, je n'aurai pas la tentation d'étrangler son futur mari, conclut-il en se levant.

Siméon se mit debout à son tour et les deux hommes retournèrent à leur baraquement en silence tandis que la neige commençait à tomber.

3

19 février 1664, port de La Rochelle, France

Le *Brézé* était un immense vaisseau de deux ponts et huit cents tonneaux, pointant fièrement vers le ciel ses trois mâts auxquels étaient fixés une multitude de cordages et de poulies. Ses voiles étaient pour l'instant repliées sur les vergues et ses deux rangées de sabords, courant sur toute la longueur de la coque, étaient ouvertes. Assis dans la barque, les soldats gardaient les yeux fixés sur le navire. Ils approchaient de biais par l'arrière et pouvaient ainsi admirer à loisir les riches sculptures en bois peintes en bleu, rouge et or qui décoraient le gaillard d'arrière et la dunette, d'où quelques officiers surveillaient les opérations.

Comme il était né sur une île, André avait vu de nombreux bateaux, mais jamais il ne lui avait été donné d'approcher un navire aussi gigantesque et aussi majestueux que le *Brézé*. En raison de son tirant d'eau, il mouillait à bonne distance du port de La Rochelle et les matelots devaient faire la navette en barque pour transporter les soldats et tout le matériel. La neige ne tombait plus, mais la mer d'un gris acier et parsemée de crêtes d'écume blanche restait tout de même agitée.

Quatre compagnies provenant d'autant de régiments devaient voyager à bord du navire : la compagnie commandée par le capitaine Olivier Morel, sieur de La Durantaye, celle du capitaine Vincent de La Brisardière, celle du capitaine François de Tapie de Monteil et, enfin, la compagnie d'André et Siméon, sous les ordres du capitaine Isaac de Berthier.

Le meneur de tous ces hommes était le chevalier, conseiller du roi et commandant en chef des troupes Alexandre de Prouville, marquis de Tracy. Âgé d'une soixantaine d'années, celui-ci avait été nommé lieutenant-général avec les pouvoirs de vice-roi. Il était envoyé dans les Antilles afin d'y rétablir la souveraineté de la France et l'obéissance au roi. Il détenait tout pouvoir sur les autres lieutenants-généraux et les gouverneurs, et pouvait même déclarer la guerre ou signer des traités de paix.

— Quel immense vaisseau ! Nous serons invincibles ! s'exclama Michel Rognon, la voix empreinte de respect et les yeux rivés sur le *Brézé*.

Il était prévu que le *Terron*, un vaisseau de six cents tonneaux, avec à son bord plusieurs centaines de soldats, les accompagnerait. Également, une flotte complète de navires de plus petites dimensions où embarqueraient de futurs colons voulant s'établir dans différentes régions des Antilles, ainsi que toutes les munitions et provisions nécessaires, ferait partie de l'expédition. En tout, plus de mille personnes s'apprêtaient à mettre le cap sur les Antilles.

Près du *Brézé*, le chaos régnait. De nombreux matelots s'échinaient à hisser des caisses en bois à l'aide de câbles et de poulies tandis que des officiers hurlaient des ordres du haut du pont. On tentait tant bien que mal de maintenir les barques contre la coque malgré les vagues qui semblaient s'être donné pour mission de les en éloigner.

Plusieurs échelles de corde avaient été déroulées du pont jusqu'à la mer. Des soldats les gravissaient avec plus ou moins d'aisance, accompagnés des encouragements sincères de leurs compagnons encore dans les barques, faisant contraste avec les cris et les huées lancés du haut du pont par les hommes qui avaient traversé l'épreuve.

André remarqua que le visage du soldat assis près de lui avait perdu toute couleur et qu'il fixait avec anxiété ceux qui montaient à l'échelle de corde. Lorsqu'ils atteignirent le vaisseau, André s'adressa au soldat effrayé.

— Tu as peur?

— N... non, bredouilla l'homme d'une voix blanche.

Il était tendu et ses yeux hagards allaient et venaient entre la mer et le haut du navire.

— Ne t'inquiète pas, je ne dirai rien, promit André. Je vais t'aider à monter.

— Vous ne pouvez m'être d'aucun secours, grommela son voisin.

Il paraissait terrifié, mais semblait ne pouvoir se résoudre à accepter l'aide d'André, qui insista tout de même.

— Si tu tombes, je te rattraperai.

Le soldat le scruta d'un air dubitatif.

André informa discrètement Siméon de la situation et lui enjoignit de monter juste devant leur confrère. Lorsque vint leur tour, André agrippa le soldat par l'arrière de son justaucorps, le souleva aisément vers l'échelle de corde et, sur un ton autoritaire, lui ordonna de se hisser sur l'échelle. L'homme, surpris, attrapa les barreaux et se mit à monter sans réfléchir. André le suivait tout en l'encourageant. Aux trois quarts de l'échelle, le soldat se mit à ralentir de plus en plus, puis s'arrêta tout net.

— Ne regarde pas en bas! s'écria André en le voyant pencher la tête. Fixe la coque devant toi et continue à monter lentement, un barreau à la fois.

— Je ne peux pas continuer, balbutia-t-il.

— Bien sûr que tu peux, ce n'est qu'un mauvais moment à passer. Allez, lève ta main et attrape le barreau suivant, l'exhorta André.

Le soldat tremblait sur l'échelle. André ne pouvait voir son visage, mais l'imaginait aisément. Il lui prit la cheville de sa main et lui intima, de nouveau, l'ordre de continuer.

Après quelques instants, l'homme recommença lentement à monter. André poussa un soupir de soulagement. Siméon, parvenu en haut, aida le soldat à passer par-dessus le bastingage. Une fois sur le pont à son tour, André chercha son pauvre camarade des yeux.

Un désordre indescriptible régnait sur le navire. Des marins couraient dans tous les sens, certains transportant des cordages. Des caisses étaient déposées un peu partout. Des soldats qui avaient réussi à récupérer leur coffre tentaient de se frayer un passage dans la cohue. André finit par découvrir celui qu'il avait aidé assis un peu plus loin, adossé à une malle.

L'épreuve semblait avoir été extrêmement pénible pour lui, car il était essoufflé et la sueur perlait à son front. Il ressemblait à un homme qui a couru sur une distance de deux lieues à toute vitesse. Il se passait la main dans les cheveux et semblait se demander comment il avait atterri là. André et Siméon s'éloignèrent, le laissant se remettre de ses émotions. Ils allaient récupérer leurs coffres pour les transporter sur le pont inférieur quand ils croisèrent Pierre Lauxain de Caviteau.

— Vous voilà enfin! Je vous cherche depuis plusieurs heures. Ne croyez pas vous en tirer à si bon compte, persifla-t-il.

Siméon prit son ton le plus méprisant pour répliquer :

— Jamais une telle idée ne nous serait venue à l'esprit!

L'enseigne lui jeta un regard mauvais.

— Venez hisser des caisses sur le pont, nous manquons de bras. Nous verrons après si vous avez encore envie de vous gausser, gronda-t-il.

— On ne peut pas dire que tu aides ta cause, souffla André lorsque l'enseigne se fut éloigné.

Siméon se tourna vers lui les joues en feu et les yeux tout aussi brûlants.

— Il est tellement odieux que je n'ai pas pu me retenir.

Après s'être calmé, il ajouta, l'air satisfait:

— À tout le moins, cela m'a fait le plus grand bien.

Ils hissèrent des caisses pendant plusieurs heures pour tout embarquer. Une fois le travail terminé, ils récupérèrent leurs effets et descendirent au deuxième pont inférieur où se trouvaient les quartiers de la compagnie de Berthier. Les deux ponts, ouverts d'un bout à l'autre du navire, étaient de grandes dimensions, mais leur plafond bas, soutenu par plusieurs poutres, ainsi que les trois immenses mâts qui les traversaient en leur centre en faisaient des espaces confinés.

Les soldats devaient cohabiter avec les canons qui étaient installés perpendiculairement de chaque côté, la bouche face aux sabords, prêts à être utilisés. Des hamacs de toile jaunis étaient suspendus au-dessus des canons. Les deux autres niveaux inférieurs étaient constitués de la cale, qui servait d'entrepôt aux nombreux tonneaux contenant les provisions ainsi que de l'eau, du cidre et de l'eau de vie. Au-dessus de la cale, quartier de l'équipage, on trouvait quelques foyers de briques permettant d'entretenir des feux pour cuisiner et réchauffer le navire, ainsi que les enclos des vaches, cochons, poules et pigeons.

Les sabords avaient été ouverts et des zones brillamment éclairées alternaient avec des zones sombres. Dans la partie assignée à leur compagnie, André et Siméon choisirent deux hamacs libres et rangèrent leurs coffres le long de la coque. Quelques hommes autour d'eux jouaient aux cartes ou aux dés sur des coffres, et plusieurs autres les encerclaient. Lorsqu'ils approchèrent, un des soldats leur lança d'une voix moqueuse :

— Vous étiez encore de corvée !

— Bien sûr, rétorqua Siméon, les vrais hommes travaillent, eux, tandis que les autres s'amusent.

Ils se firent chahuter. Puis l'auditoire reporta son attention sur les joueurs.

Quelques jours plus tard, profitant d'un vent favorable, le navire appareillait à grand renfort de cris et de courses. La vingtaine de voiles furent déployées graduellement en un ballet parfaitement synchronisé. Le vent faisait claquer quelques-unes d'entre elles et le bateau prenait de la vitesse de minute en minute. André s'accouda au bastingage et regarda les tours du port de La Rochelle, ainsi que l'île de Ré, située tout près, s'éloigner lentement.

Les émotions qui l'étreignaient étaient multiples. Il avait le cœur lourd de tristesse, la peur au ventre et une certaine effervescence dans la tête. Siméon, près de lui, était silencieux, se faisant probablement les mêmes réflexions. Malgré un vent glacial, plusieurs soldats étaient sur le pont à scruter la côte qui disparaissait peu à peu. L'état-major entier s'était rassemblé sur le gaillard d'arrière et discutait avec force gestes.

— Je ne vous ai pas encore exprimé toute ma gratitude comme il se doit.

André et Siméon se retournèrent d'un seul mouvement. Leur confrère en difficulté lors de la montée à l'échelle de corde se tenait devant eux. Il était de taille moyenne et plutôt mince. Il avait les cheveux blonds soigneusement attachés sur la nuque. Il leur souriait avec retenue, comme s'il voulait garder une certaine distance. Son visage aux traits fins était blême et il ne semblait pas du tout dans son élément sur ce bateau.

— Je vous prie d'accepter mes plus sincères remerciements pour m'avoir porté assistance.

— Ce n'est rien, déclara André aimablement.

— Mais je manque à tous mes devoirs ! Je me présente, Moyze Aymé, dit-il en s'inclinant.

André et Siméon, peu habitués à tant de cérémonie, restèrent figés quelques secondes, puis s'inclinèrent gauchement à leur tour, tout en se nommant. L'homme était sûrement huguenot avec un prénom tel que Moyze. Peu importait à André puisque, sur l'île de Ré, les huguenots et les catholiques cohabitaient dans le respect mutuel. Plusieurs familles huguenotes vivaient près de chez lui.

Ils échangèrent quelques banalités, puis la conversation s'épuisa et chacun se retrancha dans ses réflexions. André tentait de se persuader qu'il ne voyait pas son île pour la dernière fois. Les soldats étaient au service du roi, qui pouvait les retenir loin de chez eux pendant plusieurs années. De plus, André n'ignorait pas les risques qu'il encourait. Par la pensée, il salua chacun des membres de sa famille. Malgré le vent froid qui les fouettait, les trois hommes restèrent en silence plus d'une heure à observer la France se soustraire peu à peu à leur vue.

❧

Après quelques jours, chacun essayait de s'acclimater à la promiscuité et au tangage. La mer n'avait guère été calme jusqu'à présent. Au réveil, un peu avant l'aube, André perçut un vague un changement et il lui fallut quelques minutes pour comprendre que le bateau était immobile. Il se redressa sur son hamac et étira le bras pour secouer Siméon.

— La mer est calme ce matin, nous allons pouvoir pêcher.

Siméon ouvrit les yeux et, ayant manifestement oublié qu'il dormait dans un hamac, dégringola au sol.

— Enfin un peu d'action! se réjouit-il en se relevant.

Les deux hommes récupérèrent leur équipement dans leurs coffres et montèrent sur le pont supérieur. Ils s'installèrent au milieu du pont entre deux séries de haubans et entreprirent de lancer leurs lignes à l'eau.

Siméon, né près d'un important port de mer, pêchait avec son père depuis sa plus tendre enfance. Ils discutèrent avec enthousiasme des avantages des différentes méthodes de pêche. La pêche tranquille s'était muée peu à peu en compétition amicale entre les deux hommes et, en moins d'une heure, ils avaient pris plusieurs poissons. D'autres soldats s'étaient massés autour d'eux et les paris allaient bon train. Chaque prise était accompagnée d'un hourra des partisans de l'un ou l'autre camp.

Le lieutenant Lebassier de Villieu s'approcha du groupe et observa un moment la scène avec amusement. Second officier de la compagnie, un grade en dessous du capitaine Isaac de Berthier, le lieutenant était un homme grand et mince, aux traits fins et à la chevelure noire parfaitement lissée, attachée sur la nuque avec un ruban. Même sans uniforme, il devait être aisé de percevoir l'officier en lui tant son maintien dévoilait une autorité naturelle. Il n'était arrivé à La Rochelle que la veille de l'embarquement. On racontait qu'il avait obtenu une permission d'un mois pour aller voir sa femme et son jeune fils avant ce long voyage.

Entre-temps, le vent s'était levé et, voyant que le cercle de soldats toujours grandissant nuisait au travail des matelots, le lieutenant Lebassier de Villieu décida d'intervenir. En sortant sa montre de poche, il annonça que la compétition prendrait fin dix minutes plus tard. André et Siméon redoublèrent d'ardeur jusqu'au signal du lieutenant. Siméon l'emporta par cinq prises. À l'annonce du résultat, il y eut des cris de joie et de déception.

— Et maintenant, vous allez vous occuper de tous ces poissons, ordonna le lieutenant.

André et Siméon se regardèrent.

— On pourrait partager avec les soldats de notre compagnie, proposa le premier.

Le lieutenant Lebassier de Villieu haussa les sourcils de surprise et les observa un court instant, puis se tourna vers les autres hommes.

— Rassemblement de la compagnie du sieur de Berthier sur le gaillard d'avant, ce soir, une heure avant le coucher du soleil. Nous ferons un petit festin de ces poissons. Passez le mot, ordonna-t-il.

Les deux pêcheurs entreprirent de vider les poissons, aidés de quelques soldats. Moyze s'approcha d'André et l'observa.

— Tu es habile, on voit que tu pêches depuis plusieurs années.

— Depuis que je suis tout petit. Mon oncle venait me chercher à la maison et m'emmenait. Au début, je crois qu'il voulait uniquement laisser souffler ma mère. Il a sûrement dû le regretter, car par la suite je voulais toujours aller pêcher avec lui, révéla André.

— Tu as eu de la chance d'avoir quelqu'un qui s'occupait de toi, commenta Moyze.

André lui lança un regard interrogateur, mais Moyze ne le releva pas. André continua son travail, respectant le silence de son confrère.

Ce soir-là, on fit cuire les poissons et le capitaine Isaac de Berthier réussit à obtenir quelques oignons en accompagnement. Tous les soldats ainsi que les officiers de la compagnie de Berthier furent de la partie. Ils soupèrent avec appétit. Seul Pierre Lauxain de Caviteau mangea du bout des dents comme s'il avait peur d'être empoisonné.

Le capitaine de Berthier fit servir une portion d'eau-de-vie à tous, puis exigea le silence.

— Plaise à Dieu que tous mes soldats aient autant de férocité envers nos ennemis que de compassion envers leurs compagnons.

Il leva son gobelet vers André et Siméon, le porta à ses lèvres et but d'un trait. Tous les soldats en firent autant.

Jacques Brin, qu'André connaissait de l'île de Ré, s'approcha, son écuelle à la main.

— Tu as toute ma gratitude de varier ainsi notre menu, le remercia-t-il joyeusement.

— Je déteste tellement ces maudites galettes sèches qu'on nous sert, répondit André.

Jacques Brin approuva vigoureusement de la tête en faisant la grimace. Les galettes étaient un pain que l'on cuisait deux fois pour le durcir, de façon qu'il se conserve plus longtemps.

— Dis-moi, André... Je n'avais jamais entendu dire que tu souhaitais t'engager dans l'armée...

Un sourire triste flotta sur les lèvres d'André et il regarda autour de lui. Voyant que personne ne leur portait attention, il lui expliqua la raison de son enrôlement. Il savait que Jacques Brin ne trahirait pas son secret. Même si leurs deux familles n'habitaient plus le même village depuis cinq ans, ils se connaissaient depuis qu'ils étaient enfants et avaient commis ensemble plusieurs forfaits sans consé-quence. À quelques reprises, Jacques avait été puni, d'autres fois, ce fut André, mais jamais ils ne s'étaient dénoncés l'un l'autre.

Deux jours plus tard, au grand dam du capitaine du navire, les vents faiblirent de nouveau en fin de journée. André s'empressa d'aller chercher son attirail de pêche et s'installa. Siméon avait préféré continuer sa partie de cartes, car il avait plusieurs livres d'engagées en paris. Moyze Aymé rejoignit André quelques minutes plus tard et l'observa.

— Tu ne sembles pas te plaire beaucoup sur ce bateau, lui dit André après un moment.

Moyze tressaillit et lui jeta un regard étonné.

— Tu n'es pas obligé de me répondre, je ne serai pas offusqué, le rassura André d'une voix amicale.

Moyze l'examina attentivement, puis sembla prendre une décision.

— Je n'ai pas l'habitude que l'on m'adresse des questions si personnelles. Mais non, je ne me plais pas du tout sur ce bateau, avoua-t-il.

— Alors, que fais-tu ici ?

Moyze baissa les yeux.

— C'est une longue histoire, marmonna-t-il.

— J'ai tout mon temps, laissa tomber André.

Moyze s'accouda au bastingage et fixa le soleil qui plon-geait dans la mer. André garda le silence, le laissant à ses pensées. Après quelques minutes de réflexion, Moyze se lança dans un long récit qui débuta timidement, puis s'intensifia peu à peu. Plus les mots défilaient, plus Moyze semblait se libérer.

Il venait d'une famille aisée et s'était laissé bêtement séduire par une jeune fille issue de la même classe sociale que lui. Pour son plus grand malheur, il avait été surpris en mauvaise posture avec la demoiselle. Il avait eu juste le temps de passer chez lui prendre quelques effets personnels en pensant s'éloigner quelque temps, mais les frères de la jeune femme, furieux, s'étaient lancés à sa poursuite.

Il avait traversé plusieurs villages, mais rendu à Marennes, il avait été pris en souricière et était entré dans une auberge en espérant s'y cacher. Il y avait là des recruteurs de l'armée, alors il n'avait eu d'autre choix que de s'engager, car si les frères de la demoiselle avaient réussi à lui mettre la main au collet, ils l'auraient pendu au premier arbre trouvé sans autre forme de procès. Personne n'aurait su ce qui lui était arrivé.

— Ma seule consolation a été de les voir fulminer quand je suis sorti avec les soldats, termina-t-il en souriant tristement.

Le soleil avait disparu et l'obscurité envahissait lentement la mer. Des nuages violets s'étiraient à l'ouest.

— Je ne suis point fait pour être soldat, ajouta-t-il après un moment.

— Quel métier exerçais-tu avant de t'engager ? le questionna André en décrochant son dernier poisson.

Moyze s'empourpra jusqu'à la racine des cheveux.

— Aucun, avoua-t-il.

André le dévisagea avec surprise. Jusqu'à présent, il n'avait jamais rencontré quelqu'un qui n'avait pas besoin d'exercer un métier. Il y avait bien quelques notables à l'île de Ré, mais ils agissaient différemment de l'homme qui lui faisait face. Ils n'auraient certainement pas rougi en déclarant ne pas travailler et auraient plutôt adopté une attitude arrogante.

— Il n'est pas trop tard pour apprendre, proposa André.
Moyze haussa les sourcils d'étonnement.

— On pourrait commencer par la pêche, renchérit
André.

Son interlocuteur secoua la tête de droite à gauche,
manifestement déconcerté.

— Après tout ce que je t'ai raconté, tu ne veux point
prendre tes jambes à ton cou ? s'enquit-il, embarrassé.

— Bien sûr que non. Tu me prends pour un lâche !
s'exclama André.

Moyze s'apprêtait à protester, avec toute la conviction
dont il était capable, lorsqu'il remarqua l'air moqueur
d'André. Il le fixa un moment avec surprise, puis éclata de
rire.

— Merci. J'accepte ton offre. J'aimerais bien apprendre
à pêcher.

Il se passa la main dans les cheveux, soudain hésitant.

— Merci aussi pour cette conversation. De toute ma vie,
je n'ai jamais eu une conversation qui n'ait été autre chose
que du badinage, avoua Moyze.

Une semaine plus tard, un peu avant l'aurore, ils furent
réveillés par des cris d'alerte. Cinq navires aux intentions
hostiles fonçaient droit sur eux. Tous les soldats furent
appelés à rejoindre l'un des cinquante-quatre canons qui
armaient le *Brézé*. Comme le vaisseau était plus rapide que
le reste de la flotte, il avait distancé les autres bateaux durant
la nuit et se retrouvait sans escorte.

André et Siméon sautèrent de leur hamac et entreprirent
de le rouler puis de l'accrocher à une poutre du plafond
pour dégager l'espace nécessaire à la manœuvre du canon

à leurs pieds. Les canons reposaient sur une plate-forme munie de roues en bois et la force de deux hommes était nécessaire pour les manœuvrer. La puissance du tir provoquait un recul tel qu'ils devaient être attachés à la coque du navire à l'aide de bragues, de solides lanières limitant leur course. Un artilleur chargeait le boulet par la bouche du canon, puis les soldats devaient le remettre en position de tir.

À côté d'eux, Moyze Aymé et Jacques Brin prenaient position près de leur canon. Les troupes attendaient dans un silence tendu, certains essayant de regarder par les sabords, sans grand succès. Une grande fébrilité s'était propagée et quelques soldats nerveux piétinaient.

Ensuite, tout se précipita. Un officier transmit en hurlant l'ordre de tirer. Les tirs débutèrent dans un fracas infernal. Le bruit était tel dans cet endroit confiné que, dès le premier coup, plus personne n'entendit quoi que ce soit. André demeura figé quelques secondes et l'artilleur dut le secouer par la manche. Il se ressaisit et se mit à pousser le canon pour le remettre en position de faire feu. La fumée envahissait de plus en plus la place, piquant les yeux, s'insinuant par la bouche et les narines et faisant tousser les hommes. Les fanaux accrochés au plafond avaient été allumés, mais leur lumière peinait à traverser la fumée.

André remarqua que Moyze et Jacques avaient du mal à pousser leur canon. Il expliqua par signes à Siméon d'aller aider les deux soldats tandis qu'il s'occuperait à lui seul du leur. Siméon se joignit à l'autre équipe. André poussait de toutes ses forces et réussissait tant bien que mal à maintenir la cadence.

Après une heure de tirs continus, ils entendirent une immense clameur déferler sur le pont, puis les sous-officiers donnèrent l'ordre aux artilleurs de cesser le feu. Lentement, la fumée se dissipa en sortant par les sabords. Les troupes, exténuées, se laissèrent tomber par terre. Un officier descendit l'échelle pour leur expliquer que cinq vaisseaux turcs les avaient attaqués, mais qu'ils avaient maintenant pris la fuite.

— Hourra ! crièrent les soldats.

La tension retombait lentement. André reprenait son souffle lorsque Lauxain de Caviteau apparut soudainement devant eux. Il semblait en colère, mais étrangement une joie mauvaise brillait aussi dans son regard. D'une voix forte, il dit :

— Soldat Audy, levez-vous !

Étonné, Siméon se tourna vers André, qui haussa les épaules en réponse à la question muette de son ami. Il se leva et fit face à l'enseigne.

— Vous avez osé quitter votre poste durant la bataille !

Siméon recula d'un pas comme s'il avait reçu une poussée. Son visage s'empourpra jusqu'aux oreilles en un instant. André sursauta et se dressa d'un bond. Que se passait-il ? Les deux hommes se tenaient devant l'enseigne, prêts à répliquer vertement, lorsque le lieutenant Lebassier de Villieu s'approcha.

— Je constate que vous ne perdez pas de temps à féliciter vos hommes. Un bon officier doit toujours le faire, dit-il en posant une main sur l'épaule de l'enseigne.

Les trois hommes se tournèrent vers lui sans comprendre. Il poursuivit, s'adressant cette fois à André :

— Quelle force vous avez ! J'ai rarement vu un homme capable de pousser seul un canon, d'autant que vous avez effectué la manœuvre plusieurs fois.

Une lueur d'admiration sincère flottait dans ses yeux. Il interpella ensuite Siméon :

— Et vous, c'est tout à votre honneur d'aider vos compagnons comme vous l'avez fait.

L'expression de Pierre Lauxain de Caviteau se transforma pendant les quelques secondes que dura le discours de son supérieur hiérarchique. Tout juste avant que le lieutenant ne se tourne vers lui, il réussit avec peine à plaquer sur son visage un rictus qui pouvait passer pour un demi-sourire.

— Veillez à remettre à ces soldats une double ration d'eau-de-vie, je vous prie, dit le lieutenant.

Il dégageait une telle autorité naturelle qu'il ne vint pas à l'esprit de l'enseigne de répliquer.

— À vos ordres, lieutenant, proféra-t-il d'une voix étranglée par la fureur.

Le lieutenant Lebassier de Villieu tourna les talons et retourna sur le pont. Les yeux de Pierre Lauxain de Caviteau se tournèrent lentement vers André et Siméon. Son regard exprimait une telle haine que les deux hommes reculèrent d'un pas, instinctivement. Il les fixa longuement, semblant tenter de retrouver une voix normale avant de parler.

— Vous… vous… me le paierez, cracha-t-il enfin.

Il s'éloigna, furieux. André et Siméon se dévisagèrent en silence et haussèrent les épaules en même temps.

— Tu crois qu'il gardera l'eau-de-vie ? questionna Siméon, inquiet.

— Oh non ! Il n'osera pas, assura André.

Après la bataille, le convoi poursuivit sa route pour arriver le lendemain en vue de l'île de Madère, au sud-ouest des côtes du Portugal. Ses hautes montagnes étaient recouvertes d'une végétation dense, et ses falaises de roc abruptes semblaient avoir été déchirées. Madère ressemblait à une petite chaîne de montagnes flottant sur l'océan. Plusieurs soldats, appuyés au bastingage, observaient le panorama d'un œil émerveillé, peu habitués à un spectacle d'une telle splendeur. Comme pour ajouter au charme, le soleil se couchait derrière les montagnes, éclairant la scène d'une lumière dorée.

Les navires longèrent la côte ainsi pendant une heure, contournant une partie de l'île pour aller mouiller dans le port de Funchal, situé au fond d'une baie. Le village s'entassait au pied d'une montagne qui prenait toute la place, ne laissant qu'un petit espace où s'élevaient quelques toits. Une fois que tous les bateaux eurent jeté l'ancre, une barque venant de la plage s'approcha du *Brézé*. Une échelle de corde fut déroulée, puis deux hommes montèrent à bord. Après plusieurs minutes, ces derniers regagnèrent leur barque et retournèrent sur le rivage.

Les soldats ne purent descendre à terre que le lendemain matin. Honoré Martel dit La Montagne, un Parisien plutôt discret, fils d'un marchand de chevaux, avait développé au cours de son enfance une certaine habileté à apprendre des informations et à les transmettre contre rémunération : il était ainsi le soldat le mieux informé du groupe. Tel un caméléon se fondant dans son entourage, personne ne le remarquait. Il les informa que les habitants de l'île de Madère étaient heureux qu'ils aient mis en fuite les pirates turcs qui les menaçaient depuis plusieurs mois. En guise de remerciement, les insulaires organisaient une réception pour les officiers ainsi qu'une fête sur la plage pour les soldats et les matelots.

André et Siméon se dirigeaient vers le bastingage afin de débarquer lorsqu'ils furent interpellés par Lauxain de Caviteau, qui les attendait. Il leur ordonna de le suivre et les conduisit un peu plus loin sur le pont, où quelques marins et soldats parmi les plus forts attendaient de débarquer sous les ordres d'un officier marinier.

— Voici deux hommes solides, bien aises de vous venir en aide, dit-il.

Avant de s'éloigner, il répliqua d'une moue sardonique au regard torve de Siméon.

Les hommes entreprirent de descendre les échelles de corde sans plus prêter attention à André et Siméon. Sur la mer, deux barques les attendaient. Une fois installé dans une des barques, Siméon demanda quelles seraient leurs tâches. La plupart des matelots le dévisagèrent sans répondre. Les marins, en général, étaient des hommes rudes et peu amènes qui n'avaient pas confiance en la capacité des soldats à travailler aussi fort qu'eux. Un matelot plus avenant, René Toupin, leur expliqua qu'ils devaient aller chercher des pièces de mâts dans l'île et les embarquer sur le navire.

L'île de Madère était réputée pour la qualité de son bois, qui servait à la construction de mâts, et la plupart des capitaines s'y approvisionnaient. Les longs mâts étaient composés de plusieurs pièces qui s'emboîtaient les unes dans les autres. Les navires en transportaient toujours à leur bord pour être en mesure d'effectuer des réparations si une partie était brisée par les vents ou par un boulet de canon.

Ils accostèrent sur le rivage où les matériaux étaient déjà prêts. Ils s'activèrent à charger les mâts de façon à ce que chaque extrémité des pièces de bois soit posée et attachée sur une des barques. Une fois le chargement effectué, les deux barques reprirent la mer, les hommes ramant avec force contre le courant. Une fois au pied du navire, André et Siméon furent envoyés sur le pont ainsi que René et un marin prénommé Jean. Les matelots dans les barques attachèrent une première pièce aux cordes lancées du pont.

René se tenait près du bastingage et André, à environ cinq pas derrière lui. À côté d'eux, Siméon et Jean faisaient pareillement équipe et ils tiraient tous les quatre à la même cadence. Après un moment d'adaptation, ils prirent un bon rythme et les pièces s'accumulèrent sur le pont.

Une fois le travail terminé, André et Siméon purent descendre par les échelles de corde pour se rendre sur l'île. Le village entier était en fête et les habitants étaient très accueillants. Les enfants couraient autour des soldats en riant et en leur souhaitant la bienvenue en portugais, une langue qu'ils ne connaissaient pas. La place du marché était animée et ils y retrouvèrent Moyze. Ils achetèrent des fruits et du pain qu'ils dévorèrent avec délice, accompagnés d'un cruchon du délicieux vin de Madère.

En fin de journée, ils retournèrent sur la plage où un immense brasier avait été allumé. Un peu en retrait, des hommes jouaient une musique endiablée sur divers instruments. Les femmes et les filles du village faisaient danser les soldats sur le sable au milieu des exclamations et des rires. Siméon et Moyze dansèrent toute la soirée ; Moyze, avec la grâce acquise après une longue pratique, et Siméon, avec énergie. André s'adossa contre un palmier, légèrement en retrait, participant à la fête, mais sans s'y investir. Il huma avec nostalgie l'odeur caractéristique des feux sur la plage, qui faisait surgir des souvenirs de son île natale.

Ils dormirent à la belle étoile sous les palmiers, bercés par le son des vagues qui s'écrasaient sur la plage. Au lever du soleil, ils s'éveillèrent avec l'odeur délicieuse des pains tout juste sortis du four. Plusieurs étals avaient été dressés à la hâte sur le sable et des femmes s'affairaient à vendre des fruits, des brioches, des pains et des petits gâteaux. Les habitants du village, qui était un point de ravitaillement sur la route des navires, avaient certainement travaillé toute la nuit à préparer la nourriture nécessaire pour rassasier plusieurs centaines d'hommes.

Les soldats regagnèrent leurs vaisseaux au cours de la matinée. Les matelots s'étaient occupés de renouveler les réserves d'eau douce et de nourriture de chacun des navires. Lorsque le soleil fut à son zénith, le convoi leva l'ancre et continua son voyage vers le sud.

4

19 mars 1664, sur le Brézé

N'ayant aucune autre activité possible que de jouer aux cartes ou aux dés avec ses compagnons, André s'ennuyait. Il avait pris l'habitude de se rendre sur le pont supérieur et d'observer les matelots, il connaissait déjà le maniement des voiles d'une barque, que son oncle lui avait enseigné. Un navire comme le *Brézé* était pour sa part muni de trois immenses mâts, de plusieurs vergues et de bonnes quantités de voiles, rendant les opérations beaucoup plus complexes.

C'est ainsi que, tôt un matin, il engagea la conversation avec le matelot René Toupin. L'homme était particulière-ment habile et doté d'une grande force. La force était la qualité première recherchée chez un marin, car effectuer les manœuvres requérait de grands efforts physiques. René était gabier, c'est-à-dire qu'il était chargé de l'entretien et de la manœuvre des cordages. Il venait de Saint-Malo, un port français aussi développé que celui de La Rochelle. Il avait appris le métier de son père, qui le tenait du sien. Son visage basané et plusieurs rides claires autour des yeux lui donnaient un air rieur. Il était très agile et, à l'aide de ses avant-bras massifs, pouvait grimper aux mâts en un rien de temps pour atteindre les plus hautes vergues.

Les vergues, ces longues pièces de bois attachées perpendiculairement aux mâts, soutenaient les voiles. Les matelots devaient y monter et s'y suspendre, littéralement pliés en deux, afin d'avoir les mains libres pour tirer sur la toile, la replier et ensuite l'attacher. La manœuvre était risquée par temps calme et franchement périlleuse par forts vents. Si un marin en tombait, il n'avait aucune chance de survie. Il se fracassait le crâne sur le pont ou tombait à la mer et le bateau ne pouvait faire demi-tour pour le récupérer. Les marins en étaient conscients et, pour la plupart, n'apprenaient pas à nager, ne voulant pas prolonger leur agonie.

André, pour sa part, souhaitait apprendre à grimper aux mâts. René Toupin accepta de le lui enseigner, mais très tôt le matin, afin qu'il y ait peu de témoins. Dès le lendemain, André tenta l'expérience sous le regard amusé de René. La grande force d'André était un indéniable atout, mais il manquait cruellement d'agilité et de souplesse. Après que René se fut plusieurs fois tordu de rire sous le regard excédé d'André, ils décidèrent d'en rester là pour le moment.

— J'y arriverai, tu peux me croire, affirma André.

Pas question qu'il renonce. Il s'en faisait la promesse. Enfant, déjà, il avait cette attitude. Il ne s'arrêtait que lorsqu'il avait dépassé sa capacité à accomplir une activité physique, de préférence intense. Avec le recul, il avait pris conscience que sa mère en était souvent l'instigatrice subtile. Elle savait s'y prendre pour l'occuper.

Trois essais furent nécessaires afin qu'André améliore sa technique. Pour finir, il fut capable de monter jusqu'à la hune, petite plate-forme ronde servant de poste de vigie, sans néanmoins atteindre la fluidité de mouvement de René, qui semblait voler le long du mât. Le quart de travail du soir et de la nuit étant moins exigeant que celui de jour, René eut le temps de montrer à André plusieurs manœuvres ainsi que différents nœuds au fil des jours. Siméon était parfois venu observer l'exercice, mais il retournait rapidement à ses cartes et à ses paris.

Un matin, au réveil, André découvrit que Siméon avait un œil enflé.

— Pardieu! Que t'est-il arrivé? Tu es tombé de ton hamac? s'exclama-t-il avec un air malicieux.

Siméon lui jeta un regard oblique sans répondre.

— Et l'autre homme? demanda André.

— En plus d'avoir de la difficulté à voir, comme moi, il aura de la difficulté à manger, s'esclaffa Siméon.

Il raconta qu'il jouait aux cartes et qu'un des soldats, après avoir perdu, avait balayé le coffre de sa main, envoyant valser les cartes et l'argent des joueurs. Siméon avait sauté par-dessus le coffre et avait atterri sur lui. Ils avaient roulé sur le plancher et avaient eu le temps d'échanger plusieurs coups avant que les autres ne les séparent.

— Quel corniaud! tempêta Siméon.

Il retrouva son calme et sa bonne humeur, puis ajouta:

— M'est avis qu'on ne le reverra pas dans les prochains jours.

Quelques jours plus tard, André, qui avait l'habitude de se lever tôt, prenait l'air sur le pont. Il sentit le vent se lever subitement en de violentes et imprévisibles bourrasques, comme il arrive parfois en mer. Les matelots coururent replier quelques voiles. Soudain, avec un claquement sonore, l'une d'elles se détacha et fouetta l'air. André remarqua avec horreur que c'était une des voiles qu'il avait attachées la veille avec René. Un marin réussit à en attraper un pan qui volait dans tous les sens, mais il fut soulevé du pont et secoué comme s'il n'était qu'un brin de paille. Il lâcha finalement prise et fut projeté dans les airs. Il atterrit lourdement sur le pont en poussant un cri de douleur. Un autre matelot parvint à saisir un coin de la voile et plusieurs de ses compagnons se précipitèrent pour le retenir avant que ses pieds ne quittent le pont. Ils finirent par maîtriser la pièce de toile en furie.

Un officier s'élança au pas de charge vers René Toupin et le houspilla. André s'avança vers eux et tenta de se faire entendre.

— Je suis le coupable, tout est de ma faute.

L'officier fit un geste de la main pour le chasser.

— N'intervenez pas, soldat, cela ne vous concerne point.

— Vous ne comprenez pas, c'est moi qui ai fait ces nœuds hier, affirma André.

Avant que l'officier ne puisse ajouter quoi que ce soit, Lauxain de Caviteau se matérialisa soudainement à leurs côtés et lança d'une voix forte :

— Il a raison, tout est de sa faute. Je l'ai vu nouer les cordages.

André, René et l'officier le regardèrent, étonnés. L'enseigne désigna deux soldats et leur ordonna d'emmener André dans la cale. Une fois enfermé dans la pièce sombre et humide, celui-ci s'assit par terre, incapable de comprendre ce qui s'était passé. Il refit en pensée les nœuds qu'il avait faits. Il était convaincu que les cordes avaient été nouées correctement. De plus, René avait vérifié son travail. Son ami en subirait certainement les conséquences. Lauxain de Caviteau l'avait sûrement observé pour intervenir ainsi. Qu'il le fasse travailler, il n'y voyait pas d'inconvénient, mais qu'il le surveille en secret, André ne l'envisageait pas avec plaisir. Il allait devoir s'en méfier encore plus.

En fin de journée, le lieutenant Lebassier de Villieu vint en personne lui ouvrir la porte. Curieusement, il ne semblait pas contrarié. Son regard était pénétrant, mais paraissait étrangement indulgent en même temps.

— On peut dire que vous avez un ami qui a de hautes relations.

André le fixa avec surprise.

— Je n'ai pas d'amis qui aient des relations, fit-il.

— Moyze Aymé, sieur Desprises, en a pour sûr, puisqu'il a réussi à obtenir un entretien avec Alexandre de Prouville, marquis de Tracy.

Éberlué, André ne réussit qu'à prononcer :

— Sieur Desprises ?

— On m'a ordonné de venir vous libérer dès l'entretien terminé, ajouta Lebassier de Villieu.

André secoua la tête.

— Ça ne change rien au fait que je suis responsable puisque j'ai fait les nœuds. Comment va le matelot qui a été blessé ?

— Il s'en sortira. C'est tout à votre honneur de vous en enquérir. Pour ce qui est de votre responsabilité, vous n'y êtes pour rien.

Devant l'air dubitatif d'André, le lieutenant ajouta :

— Je laisse à votre ami le soin de vous en instruire. Allez, sortez d'ici et remontez sur le pont.

Moyze Aymé – sieur Desprises – faisait les cent pas. Il attendait avec nervosité la libération d'André. Il était à un moment crucial de sa vie, il le pressentait au plus profond de son âme.

Issu d'une famille fortunée, il n'avait jamais eu besoin de travailler. Dès sa naissance, sa vie avait été toute tracée. N'étant pas l'aîné, il ne pouvait hériter de la terre. Son père lui achèterait donc à grands frais une charge d'officier. Il lui trouverait en outre une jeune fille de bonne famille qu'il épouserait. Depuis sa plus tendre enfance, il avait été entouré de domestiques qui étaient à ses ordres et qui le louangeaient. Ses parents considéraient leur progression dans la bonne société comme plus importante que leurs propres enfants – moins par méchanceté que pour faire comme les autres parents de leur milieu.

Toute la vie de Moyze se déroulait comme convenu lorsqu'une jeune femme de sa connaissance avait décidé de le séduire pour fuir un mariage arrangé par son père et qui ne la satisfaisait pas. Elle avait prévu que, pour éviter le scandale de l'avoir déshonorée, il aurait été obligé de l'épouser. Mais avant que l'irréparable ne se fût produit, Moyze avait été surpris par les frères de la demoiselle et s'était enfui. Sa vie avait alors basculé.

Pourtant, il ne regrettait pas son geste. Le fait de s'engager dans l'armée pour se soustraire à ses poursuivants avait totalement modifié le cours de son existence. N'était-ce pas ce qu'il avait recherché, de manière plus ou moins consciente ?

Il avait écrit à sa mère avant de s'embarquer afin de l'informer qu'il partait pour quelques années. Elle s'était certainement souvenue de la conversation qu'ils avaient eue plusieurs mois auparavant, alors qu'il tentait de lui expliquer son besoin de découvrir d'autres horizons. Elle lui avait fait part de son opinion, à savoir que ce désir était malsain et qu'il ne pouvait lui apporter que des ennuis. Il était né avec un certain statut social et il était de son devoir de tenir son rang.

— Pourquoi t'angoisser avec ces questions oiseuses ? Tu as la chance que ton avenir soit tout tracé, avait-elle invoqué, l'air exaspéré.

— C'est exactement ce qui me dérange. J'ai...

Il s'était interrompu, cherchant ses mots.

— Mère, vous estimez que je devrais naviguer près du bord de la rivière, là où l'eau coule lentement, là où aucun rocher ne vient causer de remous. Si au détour d'une courbe la rivière se scinde en deux, vous voudriez que je me laisse porter là où le courant me mènera.

Il s'était passé une main dans les cheveux. Sa mère en face de lui se tenait parfaitement immobile.

— Mais ce n'est pas ce que je désire. Je voudrais naviguer au milieu de la rivière, là où le courant est le plus fort. Je voudrais contourner les rochers, même si je risque d'y fracasser mon embarcation. Lorsque j'arriverais à un croisement, je voudrais choisir moi-même la direction dans laquelle je souhaite aller, même si, pour cela, je devais ramer de toutes mes forces.

Elle l'avait fixé d'un regard qu'il ne lui avait jamais vu.

— Est-ce que vous comprenez, mère ? avait-il demandé anxieusement.

Une lueur de compréhension avait percé au fond de ses yeux. Enfin, il avait réussi à contraindre sa mère à le voir comme il était vraiment. Au moment même où il se disait qu'elle ne pourrait pas trouver une échappatoire comme elle le faisait si souvent, il avait vu son visage se fermer.

— Si tu as une telle envie de faire de la voile, je ferai en sorte de convaincre ton père de t'y initier.

Moyze en avait été stupéfié. Elle s'était encore défilée. Il avait eu envie de l'étrangler, après quoi sa colère était retombée d'un coup.

— Inutile, avait-il soupiré.

— À ta guise.

Avant de quitter le salon, elle avait posé une main sur son épaule, avait hésité un moment, puis avait déclaré :

— Les rochers qui ne font qu'effleurer la surface de l'eau sont les plus dangereux. Sois prudent lorsque tu navigueras.

Ainsi, elle avait compris ce qu'il avait voulu lui expliquer. Elle n'avait tout simplement pas voulu, ou pas pu, y faire face à ce moment-là.

Sur le vaisseau, il naviguait au beau milieu des eaux, comme il l'avait souhaité. Au début, il avait trouvé divertissant de se voir engagé dans l'armée, mais il devait désormais se rendre à l'évidence : il n'appartenait pas à ce monde. Les hommes autour de lui étaient différents. Lorsqu'ils posaient un regard sur lui, ils l'évaluaient, puis s'en désintéressaient rapidement, ne le reconnaissant pas comme l'un des leurs.

La facilité avec laquelle il pouvait soutenir une longue conversation sur un propos aussi futile que le temps qu'il faisait ne lui était d'aucun secours, pas plus que son aptitude à débattre d'un sujet sans jamais le mentionner explicitement. Les soldats étaient en général plus prompts à l'action qu'à la discussion.

Moyze était tellement habitué à ce que les gens ne lui parlent que pour obtenir une faveur qu'il avait d'abord été déconcerté par André. Ce dernier lui parlait et lui posait des questions comme s'il s'intéressait vraiment à lui. Moyze avait observé André de loin pendant plusieurs jours, tentant de l'étudier. Il aurait juré qu'il agissait de la même manière avec tout le monde. Il ne complotait pas et n'essayait pas de bien se faire voir des officiers.

Au contraire, Lauxain de Caviteau lui menait la vie dure sans qu'il semble perturbé outre mesure. Comment André faisait-il pour ne pas trembler devant l'enseigne? Était-il inconscient? L'officier pouvait lui rendre l'existence infernale en un rien de temps. Moyze le savait, il avait déjà eu affaire à des hommes comme lui. Des hommes qui, pour se sentir importants, avaient besoin d'écraser les autres. Leurs victimes étaient souvent des individus auxquels ils voulaient inconsciemment ressembler. Moyze en connaissait un chapitre sur la duplicité humaine.

Lorsqu'André avait été accusé et enfermé pour une action qu'il n'avait pas commise, Moyze était intervenu sans hésiter en faisant jouer ses relations pour le faire libérer. Il avait exigé de rencontrer le marquis de Tracy, à qui il avait révélé ses origines familiales. Choqué d'apprendre qu'il n'était que simple soldat, celui-ci lui avait offert une charge de lieutenant. Moyze avait refusé avec force et avait tenu à conserver l'anonymat. Malgré les remous, il ne souhaitait pas retourner au bord de la rivière.

À présent, il redoutait qu'André s'éloigne de lui parce qu'ils n'étaient pas du même monde. Il prenait plaisir à converser avec lui. C'était un sentiment extraordinaire que d'être apprécié pour soi-même et non pour son statut social ou pour sa fortune. Il n'avait pas la force d'y renoncer.

— C'est maintenant à mon tour de te remercier, décréta André, solennel.

On y était. Moyze décida d'être lui-même pour la première fois de sa vie. Il avait beaucoup à perdre. Néanmoins, son instinct lui dictait d'être honnête.

— Je t'en prie, dit-il.

André haussa les sourcils et secoua la tête, mais avant qu'il n'ajoute un seul mot, Moyze intervint d'une voix suppliante:

— Je souhaite de toute mon âme que mon statut social ne te porte pas à me juger aujourd'hui autrement qu'hier.

André l'observa un moment, puis il hocha la tête.

— Veux-tu me raconter ce qui s'est passé ? demanda-t-il.

Le cœur de Moyze fut près d'exploser de joie. Il se sentait comme un enfant qui vient de recevoir un cadeau longtemps souhaité. Enfin, il avait un ami, un vrai ! Son tout premier ami. Il eut peine à reprendre ses esprits pour raconter que l'autre matin, réveillé aux premières lueurs de l'aube, il s'était assis sur le pont, dans un coin sombre, et avait vu André confectionner des nœuds en compagnie de René, comme ils le faisaient souvent. Quelques minutes après qu'ils eurent terminé, il avait surpris Pierre Lauxain de Caviteau en train de manipuler les nœuds avant de s'éloigner, croyant que personne ne l'avait remarqué. Quand la voile s'était détachée, Moyze avait compris la manœuvre de l'enseigne. Il était donc intervenu pour faire libérer André, injustement enfermé au fond de la cale.

— L'as-tu dénoncé ? s'enquit André.

— Non, car il voudrait se venger. Cet homme est méchant et redoutable. Il ne reculerait devant rien pour te nuire et ta vie serait alors un enfer. Il faudra t'en méfier, mon ami, recommanda Moyze.

Au fil des jours en mer, la chaleur avait peu à peu remplacé le froid. Plusieurs semaines après son départ, la flotte arriva en vue du Cap-Vert, un archipel au large de l'Afrique. Avant de traverser l'océan Atlantique, tous les navires y faisaient escale afin de faire le plein d'eau douce et de nourriture. Depuis plus d'un siècle, l'archipel du Cap-Vert était un carrefour commercial entre l'Europe, l'Afrique et les Antilles. La traite des Noirs y était florissante : hommes, femmes et enfants, enlevés de force de différentes régions d'Afrique, étaient amenés au Cap-Vert pour y être vendus comme esclaves.

Ils contournèrent la quatrième île et jetèrent l'ancre dans une baie déjà occupée par une vingtaine de vaisseaux. Praia était un port très achalandé en raison de sa baie large et profonde qui offrait une bonne protection. La plage était étroite et un sentier pentu conduisait à un large plateau où étaient regroupées plusieurs maisons en pierre, dont les toits étaient dominés par le clocher d'une église. Au loin, derrière le village, quelques grappes de maisons étaient accrochées à flanc de montagne.

Antoine Joseph Le Febvre de La Barre, futur gouverneur de la Guyane, avait décidé de donner une réception pour le gouverneur et les notables de l'île. Les soldats, quant à eux, pouvaient descendre à terre où une fête serait organisée pour eux sur la plage, le soir venu.

André, Siméon et Moyze se dirigeaient vers le bastingage lorsqu'André reçut une forte poussée dans le dos au moment même où un obstacle entravait ses jambes. Il atterrit la tête la première dans des rouleaux de cordage, et Moyze fut entraîné avec lui dans un même mouvement. Il était sur le point de se relever, furieux, lorsque Siméon se précipita à leurs côtés. Une toile fut jetée sur eux. Siméon leur intima l'ordre de se taire et de ne pas bouger.

Après plusieurs minutes d'attente, on retira la toile et quelques soldats les empoignèrent pour les remettre debout. Ils étaient entourés d'hommes, mais ils profitèrent d'une percée providentielle pour se faufiler jusqu'au bastingage qu'ils enjambèrent aussitôt afin de descendre par l'échelle de corde. Une embarcation les attendait pour les transporter sur le rivage. Moyze descendit lentement l'échelle, la seule pensée de se retrouver sur la terre ferme lui donnant le courage nécessaire. Siméon arborait un air triomphant, et lorsqu'André voulut lui demander des explications, il lui fit signe d'attendre.

André pouvait distinguer au loin les cimes des montagnes. Le vent soufflait fort et faisait gonfler la voile de l'embarcation, la propulsant à bonne vitesse.

— Que s'est-il passé ? demanda André lorsqu'ils furent sur l'île.

— Tu aimes peut-être travailler tout le temps, mais pas moi. J'ai donc organisé notre sortie. Lauxain de Caviteau était à notre recherche, c'est pourquoi ces soldats vous ont poussés et nous ont cachés.

— Que leur as-tu promis ?

— Rien. Ils se sont acquittés d'une dette de jeu ! s'esclaffa Siméon.

Quatre soldats donnèrent des claques dans le dos à André en riant, puis s'éloignèrent.

— Allons à la place du marché, enchaîna Siméon. J'ai gagné suffisamment aux cartes pour nous payer un bon repas. Ça nous changera des biscuits secs qu'on nous sert !

Ils prirent le sentier qui grimpait jusqu'au plateau et débouchèrent directement sur la place du marché. Une bonne centaine de personnes déambulaient parmi les échoppes et les étals bordant la place. Des commerçants tentaient d'attirer l'attention des clients au milieu des cris et des interpellations. Toute cette joyeuse agitation se propagea aux troupes nouvellement débarquées.

La foule était composée à parts égales d'individus à la peau blanche et d'autres à la peau noire. C'était le premier contact d'André avec des Noirs. À voir les mines ahuries de Siméon et de Moyze, il en déduisit qu'il en était de même pour eux. Les femmes étaient vêtues de longues étoffes aux couleurs vives et brillantes, drapées autour de leur poitrine. Elles arboraient de longs colliers faits de coquillages et de petites pièces de bois. Elles étaient majestueuses.

Ils entendaient des bribes de conversations en plusieurs langues. Différente, celle parlée par les gens à la peau noire avait des sonorités totalement nouvelles et chantantes, très agréables.

André, Siméon et Moyze tentèrent tant bien que mal de se frayer un chemin dans la cohue à la recherche de nourriture. Soudain, à la faveur d'une éclaircie dans la foule, ils aperçurent Pierre Lauxain de Caviteau à quelques pieds devant eux.

— Vite ! Suivez-moi, ordonna André.

Ils tournèrent aussitôt les talons et coururent en sens inverse, bousculant les gens sur leur passage. Il y eut quelques protestations, mais ils continuèrent leur chemin sans s'arrêter. André tourna brusquement à droite, espérant que Siméon et Moyze le talonnaient. Après plusieurs minutes à se faufiler entre les gens et les étals, il ralentit et se retourna. Siméon et Moyze le suivaient toujours, mais il n'y avait pas de trace de l'officier.

— Tu crois qu'on l'a semé ? demanda Siméon.

— Je crois, affirma André avec satisfaction.

De bonnes odeurs de poulet, de saucisses grillées, de chou et d'oignon les assaillirent, ce qui fit prendre conscience à André qu'il était affamé. Une femme tenant un étal leur fit de grands gestes en parlant dans une langue étrangère. Sa voix douce et son accent chantant les incitèrent à s'approcher. Elle leur présenta les mets qu'elle pouvait leur offrir. Devant leur hésitation, elle prit dans ses mains un bol contenant de grosses boulettes. Elle le souleva à la hauteur de son nez et le huma. Nul besoin de connaître les mots qu'elle prononça pour comprendre, à sa mimique, que son plat sentait bon. Elle leur passa le bol pour qu'ils puissent humer à leur tour. Ils se penchèrent d'un seul mouvement, manquant de se percuter les uns les autres.

— Hum! fit André avec une mine gourmande.

Elle reposa le plat et ramassa la moitié d'une noix de coco encore remplie de liquide blanc qu'elle plaça sous leur nez. Elle indiqua d'un geste que le liquide avait servi à la confection des boulettes. André pointa le mets du doigt, puis sa poitrine. Elle ne fut pas longue à comprendre et saisit une grande feuille de maïs pour y déposer cinq boulettes. André déposa la feuille au creux de sa main et attrapa une boulette qu'il porta à sa bouche sous le regard attentif de Siméon et de Moyze.

Confectionnée de farine de maïs, d'oignon et de haricots, puis cuite dans le lait de coco, elle était délicieuse. André la dégusta lentement en laissant échapper un petit gémissement de satisfaction. Siméon et Moyze s'empressèrent d'indiquer à la femme par des gestes qu'ils en voulaient également. Ils s'éloignèrent tout en dégustant leur repas tenu au creux de la main, observant les gens autour d'eux.

Soudain, un groupe d'individus armés de fusils arrivèrent à l'entrée de la place. Ils étaient suivis par une longue file d'hommes, de femmes et d'enfants noirs dont les mains étaient liées. La foule leur libéra le passage et ils parvinrent à une estrade de bois à l'autre extrémité de la place. On fit monter aux captifs les quelques marches à coups de pied et de fusils.

Ils semblaient épuisés et certains avaient l'air malades. Les vêtements qu'ils portaient étaient crasseux et en lambeaux. La plupart fixaient leurs pieds, mais trois hommes avaient relevé fièrement la tête et toisaient la foule avec fureur. Un garde entreprit de les frapper à coups de fusil jusqu'à ce qu'ils baissent les yeux.

André s'était figé. Il avait déjà entendu parler d'esclavage, bien sûr. Cette pratique avait cours depuis plusieurs siècles, mais il n'y avait pas d'esclaves sur l'île de Ré. Connaître l'existence de cette réalité était une chose, la voir de ses propres yeux en était une autre.

Un homme monta sur l'estrade et entreprit de vendre les esclaves aux acheteurs qui se bousculaient devant lui. Lorsque vint le tour d'une jeune femme, un garde la poussa pour qu'elle s'avance. Elle tenait par la main une petite fille de cinq ou six ans, terrorisée. Lorsque le garde tenta de lui faire lâcher la main de l'enfant, elle poussa un cri strident et se jeta sur elle pour la protéger.

— Mon Dieu ! souffla André.

L'homme, après un moment de surprise, fit relever la mère. Un grognement sourd s'éleva dans la foule quand il tenta d'éloigner la fillette. Le garde leva les yeux vers la foule, surpris. Plusieurs personnes brandissaient leurs poings bien haut au-dessus de leur tête. Il se tourna vers le vendeur, ne sachant que faire. Celui-ci jeta un regard excédé vers la foule, puis lui fit signe de ramener la fille à sa mère. Il le fit, sans lâcher la foule des yeux. Les poings se baissèrent alors et les grognements cessèrent. Après un moment de silence, le vendeur continua son boniment.

André était bouleversé. Il lui fallait s'éloigner au plus vite de cette horreur. Il se tourna vers Siméon et Moyze, et constata qu'ils avaient le visage aussi blanc que le lait de coco qu'ils venaient de découvrir. Il leur indiqua d'un mouvement du menton qu'il voulait quitter les lieux. Ses compagnons acquiescèrent et le suivirent avec un soulagement manifeste.

Ils marchèrent dans les rues bordées de maisons en pierre pendant plusieurs minutes, sans un mot. À l'extrémité du plateau, ils arrivèrent sur une deuxième place, agrémentée d'une fontaine en son centre. Quelques personnes, des femmes surtout, discutaient en petits groupes. La quiétude de cette place contrastait avec le chaos qu'ils venaient de quitter. Ils s'assirent sur le bord de la fontaine et burent de l'eau au creux de leurs mains.

D'autres soldats du régiment apparurent sur la place, manifestement aussi secoués qu'eux. Ils vinrent les rejoindre près de la fontaine. Une jeune fille se présenta timidement devant le groupe, un panier rempli de bananes accroché au bras. L'un des hommes lui en acheta une et la croqua à même la peau. Il grimaça et son visage refléta son désappointement.

Amusée, la jeune fille lui prit la banane des mains et l'éplucha à moitié. Elle la lui tendit et lui fit signe d'y goûter. Il approcha le fruit de sa bouche avec un regard chargé de doutes. Il s'y risqua enfin et son visage s'éclaira.

— Oh! C'est délicieux!

Tous les hommes s'achetèrent alors une banane. André mordit dans la chair tendre et moelleuse et se régala. Ils passèrent le reste de la journée à flâner dans le village. Le soir venu, ils se rendirent à la plage où un immense feu avait été allumé. De loin, ils entendirent la musique, et lorsqu'ils atteignirent le sentier, ils aperçurent les musiciens regroupés sur la plage.

Cinq hommes jouaient une musique rythmée et entraînante. L'un d'eux était penché sur une minuscule guitare au son clair. Un autre tenait un morceau de métal sur lequel il frottait un couteau pour marquer le rythme, tandis que son compagnon soufflait dans un gros coquillage et en tirait un son sourd et profond comme le gémissement du vent. Les deux derniers frappaient du plat de leurs mains sur des tambours, produisant un son répétitif et envoûtant.

Plusieurs hommes étaient rassemblés autour du feu, certains debout à se balancer en cadence, d'autres assis en petits groupes et battant la mesure du pied. De petits verres de rhum circulaient et les visages, éclairés par les lueurs dansantes du feu, étaient joyeux.

Alors qu'André regardait fixement les flammes, le visage de Marie Jacques s'imposa à son esprit. Il la revit au marché, puis sur la plage, les cheveux qui s'échappaient toujours de son bonnet volant au vent. Des souvenirs d'elle défilèrent à toute vitesse.

Au moment de son départ, il était dévasté. À présent, il ressentait plutôt un immense vide. Il devait reconnaître qu'il avait pris la bonne décision de partir à la place de son jeune frère. S'éloigner avait été nécessaire. Le jour, en compagnie des soldats, rien ne pouvait lui rappeler Marie Jacques, sauf une soirée comme celle-ci. Heureusement, ces occasions étaient rares.

Depuis le début du voyage, ils avaient longé les côtes de la France, du Portugal et d'Afrique, mais après avoir contourné le Cap-Vert, ils voguèrent plein ouest pour traverser l'océan Atlantique, ce qui représentait la partie la plus périlleuse du voyage.

Après quelques jours de navigation plutôt calmes, les passagers eurent droit aux sursauts d'humeur de l'océan. Les soldats observaient, fascinés, l'horizon s'assombrir soudainement, le vent se mettre à souffler et les flots à s'agiter. Plusieurs d'entre eux ne venaient pas de villages côtiers et c'était leur tout premier contact avec une mer en furie.

Tous les matelots furent appelés sur le pont et les soldats durent descendre dans l'entrepont pour éviter de nuire aux manœuvres. Il y faisait sombre puisque les fanaux avaient été éteints afin d'éviter un incendie. Chaque homme était couché dans son hamac, car il était dangereux de marcher tant le bateau tanguait dans tous les sens. On entendait le vent rugir furieusement et le bateau craquer de toutes parts. André se faisait rudement secouer. Plusieurs soldats vomirent sur le plancher et l'odeur devint insoutenable. Il n'y avait rien d'autre à faire que d'attendre et de prier.

La nuit venue, la tempête ne faiblit pas et l'entrepont fut plongé dans l'obscurité. André écoutait, comme les autres, l'abbé Flavien de Saint-Pons qui récitait d'une voix puissante et rassurante des prières, répétées avec ferveur par la plupart des passagers.

On entendait de temps à autre des craquements sinistres. Les mouvements les plus violents du navire étaient ponctués des cris et des gémissements des hommes les plus mal en point. Être enfermé dans l'entrepont, dans l'obscurité totale, était tout simplement terrifiant. André essayait d'imaginer ce que devait être la tâche des matelots sur le pont, livrés aux bourrasques, mais devant effectuer leur travail coûte que coûte, car la vie de tous en dépendait.

Le vent ne faiblit que le lendemain en fin d'après-midi. Les vagues perdirent peu à peu de leur intensité. On ouvrit les trappes qui fermaient l'entrepont et on lâcha les cochons. Ils avaient pour tâche de nettoyer le plancher avant que les hommes ne descendent de leur hamac et ils s'en acquittèrent avec des grognements de plaisir. Une fois le travail terminé, les passagers qui tenaient fermement sur leurs jambes aidèrent les plus faibles à monter sur le pont pour prendre l'air. Siméon et André, habitués à la mer depuis leur plus tendre enfance, firent plusieurs allers-retours, venant en aide à leurs compagnons dont certains faisaient peine à voir.

Quelques heures plus tard, les planchers avaient été lavés à grande eau, les sabords ouverts pour aérer, et les soldats épuisés purent redescendre dans l'entrepont. André s'attarda quant à lui sur le pont pour constater les dégâts causés par la tempête. De nombreuses voiles avaient été déchirées, le mât de misaine était cassé et pendait lamentablement, retenu par les nombreux cordages. La nuit tombait et il faisait maintenant trop sombre pour terminer les réparations. La plupart des matelots, exténués, furent donc envoyés dans leurs quartiers pour se reposer. À regret, André regagna son hamac.

Le lendemain, ils furent réveillés à l'aube par les cris de marins s'interpellant bruyamment sur le pont; les dégâts devaient être réparés le plus rapidement possible. La manœuvre étant délicate, on interdit aux troupes de monter sur le pont. Des biscuits et de l'eau leur furent apportés, et on ouvrit les sabords afin de laisser entrer l'air frais. Le soleil brillait de nouveau et la mer s'était considérablement calmée.

5

11 mai 1664, Cayenne, Guyane

Plus de deux mois après leur départ de La Rochelle, ils arrivèrent enfin en Guyane où régnait une chaleur étouffante. Tous étaient animés d'une fébrilité trop longtemps contenue. Selon la rumeur, ils devaient débarquer à Cayenne pour sommer le gouverneur hollandais de remettre le territoire aux Français. Majestueusement, le *Brézé* et le *Terron* avançaient en tête, suivis par le reste de la flotte. À quelques encablures du rivage, les deux vaisseaux jetèrent l'ancre un peu en biais pour permettre à leurs canons de tirer si l'usage de la force devenait nécessaire. Les autres navires vinrent se poster de chaque côté, étalant leur puissance sur une longue ligne. Sur tous les bateaux, les hommes étaient à leur poste, dans l'attente des ordres. Plusieurs soldats observaient la côte par les sabords et décrivaient la scène à leurs compagnons derrière eux.

Pendant plus de trois heures, il n'y eut aucun mouvement dans l'île. Puis, enfin, sept hommes s'avancèrent lentement sur la plage et montèrent dans une barque. Six d'entre eux ramèrent pour rejoindre le *Brézé*. L'autre homme se tenait au milieu de la barque, la tête haute. L'embarcation approcha du vaisseau et une échelle de corde fut déroulée. L'homme monta à bord du navire. Deux heures plus tard, il en redescendit et retourna à terre.

Le même manège se reproduisit plusieurs jours durant. Les négociations s'éternisaient. Puis, au matin du onzième jour, les navires levèrent l'ancre et entrèrent dans une baie où ils pourraient procéder au débarquement. Les ordres furent donnés et, quelques heures plus tard, plus de sept cents hommes armés marchèrent vers le fort Nassau.

André était tellement heureux de se dégourdir les jambes qu'il réprimait difficilement une forte envie de courir. Jamais il ne s'était vu imposer une si longue période d'immobilité. Les soldats autour de lui semblaient tout aussi soulagés de se mettre en mouvement. André appréciait la légère brise qui les rafraîchissait. Ils accueillirent même avec plaisir une soudaine averse tropicale qui s'abattit sur eux. Être confiné dans un navire ancré dans une baie, sous un soleil de plomb, était un vrai supplice pour tous.

Devant le fort, le marquis de Tracy, à la tête du régiment, donna l'ordre de s'immobiliser. Un officier en sortit aussitôt, suivi de quelques soldats, et vint discuter avec le marquis. Les troupes patientaient en silence. De leurs vêtements trempés montait une vapeur d'humidité. Ils attendaient avec impatience le résultat de cet entretien. André, au quatrième rang, étira le cou dans l'espoir d'apercevoir le marquis de Tracy et de déterminer s'il était sur le point de lancer l'attaque.

Ayant embarqué pour les Antilles quelques jours à peine après son arrivée à La Rochelle, André n'avait participé à aucun exercice militaire. Pendant la traversée, des soldats expérimentés avaient raconté quelques-unes de leurs batailles ; André pouvait donc facilement imaginer la suite. Il sentait un bouillonnement grandissant dans ses veines.

Le petit groupe se sépara et le capitaine Isaac de Berthier revint vers ses hommes.

— Il ne sera pas nécessaire de combattre, déclara-t-il.

Les troupes poussèrent un soupir de résignation. La déception se lisait sur les visages. La tension des derniers jours aurait été évacuée par la montée d'adrénaline d'une bataille. Isaac de Berthier manifesta sa compréhension d'un haussement d'épaules.

— L'autorité royale de notre bon roi Louis XIV est rétablie. Les Hollandais se retireront de la Guyane sans combattre. Le nouveau gouverneur et représentant de la compagnie des Indes occidentales, monsieur Antoine Joseph Le Febvre de La Barre, s'installera ici avec des soldats pour y maintenir l'ordre. Les colons qui nous ont accompagnés s'établiront également ici.

Pendant sept semaines, les troupes surveillèrent le départ des Hollandais et aidèrent à construire des maisons pour les nouveaux colons. Les matelots en profitèrent pour réparer les différentes avaries subies par les navires.

Le convoi reprit la mer par une journée particulièrement chaude et humide. Le voyage fut calme et de courte durée, car ils arrivèrent à l'île de la Martinique quelques jours plus tard. Les bateaux mouillèrent dans la baie de Fort-Royal.

Plusieurs embarcations furent mises à l'eau et le marquis de Tracy se rendit sur l'île en compagnie des vingt-quatre soldats de sa garde personnelle, ainsi que de plusieurs officiers. Ici, il ne s'agissait pas de combattre. Il revint à la fin de la journée, l'air préoccupé. Un peu plus tard, le capitaine Isaac de Berthier rassembla ses hommes dans l'entrepont, ainsi que le firent les autres capitaines.

— Un nouveau gouverneur a été nommé par le roi dans cette île et il s'agit du sieur Clodoret. Mais voilà, les habitants souhaitent que le fils de leur ancien gouverneur décédé, le sieur du Parquet, prenne la relève, expliqua-t-il.

Puis, avec indignation, il clama :

— Personne ne peut passer outre aux ordres de notre roi, pas plus les habitants de la Martinique que les autres !

Il promena un regard sévère sur ses troupes, comme pour chercher quelqu'un prêt à affirmer le contraire. N'ayant pas trouvé d'opposition, il poursuivit :

— Nous allons donc faire sentir notre présence dans l'île le temps que les esprits se calment. Toutes les compagnies débarqueront et nous repartirons lorsque la situation sera à la convenance du marquis de Tracy.

Les hommes l'écoutaient attentivement. Étant plus enclin à l'action qu'aux discours, il conclut énergiquement :

— Prenez vos armes, gamelles et couvertures, et rendez-vous sur le pont pour débarquer.

Les soldats préparèrent leur paquetage et se présentèrent sur le pont. Une fois sur l'île, la compagnie de Berthier et celle de Monteil furent affectées à la construction d'abris rudimentaires, fabriqués essentiellement à partir de branches de palmier, tandis que les compagnies de La Durantaye et de La Brisardière partaient patrouiller. Les troupes se relayaient jour et nuit afin de maintenir le calme dans la petite communauté.

Après trois semaines de cette présence soutenue, les notables de l'île promirent qu'ils ne se révolteraient pas et qu'ils respecteraient l'autorité du nouveau gouverneur Clodoret. Sur ordre du marquis de Tracy, les compagnies regagnèrent donc les navires. Quant au sieur du Parquet, il fut amené sur le *Terron* en vue de son rapatriement en France, afin d'éviter qu'il ne prenne les armes contre le nouveau gouverneur.

Vers la fin du mois de juin, le *Brézé* arriva en Guadeloupe alors que le soleil colorait d'une multitude de teintes orangées les quelques nuages qui paressaient dans le ciel. La beauté du panorama n'empêcha pas les officiers de remarquer qu'ils étaient accueillis par des canons prêts à faire feu. Le navire se tint donc en rade, hors de portée, en attendant le reste du convoi qu'il avait devancé.

Construit sur un promontoire naturel, le fort Houël dominait la mer et la ville de Basse-Terre. Derrière, le terrain s'étendait en pente ascendante, de plus en plus escarpée jusqu'à culminer en un massif immense. L'île était recouverte d'une végétation verte et dense, au pied des montagnes, mais clairsemée en altitude. Le sommet de la montagne était fait de roc et un panache de fumée se dégageait de la plus haute cime.

À l'aube, les autres navires de la flotte l'ayant rejoint, le convoi se plaça en position de tir. Les déplacements rapides et désordonnés des troupes dans le fort trahissaient un mouvement de panique. Moins d'une heure plus tard, un groupe de cinq hommes sortit et s'avança sur la plage. Sur ordre du marquis de Tracy, des matelots mirent une barque à l'eau, puis six soldats et un officier y prirent place. Lorsque l'embarcation s'approcha du rivage, les soldats sautèrent dans l'eau pour la tirer jusqu'au sable et permettre à l'officier de débarquer sans se mouiller. Les deux groupes s'avancèrent et se rejoignirent à mi-chemin.

L'officier remit un document à l'un des hommes, qui le lut, puis se tourna vers les siens avant d'accompagner les soldats vers la barque. En route vers le *Brézé*, l'homme resta assis au milieu des soldats, les épaules voûtées et la tête basse. La barque approcha lentement du vaisseau. Seuls le Guadeloupéen et l'officier montèrent à bord.

Un peu plus tard, l'homme redescendit dans l'embarcation et on le reconduisit à terre. En fin de journée, le capitaine de Berthier rassembla de nouveau ses troupes.

— L'autorité de notre bon roi Louis le Quatorzième est maintenant rétablie dans toutes les Antilles françaises, conformément aux ordres reçus. Le *Terron* appareillera dans quelques jours pour la France, avec à son bord le sieur du Parquet et le gouverneur de la Guadeloupe, le sieur Charles Houël, ainsi que les rapports du marquis de Tracy. Nous attendrons donc ici les nouveaux ordres de notre roi. Le marquis et les officiers seront logés au fort, et des abris seront construits pour chacune des compagnies.

Un murmure parcourut les rangs. Attendre les ordres signifiait qu'ils passeraient plusieurs mois sur place.

Dix jours plus tard, Siméon héla André, qui revenait du village.

— Tu viens jouer aux dés ?

— Non.

— Ta réponse me surprend, ironisa Siméon.

Il n'était pas question pour André de jouer aux dés alors qu'un peu d'action se profilait à l'horizon. Enfin !

— Je viens de rencontrer un homme que je connais et j'espère pouvoir aller lui donner un coup de main pendant quelques semaines, expliqua André avec excitation.

— Ici ? s'étonna Siméon.

— Oui. Pourquoi ne viendrais-tu pas, toi aussi ? suggéra André.

— Peux-tu m'en dire plus ?

— C'est un homme natif de l'île de Ré que j'ai côtoyé à La Flotte, le village de ma...

André s'interrompit soudainement. Il allait ajouter «de ma fiancée». Il ne voulait pas laisser ses pensées dériver vers Marie Jacques et encore moins en parler avec Siméon.

— *De ma...*? fit Siméon.

— Du village où je vendais le gibier que je chassais, compléta André.

Il jeta un rapide coup d'œil à son ami pour voir s'il s'était rendu compte de son trouble. Si tel était le cas, il n'en laissait rien paraître, et André poursuivit.

— Il a acquis une concession non loin d'ici et il a un peu de difficulté à exploiter pleinement sa terre. Comme mon père était laboureur et qu'il m'a appris le métier, je suis convaincu d'être en mesure de l'aider.

— L'aider à labourer? questionna Siméon.

— Pas seulement. Être laboureur signifie aussi faire croître et récolter les cultures, expliqua André.

— Tu sais cultiver le tabac? s'enquit Siméon, sceptique.

— Non, mais je suppose que cultiver le tabac ne doit pas être si différent de cultiver la vigne.

— Je suis charpentier. Crois-tu que je pourrais tout de même vous être utile?

— Sans aucun doute. Viens, allons demander la permission au capitaine de Berthier.

André avait bon espoir d'obtenir l'approbation de leur capitaine, car les cases qui leur servaient d'abri étaient toutes construites et les soldats étaient désormais désœuvrés, ayant peu de tâches à accomplir. André, quant à lui, ne souhaitait pas jouer aux dés pendant des journées entières. Depuis quelques jours déjà, il arpentait le bourg à la recherche d'une quelconque occupation.

Ils obtinrent l'accord du capitaine de Berthier. Ce dernier leur ordonna même de former un petit groupe pour atteindre à la concession. Il était ravi que ses troupes puissent se rendre utiles auprès des colons français. Il ajouta qu'il vérifierait si d'autres colons avaient besoin de l'aide de l'armée.

— À qui propose-t-on de se joindre à nous ? s'enquit Siméon.

— En premier lieu, je vais demander à Jacques Brin ; il était laboureur et connaît l'homme. Et puis aussi à Moyze.

Siméon haussa les sourcils.

— Euh… il n'est pas d'une forte constitution. Crois-tu qu'il tiendra le coup ?

— Je crois. Il veut apprendre et je pense qu'il sera très heureux de pouvoir se rendre enfin utile.

— D'accord pour Moyze, dans ce cas. Je suggère Honoré Martel, soumit Siméon.

— Bon choix. Il semble ne pas tenir en place. Et que dis-tu de Michel Rognon ?

— Bien sûr ! Le voici justement. Allons le lui offrir.

Michel Rognon était enchanté à l'idée de quitter le camp ; il commençait à s'y sentir à l'étroit. Ils se mirent d'accord pour se rejoindre le lendemain matin à la première heure.

André partit informer Moyze de leur prochain départ. Ce dernier était comblé par la tournure des événements. Ayant compris qu'il était instruit, André profita de l'occasion pour lui demander d'écrire une lettre pour lui. Moyze accepta avec joie et ils s'installèrent à la table désertée après le dîner. André dicta sa lettre à son compagnon, qui écrivait lentement et avec application. Une fois qu'il eut terminé, il déclara :

— Je vais te la lire et tu me diras si elle te convient.

André approuva.

Guadeloupe, 5 juillet 1664

Bien le bonjour à vous tous,

J'espère que cette lettre se rendra jusqu'à vous et vous trouvera tous en bonne santé. Pour ma part, je me porte très bien. Tout d'abord, je veux rassurer André, je me plais dans l'armée et je suis très fier d'avoir eu l'occasion de préserver l'honneur des Mignier. Prends patience, André, ton tour viendra dans quelques années. Jusqu'à maintenant, j'ai vu des lieux que je n'aurais jamais pu découvrir et j'ai rencontré plusieurs personnes très intéressantes, dont deux hommes avec qui je me suis lié d'amitié. Siméon Leroy, que j'ai rencontré le jour de mon arrivée à La Rochelle, vient de Créances, en Normandie, et Moyze Aymé, que j'ai rencontré le jour de l'embarquement, qui ne veut pas raconter sa mésaventure…

— Tu n'as pas écrit ce que je t'ai dit! s'exclama André.

— Il n'est pas question que je m'humilie devant toute ta famille, rétorqua Moyze.

— C'est bon pour cette fois, concéda André avec un sourire.

… et qui a accepté d'écrire cette lettre pour moi. Tu vois, Catherine, j'ai tenu ma promesse. Malheureusement, tu ne pourras pas me répondre tout de suite, car je ne sais pas combien de temps nous resterons ici. Au cours de notre long voyage, nous avons fait des escales dans des îles belles et montagneuses, très différentes de la nôtre. En Guyane, nous avons débarqué, mais nous n'avons pas eu besoin de combattre. À nous voir tous marcher vers leur fort, je suppose qu'ils ont eu peur. Nous sommes allés en Martinique et maintenant, nous sommes en Guadeloupe. Vous vous souvenez de Mathurin Durand? Je l'ai rencontré hier et je pars lui donner un coup de main sur la plantation qu'il a acquise ici. Dans l'armée,

cela peut vous paraître étrange, mais il n'y a pas toujours de quoi s'occuper. Comme vous pouvez deviner, je ne tiens pas en place. Mère, je vous vois rire comme si vous étiez devant moi. Père, en allant au marché du village de La Flotte, pouvez-vous rassurer les parents de Jacques Brin et leur dire que leur fils se porte bien et qu'il viendra avec moi chez Mathurin Durand?

Vous me manquez tous et j'ai hâte de vous revoir. Je vous écrirai de nouveau dès que je saurai que je peux recevoir votre réponse. Je vous embrasse tous.

André Mignier dit Lagacé

André se rendit compte que Moyze avait inscrit son surnom et que sa famille en serait sûrement surprise.

— Moyze, ajoute que je leur expliquerai dans une prochaine lettre l'origine de mon surnom.

— Je peux l'écrire tout de suite, si tu veux, répliqua Moyze en reprenant sa plume.

— Non, un petit mystère n'est pas pour me déplaire.

Moyze termina donc la lettre. André le remercia chaleureusement et partit la déposer dans le coffre prévu pour le transport du courrier.

Le lendemain matin, alors qu'ils se dirigeaient tous les sept vers l'embarcation qui les mènerait à la concession de Mathurin Durand, ils furent interceptés par Pierre Lauxain de Caviteau.

— Pourrais-je savoir où vous comptez vous rendre? demanda-t-il d'une voix furieuse.

Ce fut Michel Rognon qui prit la parole, n'ayant pas eu connaissance des agissements passés de l'enseigne.

— Nous allons dans une concession non loin d'ici pour aider un colon français.

— Il n'en est pas question, s'opposa l'officier avec force.

Tous les hommes le regardèrent avec stupeur. Le premier à réagir cette fois fut Siméon.

— Donnez-vous seulement la peine de vérifier auprès du capitaine de Berthier et vous verrez qu'il nous a accordé sa permission.

L'enseigne plissa les yeux et les examina tour à tour.

—Je ne vous crois pas, cracha-t-il, je n'ai aucune confiance en vous. Le capitaine ne peut pas vous avoir donné son accord, ce serait stupide.

— Qu'est-ce qui serait stupide?

Claude-Sébastien Lebassier de Villieu s'avançait vers le groupe. Pierre Lauxain de Caviteau se retourna d'un seul mouvement et ses épaules s'affaissèrent.

— Euh… j'étais en train de vérifier où allaient ces hommes, parvint-il à articuler.

Le lieutenant s'était approché de l'enseigne et le toisait à présent de toute son autorité.

— Ils vont se rendre utiles, et je suis bien aise que notre capitaine ait pris cette décision. Cela fait plusieurs semaines que les hommes sont désœuvrés et il est de notre devoir de les occuper.

Puis, il s'adressa au petit groupe plus aimablement:

—Je vous félicite de votre initiative. Vous êtes un exemple à suivre. Partez maintenant et faites du bon travail.

Il se tourna vers l'enseigne et son regard se durcit.

— Quant à vous, suivez-moi, j'ai quelques instructions à vous donner.

Pierre Lauxain de Caviteau parut se recroqueviller sur lui-même tandis qu'il emboîtait lourdement le pas au lieutenant. André vit le clin d'œil que Lebassier de Villieu lui lança, juste avant qu'il ne reparte. Le lieutenant avait-il prévu ce qui venait de se dérouler ?

— Bigre ! Je crois que nous serons débarrassés de lui pour un temps, se réjouit Siméon.

André était partagé entre la joie et l'inquiétude. Le comportement de l'enseigne commençait à lui peser. Au début, il avait tenté d'en faire peu de cas, espérant qu'il cesserait de lui-même. Finalement, il avait peut-être commis une erreur, car le fait de l'ignorer avait exacerbé le ressentiment de l'officier. Il devrait l'affronter un jour ou l'autre, sinon qui sait jusqu'où irait cette histoire ? André se retint pour ne pas soupirer.

— Qu'est-ce qui lui a pris ? voulut savoir Honoré.

— Vous avez eu droit à une des spécialités du grand Pierre Lauxain de Caviteau, plaisanta Siméon.

— Qui est de paraître abruti devant son supérieur ? répliqua Michel, sarcastique.

Tous les hommes s'esclaffèrent, sauf André.

— Plutôt de persécuter de bons soldats, reprit Siméon, après avoir retrouvé son sérieux.

— Maintenant, il voudra sûrement venger son honneur bafoué, souligna André.

— On verra ça plus tard, rétorqua Siméon.

La concession de Mathurin Durand se trouvait à quelques lieues de Basse-Terre et du fort Houël, et donnait sur la mer. Les bâtiments étaient situés en hauteur. Après quelques minutes de marche, André aperçut la case principale dont les murs étaient faits d'un tressage de branchages retenu par des poteaux en bois, surmontés d'un toit en paille. La cabane était entourée de bananiers, de manguiers, d'avocatiers et de papayers. Au fond de la cour en terre battue, un petit enclos accueillait cinq porcs. Du côté opposé se dressait une dizaine de petites cases dont la pente du toit descendait presque jusqu'au sol, donnant l'étrange impression que la toiture avait été posée avant qu'on n'ait terminé de construire les murs. De l'autre côté de la maison se trouvait un grand potager où poussaient toutes sortes de légumes, dont plusieurs lui étaient inconnus. Au-delà de la limite des arbres fruitiers, André apercevait la plantation de tabac et, plus loin encore, les hautes montagnes à la végétation d'un vert soutenu.

Un homme vint vers eux, l'air perplexe, puis il reconnut André et son visage s'éclaira. Il était vêtu d'une culotte de toile beige attachée à la taille par un cordon et d'une chemise blanche sans col, à manches longues. Il marchait d'un pas énergique et ne semblait aucunement incommodé par la chaleur. Il tendit la main à André.

— Sois le bienvenu !

— Je te remercie. Nous sommes venus te donner un coup de main, dit André en désignant les hommes autour de lui.

— Seigneur Dieu, je suis choyé ! Bienvenue à tous ! Il y a assurément du travail pour chacun d'entre vous. Venez, je vais vous indiquer où déposer vos coffres.

Tout en parlant, Mathurin tourna les talons et, marchant à vive allure, il les conduisit dans une des étranges cases. Il avait un débit rapide et les mots semblaient éjectés de sa bouche plutôt que prononcés. Ils durent se pencher pour pénétrer dans la case, mais une fois à l'intérieur, ils pouvaient se tenir debout au milieu. Il y régnait une agréable fraîcheur. De chaque côté de l'allée centrale étaient étalées des paillasses à côté desquelles les hommes déposèrent leur coffre.

Mathurin fit le tour de la propriété avec les nouveaux arrivants, leur expliquant le travail à effectuer sur une plantation de tabac. Le plus surprenant aux yeux d'André était la présence d'esclaves noirs dans les champs.

— Tu as des esclaves à ton service ? s'enquit-il.

Mathurin retira son chapeau de paille et se passa la main dans les cheveux.

— C'est ce qui m'a le plus ennuyé lorsque je suis arrivé. Comme je n'en voulais pas, j'ai dit à l'homme qui m'a vendu cette plantation que je les libérerais. Il m'a répondu que ce n'était pas une bonne idée. Vois-tu, d'anciens esclaves ne peuvent pas avoir de terre, aucun propriétaire de concession ne voudra les payer pour leur travail et ils n'ont aucun moyen de retourner dans leur pays. Ils seront donc condamnés à mourir de faim. Donc, pour l'instant, je les fais travailler. Mais je les traite avec respect. J'ai entendu des histoires d'horreur…

Il secoua la tête avec une moue si consternée qu'André n'osa pas lui poser d'autres questions. Ils arrivaient près d'une rivière au débit lent, large d'une dizaine de pieds, dont l'eau miroitait sous le soleil de la fin du jour.

— Venez, nous allons nous rafraîchir, les invita Mathurin.

Moyze entreprit de descendre lentement le talus. Soudain, il perdit pied, poussa un petit cri et tomba à l'eau, faisant rejaillir des éclaboussures dans tous les sens. Il refit surface, les cheveux dégoulinants, les yeux fermés, battant des bras frénétiquement. André était déjà en train de dévaler la pente, soupçonnant que son ami ne savait pas nager. Puis, Moyze ouvrit les yeux et cessa ses mouvements des bras, sa bouche formant un « o » de surprise. Il venait de prendre conscience qu'il était assis dans la rivière et qu'il avait de l'eau jusqu'aux aisselles. Une fois le moment de panique passé, les hommes se retinrent d'éclater de rire. Moyze s'en rendit compte et choisit de plaisanter.

— C'est rafraîchissant, vous devriez venir.

Mathurin retira sa culotte et entra dans la rivière. André était étonné, tout comme ses compagnons, à en juger par leurs mines perplexes. Il croyait se laver les mains et la figure seulement, comme d'habitude.

— Venez, les encouragea le colon. Venez laver du même coup vos uniformes. Je vous ai fait préparer des vêtements plus appropriés pour cette chaleur.

André, imité par ses compagnons, se dévêtit à moitié et s'avança lentement dans l'eau délicieusement fraîche, ses vêtements à la main. Il n'y avait pas de rivière sur l'île de Ré, mais il avait appris à nager dans la mer. Il nagea un peu dans la rivière, puis plongea la tête sous l'eau, profitant de la caresse délicieuse de l'eau sur son corps. Il retira le reste de ses vêtements et entreprit de les frotter, tout comme le faisaient ses compagnons. Plus loin, d'autres personnes se baignaient ou discutaient joyeusement.

— Ici, nous profitons de la proximité de la rivière pour venir nous rafraîchir à la fin de la journée, déclara Mathurin. Une belle récompense après un dur labeur.

Les hommes retournèrent à leur case, vêtus simplement de leur culotte et de leur longue chemise mouillées. Des vêtements semblables à ceux de Mathurin les attendaient ; ils se changèrent et revinrent au milieu de la cour. Les repas se prenaient dans une grande case sans mur. Seul le toit protégeait les tables et les chaises faites de bambou tressé.

Mathurin les rejoignit, accompagné d'une femme et de six enfants.

— Je vous présente ma famille. Voici Anne Benoît, mon épouse.

Anne était une jeune femme au regard clair et rieur. Elle les salua d'une voix calme et douce, contrastant avec son mari. Autant il était grand et mince, presque anguleux,

arborant des cheveux noirs, autant elle était petite, volup-
tueuse et blonde.

— Et voici nos enfants : François, Gabrielle, Nicolas,
Martin, Louis et Élisabeth.

Les enfants saluèrent les nouveaux arrivants avec chaleur.
Ils avaient formé une ligne par ordre de grandeur, un geste
qu'ils faisaient probablement sans même s'en rendre compte.
L'aîné était âgé d'une douzaine d'années et la benjamine
avait trois ans. Aucun n'avait la même couleur de cheveux.

Ils prirent tous place à table et une domestique noire
versa une grande louche de ragoût dans chacune des
assiettes. Devant le regard interrogateur des hommes,
Mathurin expliqua qu'on leur servait un ragoût de *chatrou*
accompagné de patates douces.

— *Chatrou*. Quel nom étrange ! Qu'est-ce que c'est ?
questionna Michel Rognon.

André huma son plat. Une odeur douce et sucrée s'en
dégageait. Après avoir goûté à la première bouchée avec
délice, il avalait son contenu à la vitesse de l'éclair.

— C'est une petite pieuvre tendre et savoureuse que
nous préparons en ragoût, révéla le colon.

Les nouveaux arrivés mangèrent tous avec appétit et avec
des mines gourmandes.

— Une pieuvre ? Qu'est-ce ? demanda encore Michel.

Mathurin jeta un regard ravi à Anne qui leva les yeux au
ciel en souriant.

— Bientôt, nous irons pêcher et je vous montrerai,
répondit-il, l'air malicieux.

— C'est délicieux ! Il y a longtemps que je n'avais pas
mangé un si bon repas, dit André.

Le lendemain, André et ses compagnons furent affectés à la pêche. Ils partirent tôt le matin en compagnie de Joseph, qu'on leur présenta comme un homme engagé. Celui-ci dirigeait l'âne qui tirait la charrette contenant les nasses pour la pêche. André marchait à ses côtés et observait ce jeune homme d'une vingtaine d'années aux cheveux noirs et raides, attachés à la nuque. Il semblait bien s'entendre avec les autres engagés et avec le régisseur.

— Joseph, qu'est-ce que ça veut dire, être un engagé ? s'enquit André, curieux.

— Je me suis engagé sur les quais de La Rochelle, devant notaire, à travailler pendant trois ans pour Mathurin Durand. En échange, je recevrai des gages, et le prix de ma traversée a été payé ainsi que quelques vêtements.

Le sentier devint plus étroit et André dut marcher momentanément derrière la charrette. Lorsqu'il fut de nouveau aux côtés de Joseph, il continua à lui poser des questions.

— Pourquoi t'es-tu engagé ?

— Mon père est mort lorsque j'avais quatorze ans, en laissant une veuve et six enfants. Ma mère a rapidement dû se remarier pour pouvoir subvenir à nos besoins.

André avait vu plusieurs familles en difficulté à la mort d'un des parents. Petit, il suppliait la Vierge Marie chaque soir de protéger ses deux parents après que le père d'un de ses amis fut décédé et que la famille eut dû quitter sa maison.

— Heureusement, notre nouveau père nous traitait convenablement, mais il était veuf et avait trois fils à établir, alors il n'y avait aucun espoir pour moi d'obtenir une parcelle de terre. Donc, autant tenter ma chance dans le Nouveau Monde. Je traînais sur les quais quand j'ai rencontré

Mathurin. Il m'a demandé si je voulais m'engager et venir ici avec lui. Il m'a paru un honnête homme, et je l'ai suivi.

André se demanda s'il serait parti de lui-même s'il n'y avait pas été obligé.

— Crois-tu avoir fait le bon choix? le sonda André.

— Je crois. Je travaille fort, mais je suis nourri et bien traité. Ce qui n'est jamais assuré, même en France, comme tu le sais, répliqua Joseph.

— Tu resteras ici après tes trois années?

— Non. J'irai en Nouvelle-France.

— Pourquoi? s'étonna André.

— Parce qu'on m'a dit que là-bas, un homme peut recevoir une concession et s'y établir, fonder une famille et bien vivre sur sa terre. Il n'a qu'à défricher, semer du blé et se construire une cabane, répondit Joseph, l'air rêveur.

André aussi avait entendu ces belles promesses. Posséder sa propre terre devait être tentant pour un jeune homme vigoureux comme Joseph.

— On dit que les hivers y sont très froids, argua André.

— Bah! Je ferai un bon feu. Jamais je ne pourrai avoir une terre à moi en France, ni ici d'ailleurs. Je tenterai donc ma chance en Nouvelle-France.

Ils arrivèrent sur un plateau d'où ils voyaient la baie scintiller en contrebas. Plusieurs navires y étaient ancrés, secoués par de fortes vagues.

— Comment feras-tu pour payer ton passage sur un bateau?

— Je m'engagerai pour trois ans. Une fois de plus!

Songeur, Joseph fixait la baie et André se surprit à l'envier. L'engagé avait un but, il savait comment l'atteindre et avait une idée précise de ce qu'il attendait de l'avenir.

Moyze se releva péniblement en jetant un regard satisfait aux quatre rangs de plants de tabac qu'il avait sarclés. À son avis, il avait fait du bon travail. Il se tourna vers ses compagnons qui travaillaient à genoux, penchés sur les plants de tabac afin d'enlever toutes les mauvaises herbes. La culture du tabac, qu'on appelait aussi pétun, nécessitait d'arracher les mauvaises herbes chaque semaine. Sous un soleil de plomb, ce n'était pas une tâche facile. Les premières journées, Moyze croyait sincèrement qu'il n'y arriverait pas. André lui avait patiemment enseigné comment travailler en économisant ses forces, lui donnant un coup de main dans ses rangs sans pour autant négliger les siens.

Honoré et Michel, tous deux originaires de Paris, ainsi que Siméon, qui avait pratiqué le métier de charpentier, n'avaient comme lui aucune connaissance du travail des champs. André et Jacques Brin, laboureurs expérimentés, avaient été utiles à Mathurin pour agrandir la superficie cultivable.

Moyze souleva son chapeau et passa l'avant-bras sur son front pour en essuyer la sueur. Il se surprenait à attendre avec impatience les plongeons dans la rivière en fin de journée. Lui qui n'avait jamais mis les pieds dans l'eau, sauf dans la cuve en bois amenée à sa chambre par les domestiques, savourait désormais la sensation de fraîcheur qu'apportait une baignade. André avait aussi entrepris de lui apprendre à nager, ainsi qu'à Michel et à Honoré. Jacques et Siméon, quant à eux, s'amusaient à tenter de remonter le courant de la rivière et n'en sortaient que lorsqu'ils y étaient contraints.

André l'encourageait et ne se moquait jamais des essais ratés de Moyze. Il agissait comme un frère. Moyze attendait les regards d'appréciation d'André lorsqu'il faisait des progrès. Qu'il aurait aimé recevoir un tel regard de son père !

Rien qu'un seul. Il avait fallu qu'il sorte de sa famille et de sa classe sociale pour arrêter d'être invisible. Quelle ironie ! Son père n'aurait jamais supporté de passer ne serait-ce qu'une heure en compagnie des soldats avec qui il travaillait. Pourtant, il aurait beaucoup appris d'eux, à commencer par l'entraide.

Tous les midis, un domestique noir nommé Léon se présentait avec un lourd panier de victuailles, suivi de sa femme Félicité qui portait un tonnelet d'eau. Moyze aimait les observer. Ils se parlaient en souriant et se touchaient légèrement en marchant. Même sans le sou, ce couple d'esclaves était visiblement plus heureux que ses parents avec leur fortune. Cela bouleversait toutes ses croyances.

Les hommes se levèrent et allèrent s'abriter du soleil sous une rangée d'arbres pour prendre leur repas.

— Comment t'en sors-tu ? demanda André en marchant à côté de Moyze.

— Ça va de mieux en mieux. Je me sens moins fatigué et courbaturé que les premiers jours.

Honoré et Michel marchaient devant eux et, comme chaque fois, comparaient la quantité de travail effectué par l'un et l'autre. Une compétition amicale était née dès le début entre les deux Parisiens.

Chacun leur tour, ils prirent la louche que Félicité leur tendait et burent goulûment.

— Bientôt, tu seras capable d'accomplir autant de travail que moi, prédit André.

Moyze le regarda d'un air dubitatif.

— Même si je m'y évertuais le reste de ma vie, je n'atteindrai jamais ton ardeur.

Il secoua la tête et écarquilla exagérément les yeux.

— Nous as-tu bien observés ?

André, qui avait une musculature nettement plus développée que celle de son compagnon, leva les mains en signe de capitulation.

— J'en conviens. Mais je t'assure que tu te débrouilles très bien, mieux que je ne l'aurais cru.

Moyze en profita pour le remercier et, comme à l'accoutumée, André coupa court à ses remerciements en disant :

— Je suis affamé, allons voir ce qu'il y a dans ce panier.

Ils y puisèrent chacun des galettes de manioc, un avocat, des figues et deux bananes. Moyze avait l'habitude des repas raffinés composés de différents mets et de plusieurs services. Mais à ce moment-là, rien ne lui parut plus délicieux ni plus rafraîchissant que de savourer cet avocat mûri à point.

Après le repas, ils s'installèrent confortablement pour la sieste. Moyze s'endormit le sourire aux lèvres, imaginant en pensée la mine assurément réprobatrice de sa mère à la vue de son fils allongé dans les hautes herbes.

Il fut réveillé peu de temps après, lui sembla-t-il : le soleil ne brillait plus et avait été remplacé par de gros nuages menaçants. Le vent soufflait plus fort. Un esclave approchait en courant et s'époumonait en faisant de grands gestes vers la mer. Moyze leva les yeux dans la direction indiquée et aperçut une masse grise tout en hauteur qui semblait se mouvoir.

Mathurin poussa un cri de désespoir et se mit à crier des ordres. Tous se mirent à courir vers les cases. Le colon se tourna vers les soldats.

— Venez vite ! Un ouragan nous arrive droit dessus. Nous devons nous mettre à l'abri et nous protéger.

Moyze ignorait ce que le terme « ouragan » signifiait exactement, mais à en juger par la panique provoquée par cette annonce, il en déduisit qu'une terrible catastrophe se préparait. Gagné par le sentiment d'urgence ambiant, il s'empressa de rejoindre les autres. Quand il arriva à la grande case, le régisseur distribuait des cordes et leur expliquait qu'ils devaient se rendre à l'orée de la forêt et s'attacher aux racines des arbres coupés, car le vent se mettrait à souffler de plus en plus fort. Ils repartirent tous en courant vers la forêt.

Moyze passa la corde autour de sa taille et l'attacha. Il prit l'autre extrémité et la noua à une racine. On avait visiblement creusé pour la dégager. Hommes et femmes couraient les rejoindre et chacun s'attachait solidement. Comme les autres, il s'allongea à terre pour pouvoir mieux se protéger. André était attaché à côté de lui ; il voyait Siméon et Honoré deux pieds plus loin, mais il était incapable d'apercevoir Michel et Jacques, car une forte pluie s'était mise à tomber. Le vent soufflait de plus en plus fort, faisant claquer leurs vêtements.

Moyze se tourna vers la cour en essayant de distinguer la maison. La pluie ruisselait sur son visage, le faisant cligner des yeux. Des éclairs fulgurants traçaient des zigzags lumineux et le fracas du tonnerre donnait l'impression que le ciel tombait sur la terre en plaques détachées. Le vent soufflait encore plus fort, balayant les cheveux de Moyze dans tous les sens et fouettant son visage. Il rentra un peu plus la tête dans ses épaules.

Soudain, la force du vent décupla. Des débris de toutes tailles étaient projetés dans tous les sens. Une case se mit à tanguer et fut brutalement arrachée du sol, s'envolant comme une simple feuille de papier. Le cœur de Moyze fit un bond quand il sentit une bourrasque le soulever de terre. Il s'agrippait de toutes ses forces aux racines, la peur au ventre.

— Mon Dieu, je vous en prie, protégez-nous, pria-t-il.

Le vent le rabattit brutalement au sol. La pluie le fouettait de plus en plus fort. Une nouvelle rafale le souleva. Les racines mouillées et molles lui glissaient entre les mains. Il cria au moment où il lâcha prise, mais s'arrêta net quand la corde attachée à sa taille lui coupa le souffle. Il volait littéralement au vent, retenu uniquement par la corde attachée à la racine. Il retomba à nouveau violemment au sol.

Puis, il sentit la main d'André attraper son épaule. Il le tirait sur la terre détrempée. Il releva la tête et vit André qui lui criait quelque chose. Moyze comprit qu'il voulait qu'il rejoigne la racine. Il rampa lentement, s'agrippa à la racine et enfouit son visage dans la terre mouillée, se protégeant du mieux qu'il le pouvait. Un débris heurta sa jambe et il hurla de douleur.

Presque soudainement, la force du vent diminua. La pluie tombait toujours, mais avec moins d'intensité. Prudemment, Moyze releva la tête. Il avait l'impression d'être enfoncé dans la terre meuble. Après un moment, voyant que la tempête s'éloignait, il se redressa péniblement et s'assit. L'horreur et le désespoir se lisaient sur les visages autour de lui. Il se retourna, suivant la direction des autres regards.

La cour, qu'ils avaient quittée quelques minutes plus tôt, s'était métamorphosée. La grande case était toujours là, mais la paille de son toit avait été complètement arrachée. Les plus petites cases avaient tout simplement disparu et les paillasses s'étaient envolées ; seuls les coffres, plus lourds, étaient encore dans les parages. Le toit de la case où ils prenaient leurs repas avait été projeté quelques dizaines de pieds plus loin. Partout, des branches d'arbre cassées et des feuilles jonchaient le sol. Quelle désolation !

Le nettoyage et la reconstruction durèrent cinq jours. Chacun y mit beaucoup d'ardeur, remerciant le ciel d'avoir survécu à un tel cataclysme. Les semaines suivantes, les conditions climatiques furent heureusement plus clémentes. Aucune autre tempête tropicale ne vint troubler la routine du travail de la terre, la lutte incessante pour tirer du sol les biens nécessaires à la survie des colons.

6

Le navire voguait vers le nord depuis plusieurs semaines. Sur le pont, un vent chaud balayait les cheveux d'André. Quitter Mathurin Durand et sa famille n'avait pas été facile pour lui ni pour les autres soldats, à en juger par leurs mines sombres et le lourd silence qui avait accompagné leur retour au fort Houël. Ils avaient séjourné neuf mois dans la concession de Mathurin, et André avait apprécié à sa juste valeur de ne pas avoir été confiné au campement tout ce temps.

À présent que les Antilles françaises étaient sous le contrôle des nouveaux gouverneurs nommés par Louis XIV, Alexandre de Prouville, marquis de Tracy, avait reçu du roi l'instruction de se rendre en Nouvelle-France et de prendre le commandement du régiment de Carignan-Salières qui s'y dirigeait. Le but de la mission était de combattre les Iroquois en Nouvelle-France et de les maintenir sous l'obéissance du roi afin de faire cesser les attaques contre les colons français.

Un changement de cap fit tanguer le navire. Ils arrivaient à Gaspé. On jeta l'ancre dans la rade et, peu après, des barques quittèrent les autres bateaux et se dirigèrent vers le *Brézé*, les officiers venant aux ordres. D'autres navires, venus directement de France, les attendaient, et leurs capitaines se présentèrent également au marquis de Tracy.

Ils levèrent l'ancre le lendemain, au lever du jour. Ils firent route vers le nord pour s'engager dans l'immense golfe du Saint-Laurent, un bon vent gonflant les voiles. Le soir venu, ils mouillèrent près de l'embouchure de l'une des innombrables rivières qui se jetaient dans le fleuve et firent halte pour la nuit.

Le jour suivant, en fin d'après-midi, ils arrivèrent enfin à distinguer l'autre rivage. André passait tout son temps sur le pont à admirer les rives tantôt escarpées, tantôt en pente douce. Il n'avait jamais vu autant d'arbres ; toute la surface en était recouverte.

Les cris du matelot de vigie attirèrent son attention. Il désignait avec de larges gestes la rive nord du fleuve. Les navires du convoi partis avant eux les attendaient dans une baie. Le *Brézé* y mit le cap.

La baie était située près de l'embouchure d'une grande rivière qui déversait avec force ses eaux tumultueuses dans le fleuve Saint-Laurent. Ils atteignaient Tadoussac, le premier poste de traite de Nouvelle-France. La vue des dunes, semblables à celles du nord de l'île de Ré, quoique beaucoup plus hautes, serra le cœur d'André.

Il était parti depuis plus d'un an maintenant. Souvent, les membres de sa famille lui manquaient et il tentait d'imaginer ce qu'ils faisaient. Rarement il s'était autorisé à penser à Marie Jacques. Elle devait être mariée à Jean Gardin depuis plusieurs mois déjà et la venue d'un enfant avait certainement béni leur union. Il secoua la tête pour chasser sa mélancolie et reporta son attention sur le paysage.

La petite baie protégée par des rochers était presque refermée sur elle-même. Quand les navires s'y engagèrent lentement, la pente escarpée de la colline ainsi que de lourds nuages gris donnèrent l'impression qu'ils entraient dans un tunnel.

Trois Amérindiens les observaient du haut d'un rocher dominant la baie, sans faire aucun signe de bienvenue. Ils n'étaient vêtus que d'un pagne et de bottes en cuir. Leur torse nu était orné de petits dessins.

— Est-ce que ce sont les Sauvages que nous sommes venus combattre ? demanda un soldat à un matelot.

— Non. Il existe plusieurs tribus différentes. Certaines sont amies avec les Français, d'autres sont ennemies. Ceux-là, ce sont des Montagnais, un peuple ami. Ceux qui attaquent les colons depuis plusieurs années, ce sont les Iroquois.

Les bateaux jetèrent l'ancre à bonne distance de la rive, protégés du courant de la rivière par une avancée rocheuse de quelques centaines de pieds de large entre la rivière et la baie. Les troupes devaient descendre, car le *Brézé* était trop gros pour continuer sa route vers Québec. Deux navires de moindre envergure prendraient le relais et transporteraient les troupes jusqu'à la ville. Tous préparèrent leur paquetage et attendirent qu'on vienne les chercher pour les emmener à terre. Entre-temps, des sous-officiers avaient organisé le débarquement des troupes et déjà, plusieurs barques et canots dirigés par des Montagnais avançaient rapidement vers le vaisseau.

Ce ne fut qu'après deux allers-retours qu'André, Siméon, Moyze et cinq autres soldats purent prendre place dans un des canots. L'un d'eux, nerveux, ne cessait de remuer, jusqu'à ce que le Montagnais qui se tenait à l'avant se retourne pour lui jeter un regard noir. Il cessa aussitôt, l'air effrayé. André observait les muscles puissants du dos nu de l'Amérindien, sur lequel tombaient de longs cheveux noirs et brillants parsemés de petites tresses, de plumes et de billes colorées.

Tout à coup, un cri en provenance du navire les fit se retourner. Un soldat était suspendu près du bastingage, ne s'accrochant que d'une main à l'échelle de corde. Sa main glissa et il poussa un cri de détresse, puis il lâcha la corde et chuta. Dans le canot en dessous de lui, le Montagnais eut la présence d'esprit d'appuyer sa rame sur la coque du navire et de pousser un grand coup. Le canot s'éloigna suffisamment du bateau pour que le soldat tombe à l'eau.

Le canot valsa dangereusement et les soldats s'agrippèrent aux bords en poussant des cris de frayeur. Celui qui avait chuté refit surface et agita les bras en tous sens, l'air paniqué. Manifestement, il ne savait pas nager, mais il réussit néanmoins à agripper le bord du canot, sans cesser de gesticuler. Le canot se mit à tanguer de plus en plus fort et les soldats, alarmés, protestèrent vivement.

Soudain, l'Amérindien assis à l'autre extrémité du canot se leva, sortit son tomahawk de l'étui à sa ceinture et leva le bras. Du pont, les soldats poussèrent une exclamation de frayeur. André retint son souffle. Le Montagnais frappa l'homme à la tête avec la partie non effilée de son tomahawk. Ce dernier cessa de bouger et on put facilement le hisser dans le canot.

Après avoir stabilisé l'embarcation, un des Montagnais fit signe aux soldats sur le pont de continuer à descendre. Il y eut un moment de confusion, puis un volontaire particulièrement courageux enjamba le bastingage et descendit lentement. Le temps qu'il parvienne au canot, le soldat blessé était assez rétabli pour s'asseoir en se tenant le front.

André se tourna vers Moyze qui avait la peau du visage si blanche qu'elle paraissait translucide; ses yeux étaient agrandis par la peur et ses poings, crispés sur ses cuisses. Moyze jeta un regard à André et vit son amusement. Il reprit contenance, puis releva dignement les épaules, sans un mot.

— Ce sont sûrement des coureurs des bois que l'on aperçoit près des Montagnais, dit un soldat derrière André.

Il indiquait du doigt un groupe d'hommes vêtus de vêtements de cuir souple. Un murmure d'approbation lui répondit. Ils accostèrent enfin et débarquèrent du canot, qui repartit chercher d'autres soldats. André s'avança lentement sur le sable en considérant ce qui l'entourait.

Il aperçut un petit fort, une simple structure carrée avec une palissade de pieux, et, disséminées ici et là sur le flanc de la colline, plusieurs tentes rondes, larges à la base et se terminant en pointe d'où émergeaient de longues tiges en bois. Des femmes s'affairaient autour des feux et des enfants jouaient non loin. Les nouveaux venus observaient, fascinés, le village des Montagnais.

Ils se promenèrent un moment sur la rive, puis Michel Rognon émit l'idée que, du haut des dunes, le coup d'œil devait en valoir la peine. André et Siméon étaient enthousiastes à l'idée d'y grimper, contrairement à Moyze, qui les suivit néanmoins.

La montée procura un vif plaisir à André. Il respira à pleins poumons et évacua les tensions des derniers jours. Être enfermé dans un entrepont avec plusieurs centaines d'hommes était franchement désagréable. Ils prirent vers la gauche en passant par la forêt pour contourner les dunes et marchèrent en discutant.

Soudain, des Montagnais sortis de nulle part se tenaient devant eux, les toisant en silence. Instinctivement, les soldats se mirent à reculer lentement et à faire demi-tour.

Toutefois, d'autres Montagnais venaient d'apparaître derrière eux et les encerclèrent.

Ils les surplombaient en silence, les bras croisés sur la poitrine, leurs regards se promenant sur le groupe. Leurs traits durs et étonnamment immobiles rendaient leurs visages impénétrables. André ne vit aucun signe de bienvenue de leur part et, même s'ils n'avaient fait aucun geste hostile, ils semblaient inquiétants. Il avait l'intuition d'avoir devant lui de féroces guerriers. Aucun soldat n'osa bouger. André s'adressa à celui qui semblait être le chef de la bande.

— Euh… nous… amis, bredouilla-t-il.

Une lueur d'intérêt apparut dans les yeux de l'un d'eux. André s'éclaircit la gorge et reprit d'une voix légèrement plus assurée:

— Moi, ami, répéta-t-il en montrant sa poitrine du pouce.

L'Amérindien pencha la tête légèrement.

— Lui, ami, fit-il en désignant Siméon.

— Parle pour toi, murmura Siméon, je ne crois pas que je veux être son ami.

André lui jeta un bref regard excédé.

— Toi, ami? répliqua André, en pointant son doigt vers l'Amérindien.

Le Montagnais le toisait toujours en silence. Les iris de ses yeux étaient si foncés qu'ils semblaient noirs.

— Que fait-on maintenant? demanda Michel derrière André.

— Rien… Attendez, suggéra André sans élever la voix ni quitter l'Amérindien des yeux.

André réfléchissait à toute vitesse. Ils n'avaient pas emporté leurs fusils, se croyant en territoire protégé.

— Où vous aller? l'interrogea l'Amérindien, interrompant ses réflexions.

Il avait parlé calmement, en prononçant les mots lentement et distinctement.

— Oh! Vous parlez français! s'exclama André.

L'homme ne répondit pas et ses sourcils se froncèrent légèrement.

— Euh… nous allions en haut de la dune pour admirer la vue, expliqua André tout aussi lentement et distinctement.

— Venez, ordonna le Montagnais d'un ton sans réplique.

Il tourna les talons et s'éloigna.

André demeura figé un instant, puis se tourna vers ses compagnons. Ils étaient parfaitement immobiles et indubitablement effrayés. André se rendit compte qu'il retenait son souffle. Il inspira profondément et expira un bon coup.

— Suivons-le, dit-il.

Il emboîta le pas au Montagnais sur le sentier qui menait au sommet, entraînant le reste du groupe. Pendant un moment, André crut entendre des ricanements derrière lui, mais il ne se retourna pas.

De là-haut, la vue était sublime, mais les hommes ne l'apprécièrent guère, les Montagnais les encerclant toujours en silence. Inquiets, ils retournèrent rapidement rejoindre leurs compatriotes sur le rivage. Lorsqu'ils débouchèrent de la forêt, les soldats sur la rive les observèrent, bouche bée. Autour du feu, des coureurs des bois se gaussaient.

— Shuashem! Ne me dis pas que vous leur avez fait le coup! s'écria un homme.

L'expression de Shuashem était éloquente. Les autres Montagnais, hilares, se mirent ensuite à donner des claques amicales dans le dos des soldats.

— Venez vous asseoir avec nous, vous avez mérité une rasade d'eau-de-vie, proposa un des coureurs des bois.

André et son groupe s'avancèrent vers le feu et se laissèrent tomber près des hommes. André avait les jambes molles et le cœur qui battait la chamade. Une cruche d'eau-de-vie circula et, à son tour, André en but une lampée. L'alcool descendit dans sa gorge sèche et diffusa une douce chaleur dans sa poitrine. Ses muscles se relâchèrent lentement et il commença à se détendre. Il regarda ses compagnons et constata que les couleurs revenaient peu à peu sur leurs visages, même s'ils continuaient à jeter des coups d'œil craintifs vers les Montagnais.

— Détendez-vous, ils ne vous feront aucun mal. Les Montagnais sont des Sauvages pacifiques, expliqua le coureur des bois.

Il s'efforçait visiblement de conserver son sérieux alors que les soldats lui lançaient des regards dubitatifs.

— Depuis les tout premiers temps de la colonie, ils sont associés aux Français pour le commerce des fourrures et ils nous ont aidés en partageant leurs savoirs.

Son visage prit un air grave quand il continua.

— Ils vous ont donné une grande leçon aujourd'hui. En Nouvelle-France, vous ne devez jamais vous aventurer dans la forêt sans être armés et en groupe, prêts à affronter une attaque des Iroquois, car ils sont féroces et sans pitié. Si vous aviez rencontré des Iroquois au lieu de ces Montagnais, vos scalps orneraient l'entrée de leurs tentes en ce moment.

André porta machinalement la main à sa tête. Effectivement, ils avaient été trop confiants. Il retiendrait la leçon, c'était certain.

— Encore un peu d'eau-de-vie ? proposa un des coureurs des bois.

Un concert d'approbations lui répondit.

Les soldats en furent quittes pour une bonne frayeur et retournèrent sur le *Brézé* afin d'y passer la nuit. Le lendemain, les deux navires réquisitionnés par le marquis de Tracy étaient prêts à transporter toutes ses troupes à Québec. André dit adieu avec tristesse à son ami René Toupin, qui retournait en France à bord du *Brézé*, non sans lui avoir fait promettre de venir le saluer s'il revenait en Nouvelle-France.

~

30 juin 1665, Québec

Après avoir dépassé une longue île, qui se nommait l'île d'Orléans, apprit André, le fleuve s'élargissait en un immense bassin naturel. Tout au fond se trouvait Québec, point d'arrivée de leur long périple. Plusieurs maisons en bois étaient serrées les unes contre les autres au pied d'un immense cap rocheux surnommé « cap aux Diamants », en raison des pierres de quartz scintillant au soleil que Jacques Cartier avait prises pour des pierres précieuses. En haut de la falaise, on pouvait apercevoir le fort Saint-Louis ainsi que quelques bâtiments dispersés.

Lorsqu'ils jetèrent l'ancre, ils entendirent des clameurs et virent les habitants courir vers la rive en leur faisant de grands signes. Des barques s'avançaient déjà pour transporter les troupes. Alexandre de Prouville, marquis de Tracy, débarquerait le premier, suivi de sa garde personnelle de vingt-quatre hommes qui portaient les mêmes couleurs que leur chef. Les notables étaient au premier rang sur le quai pour les accueillir.

Visiblement souffrant, le marquis de Tracy descendit lentement l'échelle de corde. La cérémonie d'accueil fut écourtée et le groupe de notables, sous les acclamations de la foule en liesse, se rendit assister à une messe célébrée en l'honneur du marquis par monseigneur François Montmorency de Laval. Les soldats en attente du débarquement entendaient les cloches de l'église Notre-Dame sonner à toute volée du haut du promontoire. Quel accueil !

Les troupes furent rassemblées pour recevoir leurs instructions. Le capitaine de Berthier vint rejoindre ses hommes et s'adressa à eux :

— Plusieurs compagnies seront établies à Trois-Rivières ou à Ville-Marie, et d'autres, qui arriveront plus tard, iront construire des forts sur les rives de la rivière Richelieu, mais la nôtre sera postée ici, à Québec, afin d'assurer la sécurité des colons. Certains d'entre vous seront logés au fort Saint-Louis, mais plusieurs devront être logés dans des familles, car il n'y aura pas assez de place pour tous. Vous pouvez débarquer aujourd'hui, mais vous reviendrez dormir sur le bateau jusqu'à ce que l'on vous assigne un logement. Est-ce clair ?

Isaac de Berthier, comme à son habitude, promenait un regard sévère sur ses hommes. On put entendre un murmure d'approbation.

— Vous pouvez débarquer, conclut-il.

Dans la barque qui les menait du navire à la berge, deux rameurs, un homme et son fils qui s'étaient présentés sous le nom de Duguay, s'informèrent de leur voyage. Sur la rive, d'autres colons les aidèrent à débarquer et leur souhaitèrent la bienvenue par de grandes claques dans le dos. Ils s'éloignèrent puisque d'autres soldats continuaient d'affluer.

Les colons étaient en fête ; ils les saluaient et leur souhaitaient la bienvenue en souriant. Les enfants couraient parmi la foule en poussant des cris. Plusieurs personnes voulaient savoir de quelle ville ou de quel village ils étaient originaires, cherchant à avoir des nouvelles de parents et d'amis restés en France.

— Je vais m'occuper de trouver où nous loger, annonça Moyze d'un air décidé.

Il partit vers la place du marché sans plus attendre. André et Siméon se regardèrent avec surprise.

— Il n'a pas compris la simple instruction du capitaine de Berthier? demanda Siméon, ironique.

André observait toujours Moyze qui marchait parmi la foule, scrutant de droite à gauche en cherchant manifestement quelque chose.

— Je crois au contraire qu'il l'a très bien comprise, répondit André.

Moyze s'était arrêté pour échanger quelques mots avec un homme portant de beaux habits, accompagné de sa femme et de nombreux enfants. André vit l'étonnement sur le visage de l'homme; ensuite, ils se serrèrent la main. Moyze salua l'homme et sa femme en inclinant la tête et revint vers eux le visage aussi triomphant que s'il avait pêché une truite avec ses mains.

— Et voilà! fit Moyze.

— Et voilà quoi? dit Siméon, qui n'avait pas suivi son manège.

Moyze, manifestement très fier de lui, expliqua:

— Nous serons logés tous les trois chez Thierry Delestre dit Levallon.

André haussa les sourcils.

— Tu le connais? demanda Siméon.

— Aucunement, répliqua Moyze.

— Et il accepte de nous loger tous les trois? s'enquit Siméon, sceptique.

— Absolument.

André considéra Moyze en plissant les yeux. Comment avait-il réussi à convaincre l'homme d'accueillir non pas un, ni deux, mais trois hommes?

— Que lui as-tu dit? voulut-il savoir.

— Je le lui ai simplement demandé, révéla Moyze avec une innocence feinte.

André et Siméon le regardèrent d'un air dubitatif, mais Moyze soutint leur regard sans sourciller. André finit par hausser les épaules et s'écria:

— Réjouissons-nous, alors!

Le visage de Moyze s'éclaira.

— Maintenant, parcourons les rues de Québec, dit-il.

Ils se promenèrent le reste de la journée dans les rues en fête, parmi les habitants de cette Nouvelle-France dont ils avaient entendu parler depuis qu'ils étaient enfants. En plus des quatre compagnies provenant d'autant de régiments arrivées ce jour-là, quatre compagnies du régiment de Carignan-Salières parties directement de France étaient arrivées deux semaines auparavant. On en attendait au moins seize autres au cours de l'été.

Le lendemain matin, ils débarquèrent du navire avec leur coffre et se rendirent à la place du marché pour y retrouver Thierry Delestre. La veille, Moyze avait obtenu l'autorisation du capitaine de Berthier, heureux que trois de ses hommes soient logés chez un bourgeois. En ce jour de marché, la foule avait envahi la place, mais ils réussirent à trouver un coin libre où déposer leur coffre.

Des étals étaient installés le long des maisons, laissant ainsi un large espace libre au centre pour permettre aux gens de circuler. Des hommes et des femmes discutaient par petits groupes, des paniers remplis de leurs emplettes à leurs pieds. Des marchands interpellaient les passants pour attirer l'attention sur leurs marchandises.

André remarqua derrière un étal une jeune femme qui lui tournait le dos et parlait avec un client. Ses cheveux, qui avaient peine à tenir sous son bonnet, étaient de la même couleur que ceux de Marie Jacques, et tout comme les siens, semblaient sur le point de s'échapper. Le cœur d'André fit un bond. Elle était de la même taille et de la même stature. C'était impossible : Marie Jacques était mariée et vivait de l'autre côté de l'océan.

Pourtant, il ne la lâcha pas des yeux jusqu'à ce qu'elle se retourne, brisant ainsi son fol espoir. Marie Jacques était plus belle. Ses yeux étaient plus grands et ses lèvres, mieux dessinées. André ferma les paupières un instant et tenta de chasser l'image de Marie Jacques de son esprit. Il ne laissait pas souvent de tels souvenirs l'envahir ainsi, car ils étaient toujours douloureux.

Moyze se leva à l'approche de l'homme qu'il attendait. André et Siméon en firent autant.

— Bienvenue en Nouvelle-France, fit Thierry Delestre en leur tendant la main.

Les trois hommes la lui serrèrent avec vigueur. Grand et mince, Thierry était âgé de quarante-sept ans. Son visage aux traits sévères était adouci par les fines rides qui marquaient les coins de ses yeux et de sa bouche. Ses cheveux noirs striés de plusieurs touches de gris étaient attachés à la nuque.

— Venez, je vous conduis à la maison.

Il tourna les talons et entreprit de fendre la foule, saluant ici et là de nombreuses connaissances, les trois soldats à sa suite.

— Nous sommes sur la rue Notre-Dame, qui traverse la place. Ce bâtiment est ce qu'on appelle le vieux magasin ;

on y entrepose les marchandises venues de France. En fait, c'est la vieille habitation que Champlain a construite, leur indiqua Thierry.

D'un même geste, il leur indiqua la rue et le grand bâtiment de bois. Puis, il les mena à sa résidence, située directement sur la place du marché, ce qui donna à André une bonne indication du niveau d'aisance de Thierry.

C'était une maison en bois à deux étages, large de seize pieds environ, coincée entre deux bâtiments plus hauts qui semblaient la protéger. Un petit appentis abritant probablement des poules ainsi qu'un potager fermé par des pieux, qui s'arrêtaient à un mur de terre et de pierres, complétaient la propriété. En levant les yeux, ils pouvaient voir la côte de la Montagne qui passait au-dessus, juste avant le dernier virage qui menait vers la haute-ville.

Thierry les fit entrer dans sa maison, où sa famille les attendait.

— Je vous présente mon épouse, Marie Suzanne Peré.

Les hommes la saluèrent, puis Moyze s'avança, lui prit la main et la porta à ses lèvres.

— Madame, nous vous sommes très reconnaissants de bien vouloir nous accueillir dans votre demeure. Soyez assurée que nous ferons le nécessaire pour ne pas vous importuner outre mesure, dit-il.

Une fois le premier mouvement de surprise passé, Marie Suzanne leur souhaita la bienvenue d'une voix douce. Elle était à peine plus petite que son mari et il se dégageait d'elle une aura de bienveillance. Elle se tourna vers ses enfants et les présenta tour à tour, manifestement fière de sa famille.

— Voici Marie, mon aînée de huit ans; elle tient dans ses bras Joseph, le tout dernier de quatre mois. Jeanne a sept ans, Thierry, cinq, et Marguerite, quatre ans. Cachées derrière les filles, nous avons Louise, deux ans et demi, et Barbe, un an et demi.

Elle avait présenté chacun de ses enfants en leur touchant la tête avec un geste maternel.

— Maintenant, prenez vos coffres. Jeanne vous montrera où sont vos paillasses. Lorsque vous redescendrez, le dîner sera servi.

Ils suivirent Jeanne dans l'étroit escalier menant à l'étage. Ils débouchèrent sur une pièce d'environ huit pieds sur dix où trois paillasses avaient été posées à même le sol. Au fond s'ouvrait une autre pièce, à peine plus grande, où deux grandes paillasses avaient été étendues.

— Je suppose que vous avez dû vous entasser dans cette pièce à cause de nous, dit André d'un air penaud.

— C'est vrai, répondit-elle franchement. Mais c'est tout naturel.

Jeanne avait un regard franc et n'était aucunement intimidée par les trois hommes. Elle se tenait droite, mais sa petite taille l'obligeait à basculer la tête vers l'arrière pour les regarder. Cette posture ne l'empêchait pourtant pas de faire preuve de beaucoup d'aplomb.

Les hommes déposèrent leurs coffres au pied de leur paillasse et redescendirent l'escalier avec leurs couverts. Une délicieuse odeur fit prendre conscience à André qu'il était affamé. La table avait été dressée au centre de la pièce et des bancs l'entouraient. Les enfants y étaient sagement assis.

— Prenez place, les invita Thierry.

Il se tourna vers son fils et lui demanda de réciter le bénédicité. Le petit Thierry, indubitablement fier d'un tel honneur, baissa la tête vers ses mains jointes.

— Seigneur, bénissez ce repas, ceux qui l'ont préparé, et procurez du pain à ceux qui n'en ont pas. Ainsi soit-il.

Thierry remercia son fils et Marie Suzanne Peré versa une louche de potage dans chaque écuelle. Une corbeille de pain frais circulait pour que chacun puisse se servir. André observa cette famille qui les hébergerait pendant plusieurs mois. Tous semblaient en bonne santé et les enfants souriaient. Ils formaient le même tableau que sa propre famille quelques années auparavant, quand ses frères et sœurs étaient plus jeunes.

— Papa, j'ai rentré du bois pour maman sans qu'elle me le demande aujourd'hui, se vanta le petit Thierry avant même d'avaler sa première bouchée.

Moyze émit un petit bruit d'étranglement.

— Vous allez bien ? s'enquit Marie Suzanne.

— Tout à fait. Je vous prie de m'excuser, répondit Moyze.

Thierry lança un regard inquiet vers Moyze, puis se tourna vers son fils.

— Bravo, je suis fier de toi !

— Et moi, j'ai brassé le potage pour maman, dit la petite Marguerite pour ne pas être en reste.

— Je suis fier de toi aussi. Vous êtes très gentils d'aider ainsi votre mère.

Moyze s'était immobilisé, la cuillère à mi-chemin entre le bol et la bouche, l'air ahuri.

— Vous êtes certain que vous allez bien ? Est-ce qu'il y a un problème avec votre potage ? demanda Marie Suzanne.

— Pas du tout. Il est excellent, je vous assure, fit Moyze en rougissant.

Il plongea le nez dans son bol et avala sa soupe en un rien de temps. Une fois que tous eurent terminé, Marie Suzanne servit de l'anguille et du chou.

— C'est délicieux, déclara André. Qu'est-ce que c'est ?

— De l'anguille grillée, répondit Thierry. On en trouve à profusion dans le fleuve. Celles-là, Marie Suzanne les a achetées au marché parce que j'ai peu de temps pour pêcher.

André vit là une occasion de se rendre utile.

— Nous nous débrouillerons pour apprendre à pêcher l'anguille et nous nous occuperons de vous en apporter régulièrement.

— Vous ne pourrez pas, malheureusement. Enfin, pas avant trois mois, car les anguilles remontent le fleuve seulement en septembre et en octobre. Nous les pêchons à ce moment-là et nous les mettons dans des tonneaux remplis de saumure pour les conserver toute l'année, expliqua Thierry.

Siméon, qui dégustait son plat, les yeux fermés, presque en extase, s'exclama :

— Nous en pêcherons pour sûr à l'automne ! Nous ferons en sorte d'en avoir longtemps.

— Et je les cuisinerai avec joie, répondit Marie Suzanne, ravie.

Les enfants regardaient les hommes manger, surpris qu'ils semblent adorer un plat si banal. L'aînée, Marie, était assise au milieu des tout-petits, coupait leur nourriture et les aidait à manger avec la même attitude bienveillante que sa mère.

André s'enquit auprès de Thierry :

— Quelles espèces peut-on pêcher toute l'année ?

— Le doré, l'achigan, l'esturgeon, le maskinongé, la truite et le brochet, énuméra le colon.

Les yeux d'André et de Siméon brillèrent de plaisir.

— Je crois que j'ai une petite idée de l'endroit où nous nous rendrons cet après-midi, dit Siméon avec joie.

— Est-ce que vous savez ce qu'on peut chasser ici ? demanda André.

— J'en déduis que vous étiez propriétaire terrien en France! s'exclama Thierry.

Chaque fois qu'André parlait de chasser, il provoquait cette réaction. En France, le droit de chasse était exclusivement réservé aux propriétaires terriens, seigneurs et nobles. Se faire surprendre en train de chasser pouvait entraîner des amendes considérables et des châtiments corporels.

— Non, pas du tout. Sur l'île de Ré, d'où je viens, chaque homme a le droit de chasser pour son propre compte, qu'il soit propriétaire ou non. C'est un droit que nous conservons depuis plusieurs siècles, répliqua-t-il.

— Finalement, j'ai fait une bonne affaire en vous hébergeant, commenta Thierry.

— Nous ferons tout notre possible pour que vous n'ayez pas à le regretter. Je suis le seul à savoir chasser, mais comme je le fais depuis plusieurs années, je pourrai fournir assez de gibier pour tous, assura André.

Marie Suzanne avait relevé la tête et ses yeux s'étaient agrandis, puis elle s'était tournée vers ses enfants. Sans qu'elle ait rien dit, André put lire sur son visage qu'elle était en train de songer à tout ce qu'elle allait pouvoir préparer avec le fruit de la chasse. La famille ne semblait manquer de rien, mais avoir trois hommes de plus à nourrir avait certainement dû l'inquiéter.

— Nous avons du petit gibier comme les lièvres et les marmottes. Il y a les oiseaux du printemps et de l'automne comme les outardes, les oies, les sarcelles et les tourterelles. Des perdrix aussi, toute l'année. Et il y a aussi le gros gibier comme le chevreuil et l'orignal, ajouta Thierry.

Plusieurs de ces espèces étaient inconnues d'André, mais avant qu'il ne puisse poser une autre question, Thierry se leva.

— Maintenant, je dois aller travailler.

Après le repas, André, Siméon et Moyze déambulèrent dans les rues de la basse-ville.

— Vous avez vu ce qui s'est passé là-bas ? Que doit-on en penser ? voulut savoir Moyze.

— Explique-nous donc ce qui t'est arrivé, répliqua André.

Moyze s'immobilisa et déclara, indigné :

— Allons, vous me faites marcher. Vous avez bien vu tout comme moi, ne niez pas !

— Mais qu'ont-ils fait ? Ils sont très gentils, répliqua Siméon.

Moyze les regarda tour à tour avec surprise, puis il plissa les yeux.

— Bien sûr qu'ils sont gentils, et même très accueillants. Ce sont les enfants, le problème, vous ne le voyez donc pas ?

— Que Dieu nous vienne en aide ! fit Siméon.

Le sarcasme dans sa voix échappa à Moyze. André commençait à perdre patience.

— Voir quoi ?

— Les enfants parlent à table avant que les adultes ne leur adressent la parole. Quel manquement aux règles de la bienséance ! s'exclama Moyze.

Ce n'était que ça... André respira un bon coup pour chasser son impatience.

— Les repas avec ma famille se déroulaient exactement de la même façon. Les enfants avaient le droit de parler en tout temps pourvu que ce soit avec respect, expliqua André.

— Chez moi aussi, indiqua Siméon d'une voix nostalgique.

Moyze ouvrit la bouche sans émettre un son, puis la referma. Il l'ouvrit de nouveau avec un effet des plus comiques. André sentit le coin de ses lèvres frémir, évita de regarder Siméon et prit Moyze par l'épaule.

— Allez, viens, nous en reparlerons plus tard, dit-il.

7

2 juillet 1665, Québec

Tôt le lendemain, André toucha légèrement l'épaule de Siméon pour le réveiller, mais dut secouer Moyze plusieurs fois. Ils s'habillèrent en silence et attrapèrent leur attirail de pêche, qu'ils avaient préparé la veille pour ne pas réveiller toute la maisonnée en partant le matin. Ils sortirent un peu avant l'aube et marchèrent jusqu'aux berges du fleuve. La veille, ils s'étaient promenés sur la rive parmi les hommes qui se préparaient pour la pêche.

Ils arrivèrent au moment où le ciel passait du noir au violet. Déjà, des pêcheurs avaient jeté leur ligne depuis la berge ; d'autres s'étaient avancés dans l'eau jusqu'aux mollets. Sans hésiter, André et Siméon retirèrent leurs chaussures et leurs bas, et entrèrent dans l'eau froide. Moyze préféra rester sur la rive.

Le ciel s'illuminait lentement, passant du mauve au rouge, puis à l'orangé, éclairant les quelques nuages qui flottaient paresseusement. Des oiseaux tournaient au-dessus d'eux en poussant de petits cris, indignés que l'on envahisse leur territoire de chasse.

Tout à coup, la ligne d'André se tendit. Le poisson se débattait de toutes ses forces. André alerta Siméon, qui vint à son secours. Siméon attrapa les quatre coins de son filet pour s'en servir comme nasse et s'avança loin dans l'eau, tandis qu'André tirait sur sa ligne. Après plusieurs minutes de lutte, Siméon réussit à attraper le butin dans son filet. Complètement trempé, il essayait de courir vers la rive tandis que son filet bougeait dans tous les sens. Il jeta sa prise par terre et reprit son souffle.

Le poisson mesurait un peu moins de trois pieds. Son corps trapu était gris mat, mais on voyait son ventre blanc tandis qu'il s'agitait sur le sol. Cinq rangées de petits triangles couraient de la tête jusqu'à la queue. Sa tête allongée, au museau long et légèrement retroussé, lui donnait un air comique.

Un autre pêcheur, non loin, poussa soudain un cri lorsque sa ligne se tendit brusquement. Siméon dégagea son filet et courut vers lui en soulevant des gerbes d'eau. Il était à mi-chemin lorsque la ligne se rompit et l'homme se retrouva brusquement assis dans l'eau. Rapidement, le courant l'entraîna et il bataillait pour reprendre pied. André, qui avait suivi Siméon, l'attrapa par la veste lorsqu'il passa à sa hauteur et le remit debout.

— Merci, dit le pêcheur.

C'était un jeune homme de dix-huit ans environ, trapu, avec des mains aussi grosses que celles d'André. Il avait une chevelure épaisse, châtain foncé, attachée sur la nuque.

— J'ai dû ferrer un maskinongé. Ce sont les plus bagarreurs et ce n'est pas la première fois que ma ligne se rompt, révéla-t-il.

Il regarda ses vêtements trempés.

— Celui-ci m'a pris par surprise, pourtant.

Il releva ensuite les yeux et agita un poing en l'air en feignant une grande colère.

— Tu crois te moquer de moi, mais je reviendrai et je t'attraperai, pour sûr !

— Bien dit ! approuva André.

— Ce n'est pas monotone, la pêche, par ici, commenta Siméon.

— Je me nomme Bernard Chapelain, ajouta le pêcheur en serrant la main des deux hommes.

Ils se présentèrent à leur tour en lui serrant la main, puis retournèrent sur la rive. André lui désigna Moyze, resté au sec.

— Oh ! Tu as pêché un petit esturgeon, fit Bernard qui s'était approché pour admirer la prise.

— Petit… ? répéta André.

Découvrant sa mine déconfite, Bernard ajouta d'un ton amusé :

— Je plaisantais. C'est une bonne prise. Par contre, nous en avons souvent pêché ici de plus de quatre pieds de long.

Un des pêcheurs s'arrêta pour féliciter André.

— Vous êtes nouvellement arrivés ? demanda Bernard.

— En effet, il y a deux jours, confirma André.

— Vous n'êtes pas passés inaperçus. Je n'avais jamais vu autant de monde débarquer d'un seul coup.

— Et ce n'est pas fini, ajouta Siméon. D'autres compagnies du régiment de Carignan-Salières vont arriver au cours de l'été.

Ils avaient récupéré leurs affaires et se dirigeaient vers la place du marché. Le soleil était désormais levé et ils croisaient des passants dans la rue.

— Tu es ici depuis longtemps ? le questionna André.

— Depuis quatre ans. Mon père et mon frère aîné sont arrivés comme engagés trois ans plus tôt, puis ma mère, ma sœur et moi sommes venus les rejoindre une fois leur contrat terminé, répliqua Bernard.

— Tu viens de quelle région ? s'enquit Moyze.

— De Poitiers.

Un homme qui venait vers eux jeta un regard appréciateur sur l'esturgeon qu'André tenait à bout de bras.

— Chasses-tu ? l'interrogea André avec espoir.

— Bien sûr, affirma Bernard.

— Est-ce que tu accepterais que je t'accompagne ? Je ne sais pas où aller et je ne connais pas le gibier d'ici, déclara André.

— Je t'initierai à la chasse en Nouvelle-France avec plaisir. Pour le moment, je dois vous quitter, je vais par là, dit Bernard en indiquant le port.

Ils se séparèrent avec la promesse de se revoir et continuèrent leur chemin.

À leur retour, le poisson d'André fit sensation et Marie Suzanne promit un petit festin pour le soir même. Ils racontèrent à Thierry qu'ils avaient fait la connaissance de Bernard Chapelain.

— C'est un jeune homme sérieux et un très bon chasseur. Il est débrouillard et ne s'en laisse imposer par personne, leur apprit Thierry.

Marie et Jeanne avaient déposé sur la table plusieurs miches de pain. Ils prirent place à table avec joie. À tour de rôle, chacun déchira un gros morceau de pain d'une des miches.

— Dites-moi, vous êtes en Nouvelle-France depuis combien de temps ? demanda Moyze.

— Je suis ici depuis treize ans. J'ai été soldat, puis caporal. Mon surnom Levallon m'a été attribué parce que je viens de la région de Wallonie.

Thierry se tourna vers sa femme, lui prit la main et ajouta :

— Et il y a neuf ans, j'ai épousé ma belle Marie Suzanne.

— Est-ce que vous êtes toujours soldat ? le questionna André.

— Non, maintenant, je suis maître tailleur d'habits.

À cette mention, Moyze parut enchanté.

— Quelle chance ! J'ai justement besoin d'un nouveau justaucorps.

Thierry secoua la tête.

— Malheureusement, je ne pourrai pas m'en occuper, car j'ai été convoqué par le marquis de Tracy pour tailler de nouveaux uniformes d'officier.

Devant l'air déçu de Moyze, il s'empressa d'ajouter :

— Je peux toutefois vous recommander un bon tailleur, Jean Giron. Il est très habile et pourra vous en confectionner un en un rien de temps.

André, Siméon et Moyze offrirent ensuite leurs services pour effectuer divers travaux. Toute la journée, ils s'occupèrent de redresser la clôture de pieux, de changer quelques planches sur le toit du petit abri des poules, de réparer la porte de l'enclos aux cochons et de sarcler le potager. Le petit Thierry observa intensément chaque tâche et participa du mieux qu'il put. En fin d'après-midi, ils retournèrent à la pêche.

À peine étaient-ils de retour que le petit Thierry les fit tous sursauter en entrant en trombe dans la maison.

— Mère, je suis blessé !

Marie Suzanne posa le bol qu'elle remplissait de ragoût et se précipita vers son fils qui lui montrait ses genoux écorchés.

— Ce n'est pas si grave, je vais te soigner, dit-elle d'un ton rassurant.

— Madame Cadieux m'a dit de mettre de l'onguent des *Notre-Père* et que cela devrait me guérir.

Il regarda sa mère avec inquiétude.

— Dites, mère, vous en avez, de l'onguent des *Notre-Père* ?

Marie Suzanne semblait perplexe.

— Euh… à vrai dire, je ne connais pas cet onguent, avoua-t-elle, penaude.

Le petit Thierry, découragé, semblait prêt à fondre en larmes.

— Je sais ce que c'est, ma mère en préparait, intervint Siméon.

Le petit garçon parut soulagé.

— Avez-vous du saindoux ? demanda Siméon.

— Bien sûr.

— Vous devez prendre une noisette de saindoux et réciter sept *Notre-Père* avant de l'appliquer sur la blessure. Ma mère en préparait souvent. Pour augmenter son efficacité, elle nous obligeait, mes frères, mes sœurs et moi, à les réciter avec elle.

Moyze semblait abasourdi.

— Je n'ai jamais entendu parler de cette recette. Tu crois que ça fonctionne ? s'enquit-il, dubitatif.

— Mes genoux ont toujours guéri, répliqua Siméon, piqué au vif.

Moyze releva les mains en un geste d'apaisement. André se souvint que sa mère avait un onguent qu'elle appliquait sur ses blessures, mais il ne savait pas quels ingrédients le composaient.

— Nous allons en faire ensemble après le repas, dit Marie Suzanne. Jeanne, tu peux servir le repas pendant que je nettoie les genoux de ton frère.

Alors qu'ils dégustaient le meilleur ragoût de poulet qu'André ait jamais mangé, Marie Suzanne se redressa brusquement.

— J'allais oublier ! Un officier est venu ici lorsque vous étiez absents. Il a demandé à vous voir.

André comprit tout de suite de qui il s'agissait. « Que nous veut Lauxain de Caviteau ? » songea-t-il.

Puis, Marie Suzanne se tourna vers son époux et raconta :

— Il n'a pas été très agréable. Il ne semblait pas me croire lorsque je lui ai assuré qu'ils n'étaient pas là et il a voulu entrer pour vérifier. J'ai refusé et il était furieux. Ai-je bien fait ? demanda-t-elle anxieusement.

Thierry avait froncé les sourcils.

— Certainement ! Il n'est pas question qu'un officier fouille ma maison et inquiète ma femme et mes enfants ! s'exclama-t-il, irrité.

Il regarda les trois hommes d'un œil sévère.

— Savez-vous qui c'est ? Vous êtes-vous mis dans le pétrin ?

André poussa un soupir et répondit :

— Nous savons de qui il est question et nous ne nous sommes pas mis dans le pétrin. Il s'agit de Pierre Lauxain de Caviteau, un enseigne de la compagnie de Berthier. Pour tout vous dire, il me déteste pour une raison que j'ignore.

— Il *nous* déteste, intervint Siméon. Il veut sûrement nous faire travailler comme des forcenés à toutes sortes de tâches inutiles.

— C'est hors de question ! s'écria Thierry. Je vais intervenir auprès des officiers pour qu'on vous laisse tranquilles.

— Soyez prudent, il est très vindicatif, confia Moyze.

Thierry s'empourpra et se redressa sur son banc.

— Ce n'est pas un petit enseigne qui viendra faire la loi chez moi ! Je m'en occupe dès demain ; considérez cela comme réglé, s'engagea-t-il.

André se dit que ce ne serait pas aussi facile que Thierry le croyait, mais il se tut. Il ne voulait pas effrayer davantage Marie Suzanne et les enfants, qui les dévisageaient avec des yeux ronds. Sauf Jeanne qui, étrangement, semblait comme son père plus indignée qu'effrayée.

Soudain, un tambourinement sur la porte les fit sursauter. Jeanne se précipita pour ouvrir. Un homme échevelé et en nage se tenait sur le seuil.

— Madame, le moment est venu, annonça-t-il d'une voix suppliante.

Marie Suzanne se leva, retira son tablier, prit un sac suspendu près de la porte et sortit à la suite de l'homme. André, Siméon et Moyze les avaient suivis des yeux, éberlués. Les enfants, quant à eux, continuèrent à manger sans paraître surpris le moins du monde.

— Sans vouloir vous manquer de respect, dites-moi, vous laissez souvent votre femme partir avec le premier venu ? s'enquit Moyze.

Thierry remarqua alors l'expression des trois hommes et une lueur amusée apparut dans ses yeux.

— Ce n'est pas le premier venu, c'est un futur père. Son premier enfant, sans doute, sinon il ne serait pas aussi énervé.

Moyze haussa les sourcils en signe d'incompréhension.

— Marie Suzanne est sage-femme. On peut la faire mander à n'importe quel moment.

Le lendemain, ils repartirent pêcher au petit matin. Cette fois, ils rapportèrent plusieurs poissons. À leur retour, Thierry était déjà parti. Ils prirent leur déjeuner avec Marie Suzanne et les enfants. Marie aida sa mère à laver la vaisselle dans le fournil, petit bâtiment annexé à la maison et servant à cuisiner pendant l'été, afin d'éviter que la maison ne soit envahie par une trop grande chaleur.

Moyze annonça soudain à André et à Siméon qu'il venait d'apercevoir Pierre Lauxain de Caviteau dans la rue. Jeanne, qui desservait la table, prit alors un seau d'eau et annonça d'une voix plus forte que nécessaire :

— Mère, je vais jeter l'eau sale et j'irai en chercher au puits.

Avant que sa mère ne puisse répondre, Jeanne ouvrit la porte à toute volée et, d'un même mouvement, lança le contenu du seau à la rue.

L'enseigne reçut l'eau en pleine figure, au moment où il levait le bras pour frapper à la porte. Il cligna des yeux, la bouche grande ouverte, et son visage se mit à rougir de façon inquiétante.

— Oh ! Pardonnez-moi, monsieur, je ne vous avais pas vu. Veuillez m'excuser, le supplia-t-elle.

— Que se passe-t-il ? voulut savoir Marie Suzanne, occupée dans le fournil.

Avant qu'elle n'atteigne la porte, l'enseigne avait rageusement tourné les talons et remontait la rue à grands pas. Jeanne se tourna vers sa mère et lui expliqua ce qui s'était passé.

— Je t'ai déjà dit de ne pas jeter l'eau à la rue sans regarder avant. Maintenant, retourne à tes tâches, la pria Marie Suzanne en lui tapotant l'épaule.

André, Siméon et Moyze avaient assisté à toute la scène avec surprise. Ils furent cependant frappés de stupeur lorsque Jeanne leur adressa un étincelant sourire juste au moment où Marie Suzanne se détournait. Puis, la fillette suivit sa mère en sautillant.

— Je l'aime, cette petite ! dit Siméon. Avez-vous vu la tête de Lauxain de Caviteau lorsqu'il a reçu l'eau en plein visage ?

⋘

Deux jours plus tard, André demanda de nouveau à Moyze de lui écrire une lettre. Le départ des navires pour la France était prévu pour la fin de la semaine et André voulait envoyer des nouvelles à sa famille.

— Je te lis ce que j'ai écrit, proposa Moyze lorsqu'il eut terminé.

Québec, Nouvelle-France, 5 juillet 1665

Bien le bonjour à vous tous,

J'espère que cette lettre se rendra jusqu'à vous et vous trouvera tous en bonne santé. Pour ma part, je vais très bien. Nous avons quitté les Antilles au printemps et nous sommes maintenant en Nouvelle-France. Je crois que nous resterons ici plusieurs mois, alors Catherine pourra m'écrire. J'ai hâte d'avoir des nouvelles de vous tous.

La Nouvelle-France n'est qu'eau et forêt. Le fleuve Saint-Laurent est très large au début, assez pour qu'on ne puisse même pas voir les deux rives. Pouvez-vous imaginer? Puis, il rétrécit, mais sans être aussi étroit que la Charente. Il y a aussi des forêts partout. Avant de pouvoir cultiver, il faut couper les arbres. Il y en a de toutes sortes et ils sont immenses. Ma compagnie est basée à Québec et je suis logé chez une famille où il y a sept enfants. Catherine, sache que Jeanne, une des enfants, te ressemble : j'aurais aimé que tu la voies, vous seriez devenues des amies, pour sûr. Québec est située en partie sur un gros promontoire rocheux et en partie au bas de ce promontoire, ce qu'on appelle tout simplement la haute-ville et la basse-ville. Le fort Saint-Louis est situé en haut et, en cas d'attaque, on peut voir les bateaux venir de loin. Protégé par l'enceinte du fort, il y a le château Saint-Louis, résidence du gouverneur, le représentant du roi en Nouvelle-France. Jusqu'à maintenant, nous n'avons pas combattu d'Iroquois, qu'on appelle ici des Sauvages. Par contre, certaines compagnies sont allées construire des forts. Hier, je suis allé pêcher et j'ai attrapé un gros poisson de trois pieds de long qui était délicieux. Cet automne, j'irai chasser; on me dit qu'il y a une grande quantité de gibier, comme dans notre île. Il y a aussi des chevreuils et des orignaux qui sont chassés ici. L'orignal est, paraît-il, aussi grand qu'un cheval. Je vous dirai plus tard si c'est vrai! Une autre chose aussi dont je doute, c'est de la quantité de neige. On me dit qu'ici la neige dépasse la hauteur des fenêtres et que l'on doit les dégager pour continuer d'avoir un peu de lumière. Je crois qu'ils exagèrent, car les habitants nous racontent cela en riant. On verra bien. Lorsque cette lettre vous parviendra à la fin de l'été, il n'y aura plus de bateaux qui feront la traversée. À l'arrivée des premiers bateaux au printemps prochain, je serai là pour recevoir votre réponse. Je vous aime tous et vous embrasse.

André Mignier dit Lagacé

— Parfait! s'exclama André qui prit la lettre des mains de Moyze.

Ils sortirent et André se rendit au fort Saint-Louis pour déposer sa lettre tandis que Moyze se dirigeait vers la place publique. Une fois son pli remis, André redescendit la côte de la Montagne. C'était jour de marché et on entendait au loin la joyeuse clameur de la foule.

Il déambulait lentement entre les différents étals lorsqu'il reconnut un jeune homme originaire de La Flotte, sur l'île de Ré. Il traversa la place à toute vitesse et le rejoignit alors qu'il marchandait avec une femme qui vendait des légumes. André lui mit la main sur l'épaule et le jeune homme se retourna, puis, avec une exclamation de joie, serra André dans ses bras.

— Que fais-tu ici, François ? demanda André.

— Je me suis engagé pour trente-six mois, l'informa François Thibault. Et toi, tu n'étais pas dans l'armée ?

— Bien sûr. J'y suis toujours. Nous sommes allés dans les Antilles pendant plus d'un an, puis nous avons débarqué ici il y a moins d'une semaine. Pour l'instant, ma compagnie est à Québec, lui expliqua André.

La femme qui tenait l'étal tenta d'attirer de nouveau l'attention de François tout en jetant un regard noir à André. Il s'éloigna un peu le temps que son ami termine son achat. Il était ravi de l'avoir rencontré : il le connaissait depuis plusieurs années et appréciait son esprit indépendant. Il n'était pas surpris de le voir en Nouvelle-France, étant donné son ambition et sa détermination. De plus, il aurait sûrement des nouvelles de sa famille… Et peut-être aussi de Marie Jacques.

— Nous sommes arrivés il y a deux semaines, dit François en le rejoignant.

— *Nous* ? Qui d'autre ? s'enquit André.

— Tu ne le croiras pas, nous sommes vingt-huit de l'île de Ré et plusieurs autres de La Rochelle.

— Qui donc ?

— Jean Guillet, Gilles Gadiou, Julien Allard, Pierre Neveu, Pierre Messager, Gilles Gautrais, Mathurin Villeneuve, René Orzeau, que tu connais bien, et plusieurs autres, révéla François.

Il s'agissait pour la plupart de jeunes hommes de La Flotte qu'André avait côtoyés à un moment ou à un autre.

— Vous êtes tous à Québec ?

— Non. Les frères Jacques et Martin Chevalier sont partis pour Trois-Rivières. Nicolas Villeneau et Alexis Buet sont à Ville-Marie. Pour les autres, je ne sais pas, répondit François.

— Et toi, chez qui es-tu engagé ?

— J'ai été engagé par Robert Paré ; il est établi à Sainte-Anne-de-Beaupré. Il m'a engagé pour que je l'aide à défricher et à faire produire sa terre.

— Peux-tu me donner des nouvelles de ma famille ? chercha à savoir André.

— J'ai vu ton père chaque semaine au marché, avec ton petit frère André, qui l'accompagnait depuis ton départ. Quand je suis parti à la fin avril, toute ta famille se portait bien, le rassura François.

André fut soulagé. Il hésita un moment, puis se lança :

— Que peux-tu me dire sur Marie Jacques ?

François poussa un soupir.

— Elle s'est mariée avec Jean Gardin l'année dernière. Tu aurais dû voir comment sa mère se pavanait, on aurait dit que c'était elle qui se mariait. Nous n'avons pas été surpris d'apprendre que Jeanne Dupont t'avait évincé : c'est tout à fait le genre de méchanceté dont elle est capable.

André serra les poings instinctivement. François continua, l'air désolé.

— Marie Jacques continue de tenir son étal au marché, mais elle ne sourit presque plus.

Le visage d'André refléta sa tristesse. Marie Jacques lui manquait terriblement.

Soudain, il entendit une exclamation de joie. En se tournant, il reconnut Gilles Gadiou.

Après de chaleureuses salutations, André lui demanda :

— Et toi, chez qui as-tu été engagé ?

Gilles leva les épaules et se rengorgea.

— Chez Pierre Legardeur de Tilly, écuyer du roi. Il a dix enfants, répliqua Gilles.

— Tu fais toujours le fier, à ce que je vois, commenta André.

— Il peut faire le fier tant qu'il veut, je le bats en tous points! s'exclama Mathurin Villeneuve en se joignant à eux.

Mathurin venait du village de Sainte-Marie, voisin de celui d'André dans l'île de Ré. Leurs pères travaillaient ensemble comme laboureurs. Mathurin n'avait pas encore vingt ans.

— Je suis engagé chez Simon Denys de la Trinité, à Beauport, membre du Conseil souverain. Il a onze enfants et un autre en route, ajouta-t-il avec satisfaction.

André, François et Gilles éclatèrent de rire.

— Pourras-tu continuer à exercer ton métier de tonnelier? demanda André à Mathurin.

— Bien sûr, il n'y a pas de tonnelier à Beauport. Nous sommes cinq engagés pour lui venir en aide, dont un menuisier et un meunier.

Plusieurs autres jeunes hommes de l'île de Ré les rejoignirent et ils formèrent un grand cercle, parlant de plus en plus fort. Ils semblaient tellement heureux d'être ensemble que les gens ne pouvaient s'empêcher de les dévisager en souriant. André avait quitté son île depuis dix-huit mois à présent. Jamais il n'avait été absent aussi longtemps et sa famille lui manquait. La présence de ses amis agissait comme un véritable baume sur son cœur.

Il régnait une grande effervescence dans la ville de Québec avec la présence de huit compagnies de soldats.

André, Siméon et Moyze, désœuvrés, se promenaient près de la berge. Alors qu'ils observaient plusieurs hommes qui s'activaient à transporter du bois et de grands morceaux d'écorce de bouleau, Bernard Chapelain surgit près d'eux.

— Sais-tu pourquoi ils construisent tous ces canots? lui demanda André.

— Les quatre compagnies du régiment de Carignan-Salières arrivées deux semaines avant vous s'en vont construire des forts sur la rivière Richelieu. Le marquis de Tracy veut en faire construire quatre cette année. Il veut pénétrer en territoire iroquois le plus rapidement possible et il ne reste que quatre mois avant l'hiver, alors ils partiront d'ici quelques jours, conta Bernard.

— Et comment sais-tu tout ça? questionna Siméon.

— Tout simplement parce que j'aiderai au transport des soldats. La façon la plus rapide de se rendre à la rivière Richelieu, c'est d'y aller en canot.

André était très attentif aux propos de Bernard.

— Est-ce qu'il manque de rameurs? l'interrogea-t-il.

Bernard laissa courir ses yeux sur les bras musclés d'André et son visage s'éclaira.

— Pour sûr! À cette période de l'année, les hommes ne veulent pas s'éloigner de leurs terres et, avec tout le monde qu'il y a en ville, les marchands font de trop bonnes affaires pour partir plusieurs jours.

Bernard se tourna vers Siméon, qui semblait songeur, puis vers Moyze qui agita les mains en signe de refus.

— Il faudra que je vous enseigne à ramer, ajouta Bernard.

— Je sais ramer, répliqua Siméon, piqué au vif.

Bernard expliqua qu'il avait appris des Amérindiens une technique qui permettait de ramer toute une journée sans être complètement épuisé. Ils prirent rendez-vous pour le lendemain matin. Bernard signala qu'il s'occuperait d'obtenir l'autorisation de leur capitaine.

À l'heure dite, ils étaient tous sur place, sauf Moyze, qui disait ne pas être capable de ramer toute une journée, avec ou sans technique. Bernard entreprit de leur montrer la manière de ramer qui propulse le canot le plus loin possible avec un minimum d'efforts. À la fin de la journée, il annonça à Siméon que, contrairement à André, il ne serait pas en mesure de ramer plusieurs jours de suite avec une charge de douze hommes et de l'équipement. Il manquait encore d'entraînement. Siméon, éreinté, n'émit aucune protestation contre ce verdict.

Le canot glissait silencieusement sur l'eau. André avait pris place à l'avant et Bernard, à l'arrière. Au début de la journée, André avait dû se concentrer sur la précision de ses mouvements, mais, au milieu de l'après-midi, il était assez à l'aise pour admirer le paysage autour de lui. Le fleuve s'étirait devant eux et ses rives étaient bordées par de très grands arbres. On entendait le vent dans les branches et les oiseaux qui s'interpellaient.

Le convoi était composé de huit canots qui transportaient les troupes de la compagnie du capitaine Pierre de Saurel, de la nourriture et des outils. Les soldats avaient armé leur fusil et scrutaient les rives. Une attaque des Iroquois était toujours possible même si une cinquantaine de soldats voyageaient dans ces canots. Pour rester hors d'atteinte de leurs flèches, ils naviguaient au milieu du fleuve, deux par deux afin d'éviter d'étirer la file.

En route, Bernard Chapelain expliqua à ses passagers à quel point les habitants de Nouvelle-France étaient heureux

de leur arrivée. Il leur raconta que les Iroquois les atta-
quaient par surprise lorsqu'ils travaillaient aux champs. Cela
durait depuis quelques décennies et, enfin, Louis XIV avait
répondu à l'appel à l'aide de sa colonie et envoyé des
troupes pour la défendre. La population était effrayée,
d'autant plus que les Iroquois avaient capturé plusieurs
Français dans les années précédentes et les avaient torturés
avant de les brûler vifs. Défricher et cultiver la terre dans
ces conditions devenait difficile puisque pendant que certains travaillaient aux champs, d'autres devaient monter la
garde.

Les soldats restèrent silencieux en écoutant Bernard,
essayant de se représenter les horreurs qu'il décrivait tout
en jetant des regards effrayés vers la rive.

— Soyez toujours sur vos gardes lorsque vous construirez les forts. Les Iroquois sont silencieux et peuvent s'approcher tout près de vous sans que vous vous en rendiez
compte. Soyez certains qu'ils vous observeront, cachés dans
la forêt. N'oubliez jamais que chaque arbre peut cacher un
Iroquois, les mit en garde Bernard.

En fin de journée, ils firent halte entre Québec et Trois-
Rivières. Des tours de garde furent organisés. On alluma un
feu et on fit cuire les poissons que quelques soldats avaient
pêchés au fil du trajet. André s'était laissé tomber par terre,
non loin de la rive. Bernard vint le retrouver et lui tendit
un morceau de pain.

— Comment te sens-tu?

André mordit dans son pain avec appétit avant de
répliquer:

— Hum! Je suis affamé et épuisé.

Bernard lui assura qu'il s'était bien débrouillé. Il s'éloigna en disant qu'il allait demander aux soldats de couper

des branches de sapin pour confectionner une couche confortable et que tous se coucheraient tôt. André mangea lentement son pain en regardant autour de lui. Certains tiraient les canots loin sur la rive, d'autres cherchaient du bois mort pour alimenter le feu et une dizaine montaient la garde. Deux hommes faisaient cuire les poissons dans une poêle avec un peu d'oignon. Une bonne odeur se répandait et André en avait l'eau à la bouche. D'autres rameurs se reposaient près de lui, harassés de fatigue. Des soldats leur apportèrent une écuelle remplie de poisson qu'ils dévo-rèrent en silence. Bernard revint les chercher pour leur montrer leur couche et le groupe de rameurs le suivit péniblement. André s'enroula dans sa couverture et s'endor-mit sans tarder.

Au réveil, il s'étira en gémissant. Tous les muscles de ses bras ainsi que son dos étaient douloureux. Il s'appliqua à plier et à déplier ses bras sans brusquerie. Il avait l'impres-sion qu'un bourreau consciencieux l'avait battu avec un bâton.

— Les premières heures seront plus difficiles aujour-d'hui, mais après, la douleur devrait s'atténuer, expliqua Bernard.

Ils ramèrent toute la journée et firent halte sur les berges du fleuve une autre nuit, puis arrivèrent à Trois-Rivières le troisième jour. Entouré d'une palissade de pieux hauts de plus de vingt pieds, le village avait été bâti sur la rive haute du fleuve. Les canots furent tirés sur la berge et les hommes prirent le chemin qui montait au village. On referma les lourdes portes derrière eux.

Les habitants les accueillirent avec chaleur. Les femmes leur servirent un délicieux ragoût de lièvre aux oignons, navets et carottes. Soudain, une rude bourrade atteignit

André derrière son épaule droite et le fit se retourner brusquement.

— Par tous les saints ! Je ne pensais jamais te voir ici !

Martin Chevalier et son frère Jacques, deux hommes de La Flotte, se tenaient devant lui, l'air surpris.

— Mais moi, je savais vous trouver ici, plaisanta André.

— Comment le pouvais-tu ? Tu n'es pas censé être dans l'armée en France ?

André leur expliqua son parcours et leur apprit qu'il avait rencontré à Québec plusieurs amis de l'île de Ré arrivés avec eux.

— Vous plaisez-vous ici ? demanda André.

— Assez. C'est différent de notre île, pour sûr. L'odeur de sapin a remplacé l'iode de la mer et les champs de blé ont remplacé les vignobles. Le village est beaucoup plus petit que La Flotte, constata Martin, nostalgique.

— Les habitants sont très accueillants et nous sommes bien traités, ajouta son frère Jacques.

André n'avait pas été surpris d'apprendre que c'était Jacques qui avait voulu s'engager pour trois ans et que son frère Martin l'avait accompagné pour qu'il ne parte pas seul. Depuis la mort de leur père, Martin, de six ans l'aîné, avait veillé sur son jeune frère.

— Après notre engagement, peut-être pourrions-nous nous faire coureurs des bois et aller explorer les Pays-d'en-Haut dont j'ai tant entendu parler, ajouta Jacques.

Martin se tourna vers son frère en haussant un sourcil interrogateur, semblant entendre parler de ce projet pour la première fois.

— Ce n'est pas pour demain, nous venons à peine de commencer nos trois années, répliqua-t-il.

Jacques poussa un soupir de résignation, haussa les épaules, puis retrouva son air enjoué. Ils discutèrent jusqu'à ce qu'André tombe de fatigue. D'un pas pesant, il alla s'étendre sur la couche de branches de sapin qu'on lui avait attribuée. Il s'endormit aussitôt.

En fin de journée le lendemain, ils accostèrent à l'embouchure de la rivière Richelieu, site du premier fort à construire. Le lendemain matin, les rameurs et leurs canots allégés reprirent le chemin de Québec et, voyageant dans le sens du courant, ils furent à Québec en deux jours.

Siméon, pendant ces six jours, n'avait pas ménagé sa peine. Il s'était entraîné à ramer et sa technique s'était suffisamment améliorée pour qu'il puisse être de la prochaine expédition, qui partirait seulement lorsque les autres compagnies du régiment de Carignan-Salières arriveraient de France.

8

11 août 1665, Québec

André laissa son regard errer sur la vaste plaine. Le soleil couchant colorait de rose et de mauve les quelques nuages qui parsemaient le ciel. Une brise souffla et André retira son tricorne pour laisser sécher son front moite. Peu après leur arrivée, le marquis de Tracy avait rapidement organisé des tours de garde et les soldats avaient été dispersés autour de Québec. Ce soir-là, André et Siméon allaient et venaient le long de la Grande Allée, comme on nommait familièrement le chemin du cap Rouge, tout en surveillant les alentours.

André n'aurait pas voulu être chargé de faire le guet, immobile à l'entrée du fort Saint-Louis. Il appréciait plutôt les tours de garde à marcher et à discuter avec différents soldats de sa compagnie. La semaine précédente, il avait monté la garde avec Jacques Brin, du village de La Flotte et, pendant les quatre heures de guet, ils avaient évoqué leurs parents et amis de l'île de Ré ainsi que les événements ayant mené à leur enrôlement.

Brisant soudainement le silence, André s'adressa à Siméon :

— Je ne t'ai jamais demandé pourquoi tu t'étais engagé.

— Je me suis enfui, répliqua Siméon.

André haussa un sourcil interrogatif.

— Je me suis enfui loin des projets de mariage de ma mère, ajouta Siméon, l'air sérieux.

— Ah! Tu devais être en grand danger, plaisanta André.

— Tu n'as pas idée à quel point! s'exclama Siméon en riant.

Le lieutenant Lebassier de Villieu croisa leur route, allant d'un pas rapide vers la ville.

— Tout va bien? Rien à signaler? s'enquit-il.

— Tout est calme, affirma André.

Il discuta quelques minutes avec eux. André avait une haute opinion du lieutenant, qui ne manquait jamais une occasion de s'informer de la santé de ses soldats. Il semblait réellement préoccupé par leur bien-être. Après un moment, il les salua et s'éloigna. André et Siméon continuèrent à marcher à vive allure.

— Tu ne connais pas ma mère, poursuivit Siméon après un moment. Chez nous, elle dirigeait tout. Elle s'était mis en tête de me voir marié avec une de nos voisines.

Siméon poussa un soupir.

— J'ai essayé de la courtiser, mais la fille était, comment dire… trop docile. Elle aurait obéi à ma mère au doigt et à l'œil.

Il secoua la tête vigoureusement et, de son pied, frappa un caillou qu'il fit rouler devant lui.

— Je ne voulais vraiment pas que ma mère régente mon foyer.

La nuit tombait, projetant des ombres partout sur la plaine et apportant un peu de fraîcheur.

— Tu ne t'entends pas bien avec elle?

— Mais si! Ma mère, je l'adore. Je la laissais parler et j'acquiesçais à ce qu'elle me disait, mais une fois qu'elle avait le dos tourné, je faisais comme bon me semblait.

Siméon garda le silence un moment, l'esprit rempli de ses souvenirs d'enfance.

— Pauvre mère! Je lui en ai fait voir de toutes les couleurs.

Un homme s'approchait sur le chemin. Ils ne pouvaient distinguer ses traits en raison de l'obscurité.

— Qui va là? s'enquit André.

— Pierre Lauxain de Caviteau, répondit une voix forte. Qui êtes-vous?

— François Couillard et Jacques Brin, répliqua Siméon en baissant sa voix d'une octave.

— Aah!

L'enseigne semblait déçu.

— Tout va bien? demanda-t-il.

— Certainement.

— Vous n'auriez pas vu le lieutenant Lebassier de Villieu?

— Bien sûr, il allait vers l'hôpital des Augustines, mentit Siméon.

Il avait indiqué la direction opposée à celle qu'avait prise le lieutenant un peu plus tôt. Pierre Lauxain de Caviteau s'éloigna dans cette direction sans un mot de plus. André donna une bourrade sur l'épaule de Siméon en l'entendant ricaner. Ils furent relevés une heure plus tard et rentrèrent à la maison, riant encore du coup inspiré de Siméon, trop heureux de tromper le prétentieux enseigne.

Le lendemain, au déjeuner, Marie Suzanne releva soudainement la tête.

— J'allais oublier, le même officier est revenu hier.

— Je n'ai pas pu rencontrer le marquis de Tracy à ce sujet, mais je dois le voir demain et je lui en parlerai, dit Thierry.

— Papa, il est tombé en entrant, s'écria son fils Thierry.

André remarqua avec perplexité que Thierry jetait un coup d'œil à Jeanne. Elle lui rendit son regard rempli de pure innocence.

— Il faudra réparer cette marche. Il s'est étalé de tout son long, confirma Marie Suzanne.

— Comme monsieur Boucher l'autre jour ? voulut savoir Thierry.

— Oui, oui, et quand il s'est relevé, il était fâché comme monsieur Boucher, répondit la petite Marguerite, fière de transmettre une information importante à son père.

Thierry jeta à Jeanne un autre coup d'œil accompagné d'un haussement de sourcils. Sa fille baissa les yeux, mais un léger sourire flotta un instant sur ses lèvres.

— Il faudra réparer cette marche, en effet. Je ne sais pas ce qu'elle a, mais certaines personnes s'y prennent les pieds. Pourrais-tu t'en occuper, demain ? demanda-t-il à Siméon.

Une semaine plus tard, Moyze s'était renseigné auprès de Thierry sur le chemin à suivre pour se rendre chez Jean Giron afin de commander un nouveau justaucorps. Comme ils n'étaient pas de garde, André et Siméon l'accompagnèrent. En route, ils entendirent les cloches sonner à toute volée. Ils virent des gens descendre à vive allure la côte de la Montagne et d'autres sortir de leur maison et courir dans la rue. André arrêta un homme et lui demanda ce qui se passait.

— Il y a un navire qui arrive. Nous allons accueillir les nouveaux arrivants et voir s'il y a des lettres de nos familles, répondit l'homme avant de continuer son chemin.

Les trois soldats le suivirent. Des barques se dirigeaient vers le navire sous les clameurs des habitants de Nouvelle-

France. Les hommes sur le pont faisaient de grands signes de la main. Quelques minutes plus tard, les barques revinrent, des officiers à leur bord. Une première embarcation vint s'amarrer et un officier en descendit lentement. Le marquis de Tracy ainsi que monseigneur de Laval l'attendaient sur la rive pour l'accueillir.

Henri de Chastelard, marquis de Salières, commandait les vingt compagnies du régiment de Carignan-Salières, dont quelques-unes étaient déjà arrivées au début de l'été. Pour sa part, Alexandre de Prouville, marquis de Tracy, était venu en Nouvelle-France avec quatre compagnies provenant de différents régiments. Comme le marquis de Tracy détenait les pouvoirs de vice-roi, le marquis de Salières devait se soumettre à son autorité, ce qui, à voir son expression, ne semblait guère le ravir.

L'*Aigle d'Or* transportait quatre compagnies de quelque cinquante soldats chacune, en plus des officiers et des sous-officiers. Après que le marquis de Salières eut été accueilli avec tous les honneurs dus à son rang, les officiers commencèrent à débarquer, suivis des soldats. Ils semblaient exténués, mais ils souriaient. Les habitants de Nouvelle-France venaient leur serrer la main et leur souhaiter la bienvenue.

André, Siméon et Moyze finirent par reprendre leur route pour se rendre chez le tailleur Jean Giron, mais, quand ils arrivèrent chez lui, il était absent, probablement parti au bord du fleuve. Le lendemain matin, ils se dirigeaient de nouveau chez le tailleur d'habits lorsque les cloches se remirent à sonner.

— Encore! s'exclama André.

Le navire *La Paix* transportait quatre nouvelles compagnies du régiment de Carignan-Salières. De nouveau, la ville plongea dans une effervescence contagieuse.

À peine trois jours plus tard, un convoi de canots remplis de soldats partait pour la rivière Richelieu. André, dans son canot, pagayait avec vigueur en compagnie d'un homme qui s'était présenté sous le prénom de François. À sa droite, le canot où prenaient place Siméon et Bernard Chapelain avançait à la même allure, non sans quelques grimaces de souffrance de la part de Siméon. André se souvenait trop bien de la douleur ressentie lors de sa première expédition.

À la fin de la troisième journée, alors que les canots de tête arrivaient à Trois-Rivières, André vit que les soldats s'agitaient. Des exclamations fusèrent et les canots se mirent à tanguer sous le mouvement des soldats, contribuant ainsi à augmenter le volume des cris. Plusieurs levèrent leurs armes et les pointèrent vers le rivage.

André tourna les yeux dans la même direction et vit un groupe d'Amérindiens qui discutaient en descendant la pente pour venir à leur rencontre. Soudain, l'un d'eux s'aperçut que les soldats braquaient leurs armes sur eux. Il poussa un cri d'alarme et tous les Amérindiens s'éparpillèrent en quelques secondes pour se cacher derrière les arbres et les petits bâtiments situés près du rivage. Alertés par les hurlements, des hommes armés de fusils apparurent aux bastions qui flanquaient la palissade du village.

— Grand Dieu ! souffla André.

Les pagayeurs dans les canots hurlaient de ne pas tirer et les soldats finirent par se calmer peu à peu. Ils expliquèrent que les Algonquins étaient alliés des Français et qu'ils habitaient avec eux dans le village. Lorsqu'ils accostèrent, les pagayeurs s'empressèrent d'aller présenter leurs excuses aux Algonquins. Des villageois sortirent pour les accueillir tandis que les soldats, l'air penauds, se remettaient de leur frayeur.

— J'ai bien cru que nous allions chavirer, avoua Siméon en remontant péniblement la pente menant au village.

— À leur défense, on doit dire qu'ils viennent à peine d'arriver et que ce devait être la première fois qu'ils voyaient des Sauvages. Heureusement, les soldats des premiers canots n'ont pas tiré, souligna André.

Il entraîna Siméon près d'un feu où ils s'assirent pour se reposer. Après avoir mangé, André partit se promener dans le village, laissant Siméon récupérer. La première fois qu'il était venu, lui non plus n'avait pas eu la force de parcourir le bourg.

Une palissade entourait le village qui abritait un peu plus de quatre cents âmes. Des maisons étaient construites de chaque côté des quelques chemins qui traversaient le village. Chaque maison jouissait d'un petit terrain adjacent d'un peu plus de cent pieds carrés, délimité par une clôture de bois, où les animaux et le potager se partageaient l'espace.

Les habitants saluaient joyeusement André et plusieurs s'arrêtaient pour échanger quelques mots avec lui. Puis, André vit les frères Chevalier qui venaient à sa rencontre. Ils se saluèrent, heureux de se rencontrer de nouveau.

— Allez, viens, nous allons te faire visiter notre village, lui proposa Jacques.

Ils discutèrent tout en déambulant dans les rues. André leur indiqua où le trouver, s'ils devaient se rendre à Québec, puis ils se quittèrent au coucher du soleil.

Le lendemain, André et Siméon repartirent avec les soldats. À la fin d'une longue journée à pagayer, ils arrivèrent au fort Richelieu où André avait transporté des soldats le mois précédent. Toute la pointe de terre au confluent du fleuve et de la rivière Richelieu était à présent défrichée. On y avait construit un fort à structure carrée de cent vingt pieds de façade, avec bastion aux deux angles qui faisaient face au fleuve, ainsi qu'un autre au milieu de la façade sud.

Les soldats les accueillirent avec joie et les menèrent à l'intérieur du fort. Ils purent prendre deux jours de repos, la deuxième partie du trajet étant plus périlleuse ; ils auraient besoin de toutes leurs forces.

Dès l'aube du troisième jour, ils naviguaient en silence sur la rivière Richelieu, autrefois appelée la rivière aux Iroquois. Les flèches des Amérindiens pouvant dorénavant facilement les atteindre, les soldats tenaient leur fusil armé et prêt à faire feu, scrutant la rive à la recherche de mouvements suspects.

Ils firent halte avant la tombée du jour pour établir un camp et un périmètre de surveillance. Ils n'allumèrent pas de feu pour éviter d'attirer l'attention. Les tours de garde avaient été établis la veille, de sorte que l'installation du camp d'une centaine d'hommes se fit aussi silencieusement que possible. André et Siméon mangèrent une miche de pain accompagnée d'un morceau de lard, puis se couchèrent au pied d'un sapin, abrités par ses longues branches qui touchaient le sol à certains endroits.

André dormit d'un sommeil profond et se réveilla en sursaut le lendemain quand Siméon le secoua.

— Je crois que même une attaque des Iroquois ne m'aurait pas réveillé, dit-il en s'étirant.

— Ne plaisante pas avec ça, rétorqua Siméon.

André le regarda et se rendit compte que de profonds cernes marquaient les yeux de son compagnon.

— Tu arriveras à tenir la cadence aujourd'hui ?

— Sans problème.

— Viens, allons trouver quelque chose à nous mettre sous la dent, proposa André.

Une fois que les soldats eurent mangé, ils embarquèrent dans les canots et continuèrent à remonter la rivière. Ils arrivèrent à un grand bassin naturel, semblable à celui qui s'étendait devant Québec, mais plus petit. Après l'avoir traversé, ils découvrirent qu'il était impossible de continuer en canot. La rivière, devenue tumultueuse, se faufilait entre de gros rochers et formait de petites chutes ainsi que des tourbillons d'écume blanche.

Jacques de Chambly, capitaine de la compagnie qui portait son nom, détermina l'emplacement du futur fort au pied des rapides. Les soldats débarquèrent et entreprirent de monter un camp. André, Siméon et Bernard purent prendre du repos en vue du long retour prévu deux jours plus tard.

～

André et Moyze couraient vers le port. Le petit Thierry était venu les chercher à la demande de son père, qui requérait leur aide de toute urgence. En tant que marguillier, Thierry Delestre devait participer à la cérémonie d'accueil pour souligner l'arrivée du navire *Le Saint-Sébastien*, qui transportait le nouveau gouverneur, Daniel de Rémy de Courcelle, ainsi que l'intendant Jean Talon et quatre autres compagnies du régiment de Carignan-Salières, enfin arrivées en ce milieu du mois de septembre. Le bateau était ancré devant Québec depuis moins d'une heure. La cérémonie avait été annulée parce qu'une centaine d'hommes à bord étaient souffrants.

Près de la rive, André vit de nombreux hommes couchés sur le sol sous un soleil de plomb. Des enfants apportaient des brancards rudimentaires faits d'un morceau de toile attaché à deux branches d'arbre. André en saisit un et se rendit sur la rive, suivi de Moyze. Un médecin leur fit signe de le rejoindre.

— Transportez cet homme à l'Hôtel-Dieu le plus rapidement possible, ordonna-t-il.

Il se détourna aussitôt pour passer au soldat suivant en faisant signe à d'autres hommes prêts à le transporter. André saisit le malade par les aisselles tandis que Moyze soulevait ses jambes pour l'étendre sur le brancard. Ils allèrent d'un pas rapide jusqu'au milieu de la côte de la Montagne, où ils durent déposer leur charge quelques minutes pour reprendre leur souffle. André et Moyze étaient en nage. Le soldat, quant à lui, grelottait de fièvre et semblait au bout de ses forces. Il leur demanda de l'eau d'une voix rauque. André et Moyze s'empressèrent de reprendre la montée vers la haute-ville, n'ayant pas d'eau à lui donner.

Une fois le soldat accueilli par les religieuses de l'Hôtel-Dieu, ils se hâtèrent de redescendre vers la rive. Alors qu'ils montaient à la haute-ville pour la seconde fois, ils furent envoyés à l'église Notre-Dame, car l'hôpital était complet. L'église, longue de cent pieds sur trente-huit de large, était déjà remplie au tiers. André et Moyze y pénétrèrent, ne sachant où déposer leur brancard.

Une hospitalière passait d'un malade à l'autre, évaluant la gravité de leur état. Des prêtres tentaient de diriger l'installation de chacun, de plus en plus déroutés par l'arrivée constante de nouveaux malades. Des femmes portant des seaux d'eau faisaient boire les hommes à l'aide d'une louche. Les gémissements de souffrance résonnaient dans l'église où régnait une chaleur étouffante.

Alors qu'ils ressortaient, André et Moyze virent Alexandre de Prouville qui arrivait, accompagné, comme il avait coutume, des vingt-quatre soldats de sa garde personnelle et de quatre pages. Ils retournèrent une fois de plus sur la berge. Les derniers soldats étaient amenés du navire. De nouveau, ils installèrent un malade sur leur civière improvisée, puis se rendirent à l'église. Un prêtre à l'air hagard leur annonça qu'ils ne pouvaient entrer, l'église étant pleine.

Le soldat émit un gémissement sourd.

— Ne vous inquiétez pas, vous serez soigné, le rassura André.

Ils déposèrent leur brancard à l'ombre et André alla se renseigner. Après plusieurs minutes de recherche, il réussit à trouver un prêtre en mesure de lui dire où conduire le soldat et retourna auprès de Moyze.

— Nous allons le transporter jusqu'à la troisième maison voisine de l'Hôtel-Dieu. Il sera soigné là.

Ils reprirent leur brancard et marchèrent lentement, la fatigue se faisant sentir. Un couple d'âge mûr les attendait. La femme s'occupa du malade tandis que son mari offrait une chope de bière à André et Moyze. Ils s'effondrèrent sur l'escalier devant la porte de la maison et burent avidement en reprenant leur souffle.

Se remémorant son long voyage en bateau, André se réjouit qu'il n'y ait pas eu d'épidémie. Il ne savait depuis combien de temps les soldats étaient malades, mais ils semblaient vraiment mal en point. Être confinés dans un navire, entassés les uns sur les autres, était en soi une épreuve difficile, mais être souffrant dans ces conditions avait dû être un véritable calvaire.

～

Résolu à faire enfin confectionner son nouveau justaucorps, Moyze se rendit à la résidence de la veuve Étiennette Després, chez qui Jean Giron était engagé. Chemin faisant, il profitait des chauds rayons du soleil. Parti de France depuis plus de dix-huit mois, il devait avouer qu'il préférait sa nouvelle vie. Bien sûr, avant son départ, il profitait du confort et des bienfaits que procure l'argent, mais, à présent, il se rendait compte de la solitude dans laquelle il se trouvait alors. Il avait d'abord découvert l'amitié, puis la vie dans une famille où l'amour réchauffe le cœur. Il sourit en se souvenant de sa réaction offusquée lorsqu'il avait constaté que les enfants étaient considérés comme des personnes à part entière. Par la suite, il avait beaucoup appris en les observant.

Parmi les enfants de cette famille, Jeanne surtout le fascinait. Quelle enfant vive d'esprit ! Elle n'avait pourtant que sept ans. Son père et elle pouvaient communiquer d'un seul regard. Un lien très fort les unissait. Sans que rien ne paraisse, elle avait réussi à chasser deux fois Pierre Lauxain de Caviteau de chez elle. La blondeur de ses cheveux, sa petite stature et son air de pure innocence étaient des armes efficaces dont elle savait se servir. Elle était très sûre d'elle et Moyze aurait pu jurer que cette confiance lui venait en partie du fait qu'elle était convaincue que son père la défendrait bec et ongles si on devinait ses manigances.

Quelques semaines plus tôt, elle avait demandé à Siméon si sa mère connaissait un remède contre les verrues. Elle en avait trois et voulait s'en débarrasser. Marie Suzanne ne savait pas quoi faire.

Siméon, enchanté, avait répondu qu'effectivement sa mère avait quelques remèdes pour ça. Elle devait, avait-il expliqué le plus sérieusement du monde, mettre dans un sac de toile autant de pois secs qu'elle avait de verrues, puis, au cours d'une promenade, jeter le sac derrière elle sans se retourner. Celui qui ramasserait le sac hériterait des verrues.

Une autre solution moins facilement applicable était de déclarer «File, verrue!» chaque fois qu'elle verrait une étoile filante. Moyze avait secoué la tête d'incrédulité en écoutant son compagnon évoquer de tels prétendus remèdes.

Un jour que Siméon était absent, Moyze demanda à Jeanne si ses verrues avaient disparu. Sans grand étonnement, il la vit secouer la tête avec tristesse. Moyze lui suggéra alors de couper des morceaux d'oignon et de les placer sur les verrues, attachés avec une bande de tissu, pendant qu'elle dormait. Après quelques nuits, les verrues devaient disparaître. Il prit soin de lui dire de ne pas en parler à Siméon, affirmant que ce serait leur secret.

Moyze avait remarqué que Siméon observait chaque jour les doigts de Jeanne, de plus en plus désespéré. Quand il vit que les verrues se résorbaient peu à peu, Siméon s'adressa à Jeanne:

— Tu as enfin suivi mes instructions! Je vois que tes verrues sont sur le point de disparaître.

— Bien sûr! Comme tu peux le constater, c'est efficace, dit-elle en montrant ses doigts. C'est étrange, mes verrues semblent diminuer au cours de la nuit et, au matin, elles sont moins grosses chaque jour.

Siméon, fier de lui, avait alors expliqué son traitement à Marie Suzanne pendant que Jeanne offrait son plus beau sourire à Moyze, faisant fondre son cœur. Chemin faisant, il revoyait encore l'air heureux de Siméon.

Pour se rendre chez le tailleur, Moyze traversa la place centrale, puis continua dans la rue Notre-Dame jusqu'à la côte de la Montagne. Il tourna à droite et emprunta la rue Saint-Pierre pour enfin rejoindre la rue Saint-Antoine où se trouvait la résidence de la veuve Després. Il fut accueilli par un jeune homme au visage engageant. Il avait des cheveux blonds un peu plus foncés que les siens et des yeux bleu pâle.

— J'aimerais que vous me fabriquiez un nouveau justau-corps, si cela vous est possible, demanda Moyze.

— Bien sûr. Venez, je vais prendre vos mesures.

Jean Giron fit entrer Moyze et le précéda dans l'échoppe. Il marchait lentement, comme s'il avait tout son temps. Il prit ses mesures et les nota dans son cahier avec une éco-nomie de mots et de gestes. Moyze se tenait debout, immo-bile, et observait la pièce tandis que le tailleur tournait lentement autour de lui.

L'échoppe, qui n'était pas grande, était éclairée par une fenêtre où entrait le soleil. Dans un coin, une étagère en bois soutenait des tissus parfaitement roulés. Le tailleur avait pris la peine de les classer par dégradés de couleur, des plus foncés dans le bas jusqu'aux plus clairs dans le haut. À droite, appuyé contre un mur, trônait un buffet en bois clair à trois tiroirs. Moyze pouvait voir à l'intérieur d'un tiroir ouvert une série de rubans et de passementeries, classés dans de petites cases en bois. Il n'avait jamais vu un tailleur aussi à l'ordre.

— Pour le paiement…

— Vous me direz le coût et je vous payerai en livres, indiqua Moyze.

Jean parut surpris, puis satisfait.

— Parfait. Revenez demain, je ferai un premier essayage.

Moyze décida de gravir lentement la côte de la Montagne jusqu'au fort Saint-Louis avant de retourner chez Thierry. Du promontoire, la vue était grandiose. Le soleil brillait et faisait miroiter le fleuve. Le feuillage des arbres s'était paré de toute la gamme des tons, du jaune jusqu'au rouge. Il resta plus d'une heure à admirer le panorama qui s'offrait à lui. Moyze y trouvait la paix. Une paix bienfaisante.

Le lendemain, il retourna chez Jean Giron à l'heure dite pour l'essayage. Thierry n'avait pas menti, le jeune tailleur d'habits travaillait bien.

— Dites-moi, vous êtes ici depuis longtemps ? l'interrogea Moyze.

Un marmonnement lui répondit. Moyze se retourna et vit que Jean tenait cinq ou six aiguilles serrées entre ses lèvres.

— Je suis arrivé ici comme engagé il y a deux ans, révéla-t-il après quelques minutes.

— Est-ce que vous allez rester après votre engagement ? s'enquit Moyze.

Le visage de Jean se crispa un instant et une série d'émotions assombrit son visage.

— Pour sûr ! Personne là-bas ne se soucie de moi, dit-il avec amertume.

Puis, le tailleur rougit de confusion en prenant conscience de ce qu'il venait de confier à son client.

— Excusez-moi, monsieur, vous n'avez pas à subir mes états d'âme.

Moyze lui mit la main sur le bras pour qu'il cesse de s'agiter et le regarda dans les yeux.

— Ne vous en faites pas, je suis dans la même situation que vous. Il n'y a personne là-bas qui tienne assez à moi pour m'attendre, lui confia-t-il à son tour.

Moyze en était finalement venu à ce triste constat après quelques semaines passées avec la famille de Thierry Delestre. Partager ce sentiment avec quelqu'un qui vivait la même situation lui apporta un peu de réconfort. Il vit Jean se détendre et lui sourire tristement en haussant les épaules dans un geste de résignation.

— Mais je suis très heureux ici, pour l'instant, c'est ce qui importe, reprit Moyze.

Jean se secoua et redressa l'échine.

— Vous avez parfaitement raison, monsieur, approuva Jean.

— Je vous en prie, appelez-moi Moyze.

— Et vous, appelez-moi Jean.

❧

L'aube pointait doucement. Une mince couche de glace recouvrait d'une fine dentelle chaque arbuste et chaque brin d'herbe. Bernard Chapelain marchait silencieusement devant André, s'enfonçant lentement dans la forêt à la recherche d'une proie. André entendait des craquements de branches, des cris d'oiseaux de toutes sortes et la course de petits animaux dans les feuilles. Les habitants de la forêt se réveillaient.

Soudain, Bernard se figea. Il observa autour de lui un long moment, parfaitement immobile, puis reprit doucement son avancée. Un peu plus loin, il s'arrêta de nouveau et, lentement, indiqua de la main à André où regarder. Chassant depuis plusieurs années, André avait déjà repéré les cinq lièvres qui mangeaient des herbes. Du bras, Bernard indiqua qu'il viserait à gauche et qu'André devait viser à droite. André acquiesça d'un léger mouvement de la tête.

Les deux chasseurs levèrent lentement leur fusil. Bernard tira, suivi d'André une seconde plus tard. Surpris, les lièvres détalèrent, sauf les deux qui avaient été touchés.

— C'est bien vrai que tu vises juste! s'exclama Bernard, ravi.

Ils s'approchèrent des lièvres pour les récupérer et les attacher à leur ceinture.

— Tu en doutais? répliqua aussitôt André en jouant l'indigné.

— Pas du tout ! assura Bernard. Mais, tu sais, plusieurs hommes prétendent bien tirer, mais quand vient le temps de le prouver, c'est une autre histoire.

André approuva. À leur retour, ils avaient trois lièvres chacun.

— Demain, voudrais-tu chasser une plus grosse proie ? demanda Bernard.

— Pour sûr !

— Alors nous chasserons le chevreuil.

André fit signe qu'il ignorait ce qu'était un chevreuil, cet animal n'étant pas présent sur l'île de Ré.

— Tu le découvriras demain, dit Bernard. J'ai repéré quelques pistes ce matin, je sais où nous irons.

Les deux hommes arrivaient aux abords de la ville.

— Tu ferais un excellent coureur des bois, commenta Bernard.

André le regarda, étonné.

— Tu crois ?

— Tu sais te déplacer en forêt, tu tires bien et, surtout, tu es fort et résistant. Tu l'as prouvé en ramant jusqu'à la rivière Richelieu pour conduire des soldats. Un coureur des bois se déplace en canot le plus possible mais il doit aussi transporter de lourdes charges sur ses épaules.

L'idée plaisait à André. C'était le genre d'activité où il pouvait utiliser sa force physique.

— Un coureur des bois part à l'automne pour aller dans les Pays-d'en-Haut faire la traite des fourrures avec les Sauvages et revient au printemps pour les remettre au marchand qui a financé l'expédition, poursuivit Bernard.

André tenta d'envisager de partir tout l'hiver et de cohabiter avec les Amérindiens, car vivre avec un autre peuple et apprendre leurs coutumes devait être palpitant.

— Et qu'est-ce qu'on y gagne ? questionna André.

— Tu dois négocier avec le marchand un pourcentage des gains que tu pourras conserver. Bien sûr, si tu es capable de financer toi-même ton expédition, c'est encore mieux.

— Je ne sais pas si je serais un bon coureur des bois, mais je crois que j'y prendrais plaisir. Malheureusement, ça m'étonnerait que le capitaine de Berthier me libère pour aller faire la traite des fourrures, remarqua André.

Bernard soupira.

— Tu as raison.

Le lendemain matin, ils retournèrent dans la forêt un peu avant l'aube. Bernard les mena à l'endroit où il avait repéré un sentier qu'empruntaient plusieurs chevreuils. Ils s'installèrent sur une grosse pierre, côte à côte, cachés par un petit bosquet d'aulnes. Ils restèrent immobiles ainsi à observer le lever du jour et le réveil des animaux. André huma profondément les odeurs de la forêt. La puissante fragrance des sapins l'emportait sur celle, plus subtile, des feuilles mortes.

Ils l'entendirent avant de le voir. Un craquement de branches d'abord. Bernard toucha le bras d'André pour le prévenir. Après un moment, ils perçurent distinctement un autre craquement, suivi d'une plus courte pause, puis un troisième craquement. Enfin, André vit l'animal s'avancer doucement, aux aguets. Ses oreilles dressées bougeaient dans toutes les directions en petits mouvements saccadés. Il leva le museau pour humer l'air et se tourna dans leur direction.

André avait remarqué avec satisfaction que Bernard s'était placé face au vent pour éviter que leur odeur ne les trahisse. Les deux hommes restèrent parfaitement immobiles, dissimulés derrière le mince écran de feuilles d'aulnes encore accrochées aux multiples branches. Après avoir observé les alentours pendant plusieurs minutes, l'animal se détourna, n'ayant détecté aucun danger. À ce moment précis, Bernard épaula rapidement son arme et tira. Le chevreuil tomba lourdement au sol et le chasseur poussa un cri de triomphe. Bernard sortit un couteau de l'étui qu'il portait à la taille et entreprit de vider l'animal de ses entrailles. Il tendit sa hachette à André et lui dit :

— Trouve-nous deux aulnes d'environ deux pouces de diamètre et longs d'au moins douze pieds.

André partit à la recherche des arbres demandés et revint une quinzaine de minutes plus tard. Bernard avait terminé. Il avait lié les pattes avant de l'animal ainsi que ses pattes arrière. Il noua les cordes aux troncs ébranchés des jeunes arbres rapportés par André. Les deux hommes soulevèrent les perches, les appuyèrent sur leurs épaules et se mirent en marche.

Ils furent accueillis par un cri de joie de Marie Suzanne qui fit accourir toute la famille. Les petites, qui n'avaient jamais vu de près un animal aussi gros, s'approchèrent lentement. Elles avançaient la main vers les bois de l'animal mais les retiraient nerveusement avant même d'y toucher. Le jeune Thierry prit alors les bois dans ses mains et les fit s'animer, s'amusant à faire peur à ses sœurs qui poussaient de petits cris d'excitation.

Bernard affirma ne vouloir garder qu'un cuissot qu'André lui apporterait plus tard, puis rentra chez lui.

Le lendemain, André retourna dans la forêt, cette fois pour abattre des arbres avec la compagnie de Berthier. L'intendant Jean Talon avait organisé l'approvisionnement en bois pour l'hiver. Toutes les compagnies logées à Québec, Ville-Marie ou Trois-Rivières devaient couper du bois sur les terres que de nouveaux colons avaient reçues en concession. Ainsi, les terres défrichées pourraient être ensemencées plus rapidement. Les arbres seraient transformés en billots pour construire les maisons des colons et le reste, taillé en rondins, servirait de bois de chauffage.

Certains soldats coupaient les arbres avec leur hache, d'autres sciaient les troncs en billots ou en bûches, et d'autres encore transportaient les branches vers un immense feu d'abattis. André et Siméon avaient décidé de manier la hache et Moyze, après un regard effaré vers les arbres, s'était résolument dirigé vers le feu.

André et Siméon, postés de chaque côté de l'arbre, lançaient avec force leur hache sur le tronc à tour de rôle, à un rythme régulier. De petits copeaux de bois volaient dans les airs à chaque coup. Au terme de longs efforts, l'arbre oscilla et, après un dernier coup de hache, il bascula d'abord lentement en faisant entendre un long craquement sinistre, puis il s'abattit avec fracas, ses branches balayant avec fureur les arbres autour.

Déjà, d'autres soldats arrivaient pour scier le tronc et les branches. André et Siméon abattirent plusieurs arbres dans la journée ainsi que les trois jours suivants. Les hommes purent ensuite se reposer quelques jours. Pour sa part, André, comme d'habitude, eut de la difficulté à rester en place.

9

8 octobre 1665, Québec

Toute la compagnie de Berthier avait été convoquée à l'église Notre-Dame sise à la haute-ville. Le capitaine Isaac de Berthier avait choisi d'abjurer la religion huguenote et d'embrasser la foi catholique. Une vingtaine d'autres soldats en feraient autant. André prit place sur l'étroit banc en bois sans dossier et laissa son esprit vagabonder avant que la cérémonie ne débute.

Quelques jours auparavant, Bernard Chapelain était venu leur annoncer que les anguilles avaient commencé à remonter le fleuve ; il les invitait à l'accompagner le lendemain pour leur montrer comment pêcher l'anguille. Marie Suzanne avait aussitôt entrepris de préparer ses tonneaux de saumure.

En une journée, André, Siméon et Moyze avaient rempli dix gros tonneaux d'anguilles, assez pour tenir toute l'année. Voyant leur plaisir, Marie Suzanne leur avait parlé de trois veuves qu'elle connaissait et qui seraient très heureuses qu'on leur apporte des poissons. Ils avaient accepté sur-le-champ et Marie Suzanne s'était chargée de prévenir ses amies de préparer leurs tonneaux de saumure.

L'intendant Jean Talon, informé de l'immense quantité d'anguilles qui remontaient le fleuve, avait organisé le ravitaillement des soldats qui construisaient les forts sur la rivière Richelieu. Ils étaient retournés à la pêche avec joie…

L'attention fuyante d'André fut captée par l'arrivée de monseigneur François Montmorency de Laval, qui s'avançait lentement dans l'allée centrale, suivi de trois prêtres. Il officiait avec son air austère habituel. Au premier rang se tenaient Alexandre de Prouville, marquis de Tracy, le gouverneur Daniel de Rémy de Courcelle ainsi que l'intendant Jean Talon.

En France, l'armée comptait autant de huguenots que de catholiques. Néanmoins, leur régiment était dirigé par le marquis de Tracy, un catholique très pieux. André avait ainsi souvent assisté à des messes au cours des mois précédents, que ce soit à bord du navire *Le Brézé* ou dans les îles. Monseigneur de Laval devait certainement être enchanté d'avoir un tel allié pour faire la chasse aux huguenots et en convertir le plus grand nombre possible au catholicisme.

André essaya de concevoir ce que pouvait ressentir son capitaine. Il était difficile de savoir s'il était sincère ou non. Isaac de Berthier voulait-il uniquement être dans les bonnes grâces du marquis de Tracy ? Sinon, qu'est-ce qui avait pu le convaincre de renier sa foi protestante ?

Que les hommes qui se convertissaient le fassent honnêtement ou non ne semblait pas importer à monseigneur de Laval. Il officiait comme s'il venait de gagner une importante bataille, tel un officier qui aurait réussi à enlever des forces à l'ennemi pour les incorporer dans ses rangs. Il semblait particulièrement fier d'avoir recruté un officier tel qu'Isaac de Berthier.

André se tourna vers Siméon pour partager sa réflexion. Ce qu'il lut sur son visage le laissa sans voix. Celui-ci semblait suivre la cérémonie avec un mélange de peur et d'horreur. Tout son corps semblait rejeter ce qu'il voyait et entendait. « Serait-ce possible ? Siméon, un huguenot ? »

Le premier choc de la découverte passé, André admit que les croyances religieuses de son ami ne faisaient après tout aucune différence. Peu lui importait, au fond. Pour lui, la pratique de la religion était personnelle et n'affectait en rien la valeur d'un homme. Sur l'île de Ré, huguenots et catholiques cohabitaient paisiblement, et ce, depuis plusieurs générations. André savait par contre que, dans d'autres régions, les huguenots étaient de moins en moins bien tolérés, entre autres en Nouvelle-France, et le roi avait décrété que seuls les catholiques pouvaient s'y établir. Était-ce la raison de la conversion du capitaine de Berthier ?

André tourna ensuite les yeux vers Moyze. Sans trop de surprise, il découvrit les mêmes émotions que sur le visage de Siméon. André avait déjà compris que Moyze était huguenot. Son prénom à lui seul le révélait. Ils n'en avaient jamais discuté.

Lorsqu'Isaac de Berthier déclara qu'il porterait désormais le prénom d'Alexandre pour proclamer encore plus ouvertement sa nouvelle allégeance, Siméon et Moyze eurent le même mouvement de recul.

André se pencha vers Siméon et lui murmura à l'oreille :

— Essaie de penser à autre chose afin d'avoir l'air heureux pour notre capitaine.

Siméon tressaillit, puis secoua la tête en signe de négation. Lorsqu'il releva les yeux, André tenta de lui faire comprendre par son seul regard qu'il ne devait rien craindre, qu'il ne trahirait pas son secret. Siméon le comprit certainement puisqu'il cessa peu à peu de secouer la tête. Puis, il pencha la tête et fixa le sol à ses pieds, en inspirant longuement.

— Y a-t-il d'autres hommes qui souhaiteraient intégrer la vraie maison de Dieu?

Monseigneur de Laval avait parlé d'une voix forte, faisant sursauter toute l'assistance qui n'était plus très attentive. Il y eut quelques murmures, mais personne ne se manifesta.

— Unissons nos prières pour éclairer les pauvres pécheurs qui n'ont pas encore rejoint la maison de Dieu.

La cérémonie prit fin sur une dernière prière, puis tous sortirent en silence.

— Ce fut difficile, n'est-ce pas? demanda André, une fois hors de portée des oreilles indiscrètes.

Moyze le regarda intensément. André comprit sa question muette.

— Je suis catholique. Que vous soyez huguenots m'importe peu. Vous êtes et resterez mes amis.

Moyze se détendit un instant, puis se tourna brusquement vers Siméon.

— Toi aussi?

— Je suis huguenot, en effet, confirma Siméon.

Moyze parut abasourdi.

— Je ne l'aurais jamais deviné, admit-il.

Siméon paraissait profondément malheureux.

— Vous savez ce qui me désole le plus?

André et Moyze secouèrent la tête.

— Thierry Delestre est marguillier à l'église Notre-Dame. J'ai l'impression d'abuser de sa confiance. S'il venait à apprendre qu'il héberge deux huguenots, comment réagirait-il?

Moyze prit une mine contrite.

— Euh… en fait, j'ai abjuré, il y a environ un mois. C'était une cérémonie privée à l'église Saint-Joseph des

Ursulines. Il y avait avec moi deux autres hommes que je ne connaissais pas, révéla Moyze.

Siméon secoua violemment la tête de droite à gauche.

— Tu n'as pas à le faire si tu ne le désires pas, dit Moyze.

— Tu as réussi à passer inaperçu jusqu'ici, mais maintenant qu'Isaac, euh… plutôt Alexandre de Berthier est nouvellement converti, il y aura peut-être une chasse aux huguenots, alors…

André s'interrompit à la vue des mines consternées de ses deux amis.

— Il te faudra être prudent, Siméon. Essaye au moins de te tenir loin des cérémonies d'abjuration à l'avenir.

L'hiver s'était définitivement installé en Nouvelle-France, bien que le fleuve ne soit pas encore gelé. Tout au long de l'automne, le temps avait refroidi et les premières neiges, qui fondaient dès que le soleil brillait, étaient apparues vers la mi-novembre. Pour l'heure, en ce début du mois de décembre, un pied de neige était déjà tombé. Les derniers navires étaient repartis pour la France, laissant la colonie livrée à elle-même jusqu'au mois de mai suivant.

Lorsqu'un des chefs iroquois, accompagné d'une petite délégation de guerriers, se présenta devant Québec, la nouvelle se répandit à la vitesse de l'éclair parmi les colons. Ils se déplacèrent en grand nombre pour les voir accoster avec leurs canots d'écorce. André, Siméon, Moyze, Marie Suzanne et Thierry remontèrent la côte de la Montagne rapidement pour être au premier rang de ce spectacle hors du commun.

Les Iroquois furent conduits devant le fort Saint-Louis où ils attendirent le marquis de Tracy. Ils emmenaient avec eux Charles Le Moyne, qui avait été fait prisonnier cinq mois plus tôt. Habitant de Ville-Marie, celui-ci avait combattu à maintes reprises les Iroquois au cours des quinze dernières années ; sa présence représentait un gage de bonne foi considérable. Adulé par la population de Ville-Marie, il était devenu un héros lorsque, quatre ans plus tôt, il avait résisté avec quelques autres soldats à une attaque de la ville par plus de cent Iroquois.

Le marquis de Tracy sortit du fort Saint-Louis d'un pas lent et majestueux, la tête haute, accompagné des vingt-quatre soldats de sa garde personnelle. Il alla tout d'abord saluer Charles Le Moyne et échanger quelques mots avec lui, s'enquérant probablement de sa santé. Les réponses qu'il reçut durent être satisfaisantes puisqu'il posa la main sur l'épaule de Le Moyne et inclina la tête en signe de respect.

Ensuite, le marquis de Tracy s'assit en compagnie du chef Garakontié sur un des deux bancs qui avaient été posés face à face au centre de la place. Le chef iroquois était accompagné de onze guerriers qui se tenaient debout derrière lui, parfaitement immobiles, la tête haute et l'air féroce. Même si une foule nombreuse les encerclait, ils ne manifestaient aucune crainte, le regard toujours fixé sur leur chef, à l'affût du moindre de ses gestes. André ne pouvait s'empêcher d'éprouver une certaine forme de respect pour ces guerriers.

Le marquis remit des présents à l'Iroquois pour lui montrer qu'il accordait de l'importance au message qu'il venait livrer. Ce dernier s'exprimait en français et avec éloquence. Il commença son discours avec les civilités d'usage, puis s'enquit de la santé du marquis de Tracy. Il offrait l'amitié de la part de toute sa nation et, à son signal, ses hommes vinrent déposer des présents devant le marquis.

Il précisa qu'il remettait ces présents au nom des chefs des cinq nations iroquoises, mais le marquis de Tracy refusa ceux des Agniers, prétendant qu'ils devaient venir eux-mêmes les remettre puisqu'ils avaient si souvent manqué à leur parole.

Garakontié lui assura qu'il transmettrait sa requête au chef agnier, puis exprima le désir d'obtenir une nouvelle mission des Jésuites.

— Le père Simon Le Moyne étant décédé depuis peu, il n'y a pour l'instant aucun père prêt à entreprendre une mission dans votre nation, répondit courtoisement le marquis de Tracy.

Garakontié parut sincèrement surpris.

— Le père Le Moyne est décédé ? Ondessonk ?

— Oui, l'homme que vous appelez Ondessonk, je suis navré de vous l'apprendre, est décédé il y a quelques jours, affirma le marquis de Tracy.

Garakontié baissa la tête, se recueillant quelques minutes, avant de se mettre lentement debout. Il leva les bras et bascula sa tête en arrière, et, à la grande surprise d'Alexandre de Prouville, s'adressa au ciel d'une voix forte :

— Ondessonk, m'entends-tu du pays des morts, où tu es passé si vite ? C'est toi qui as porté tant de fois ta tête sur les échafauds des Agniers ; c'est toi qui as été courageusement jusqu'à leurs feux, en arracher tant de Français ; c'est toi qui as mené la paix et la tranquillité partout où tu passais, et qui as fait des fidèles partout où tu demeurais. Nous t'avons vu sur nos nattes de conseil décider de la paix et de la guerre ; nos cabanes se sont trouvées trop petites quand tu y es entré, et nos villages mêmes étaient trop étroits quand tu t'y trouvais, tant la foule que tu attirais par tes paroles était grande.

André vit Garakontié jeter un coup d'œil au marquis de Tracy. Celui-ci observait l'Iroquois avec une moue qui exprimait clairement que l'ambassadeur en faisait un peu trop. L'Iroquois dut le comprendre, car il reprit son discours avec moins d'emphase.

— Mais je trouble ton repos par ces discours importuns. Tu nous as si souvent enseigné que cette vie de misère était suivie d'une vie éternelle bienheureuse ; puisque tu la possèdes à présent, quel sujet avons-nous de te regretter ? Mais nous te pleurons, car en te perdant nous avons perdu notre père et notre protecteur. Nous nous consolerons néanmoins parce que tu continues de l'être dans le Ciel et que tu as trouvé, dans ce séjour de repos, la joie infinie dont tu nous as tant parlé.

Un murmure d'approbation s'éleva de la foule. Plusieurs personnes avaient connu le père Simon Le Moyne et apprécièrent l'oraison funèbre de l'Iroquois. Garakontié se rassit et poursuivit les pourparlers avec le marquis de Tracy en mentionnant avec modestie tout ce que lui-même avait fait pour les Français, en récompense de quoi il demandait que son peuple soit dans les bonnes grâces de leur roi et que l'on libère trois prisonniers de sa nation.

Alexandre de Prouville regarda l'Iroquois dans les yeux quelques secondes, puis il prit la parole de sa voix chaude et forte.

— Je vous accorde à vous et à votre peuple la grâce de notre bon roi Louis XIV. Je vous promets la paix avec le peuple français ainsi que la protection de notre roi pour votre peuple.

Garakontié hocha la tête solennellement.

— Vous pouvez même espérer la paix et la protection de notre bon roi Louis XIV pour les quatre autres nations iroquoises, si elles aiment mieux se porter d'elles-mêmes à leur devoir…

Alexandre de Prouville fit une pause dans son discours, se pencha légèrement vers l'Iroquois, qui recula d'instinct.

— … plutôt que de s'y laisser contraindre par la force des armes, dit-il, l'air menaçant.

Le marquis de Tracy le fixa quelques secondes. Autour d'eux, les colons étaient immobiles et silencieux. Puis, le visage du marquis retrouva son aspect bienveillant pour ajouter :

— Afin de vous démontrer ma bonne foi, je vous accorde la libération des trois prisonniers.

L'Iroquois marqua un temps d'arrêt et se ressaisit, remercia le marquis et assura qu'il porterait son message aux quatre autres chefs iroquois.

Tous les membres de la délégation se dirigèrent vers la rive d'un pas lent, la tête haute et le visage fermé. Ils embarquèrent dans leurs canots et remontèrent le fleuve sans se retourner. La paix en Nouvelle-France était encore loin d'être acquise.

André se tenait debout au fond de l'église Notre-Dame, bondée à l'occasion de la messe de minuit. Il chantait les cantiques de Noël avec ferveur en fermant les yeux, s'imaginant aux côtés de ses parents et de ses frères et sœurs. Siméon et Moyze chantaient avec autant d'entrain, assis sur le même banc que lui.

L'année précédente, ils avaient assisté à la messe de minuit organisée par Mathurin Durand à la Guadeloupe. Aucun prêtre n'avait officié étant donné qu'ils étaient trop loin de la ville, mais ils avaient prié et chanté des cantiques tous ensemble. Il avait été alors moins nostalgique qu'à présent, car la différence n'aurait pu être plus grande. Une messe dehors sous le ciel étoilé, près des bananiers et des cocotiers, caressé par un vent chaud, avait peu à voir avec celles célébrées dans la petite église froide de son village.

L'écho du dernier cantique résonnait encore tandis qu'ils sortaient. Le temps était doux et ils discutèrent un long moment en attendant que Thierry et Marie Suzanne sortent de l'église, puis ils prirent tous le chemin du retour en redescendant la côte de la Montagne. À la maison, Marie et Jeanne, qui s'étaient occupées de surveiller les enfants endormis, les accueillirent avec joie.

— Vous avez tout préparé pour le réveillon! Vous êtes si serviables, se réjouit Marie Suzanne.

Une grande fierté se reflétait sur le visage des deux petites filles qui se lancèrent un regard complice. Tous s'installèrent à table et, grâce au produit de la chasse d'André la semaine précédente, dégustèrent une bonne tourte de lièvre. Ils passèrent quelques heures à discuter tranquillement, à la lueur du feu dans l'âtre et des quelques chandelles dans les bougeoirs posés sur la table.

La semaine suivante, la veille du Premier de l'an, Marie Suzanne avait invité ses frères Jean et Arnaud, tous deux marchands de La Rochelle, à venir célébrer l'arrivée de la nouvelle année. Elle avait cuisiné toute la journée, aidée de ses filles.

Les marchands arrivèrent les bras chargés de sucreries pour les enfants et d'un tonnelet de vin pour les adultes. Les petits, déjà surexcités par les préparatifs, ne tenaient plus en place. Une fois les bonbons distribués, Jean Peré réclama des gobelets d'étain et servit à boire aux hommes. Dès la première gorgée, André prit conscience d'à quel point le vin lui manquait. Dans l'île de Ré, la culture de la vigne était l'activité principale et, outre les grandes plantations, chacun avait suffisamment de pieds de vigne dans son jardin pour sa consommation personnelle. Comme il y avait peu de rivières dans l'île, le vin était la boisson principale des habitants.

Le repas se déroula dans une atmosphère festive. Les frères Peré étaient de solides gaillards qui buvaient leur vin à grandes gorgées et qui éclataient fréquemment d'un rire sonore en basculant la tête vers l'arrière pour se donner ensuite de grandes claques sur les cuisses. Une fois le repas terminé, Arnaud se mit en devoir de raconter des histoires qui firent la joie des enfants et des adultes.

Pendant un moment, André eut l'impression de se trouver chez lui, avec ses parents, ses frères et ses sœurs. Ils devaient célébrer de la même façon, eux aussi. En pensée, il leur adressa ses meilleurs vœux pour la nouvelle année.

André remontait avec difficulté la côte de la Montagne en vue de rendre visite à Jean Delguel dit Labrèche, aide-magasinier au fort Saint-Louis. Il avait fait sa connaissance l'automne précédent, lorsque Pierre Lauxain de Caviteau lui avait donné l'ordre d'aider à ranger les munitions apportées par un des navires du régiment. Jean avait sensiblement le même âge que lui et était doté d'une musculature aussi développée que la sienne. Les deux hommes s'étaient rapidement liés d'amitié.

De gros flocons tombaient depuis la veille et plusieurs pouces de neige s'étaient déjà accumulés, rendant l'ascension pénible. Il était stupéfait de constater la quantité de neige amoncelée depuis le mois de novembre. Dans sa prochaine lettre à sa famille, il devrait sans doute avouer que les gens du coin n'avaient pas menti. En ce début du mois de janvier, la neige atteignait déjà presque les fenêtres des maisons.

André laissa le joyeux souvenir de la première tempête de la saison envahir son esprit. C'était à la fin du mois de novembre et elle avait laissé quelque huit pouces de neige. Dès leur réveil, les enfants Delestre avaient été surexcités. Les plus vieux s'étaient habillés en vitesse tandis que Marie aidait les plus petits. Ils étaient dehors avant même que les adultes ne soient levés, leurs cris de joie faisant écho à ceux des voisins.

Il se rappela le froid qui régnait au rez-de-chaussée. Thierry avait rallumé le feu qui s'était éteint pendant la nuit. Lorsqu'André, Siméon et Moyze étaient sortis, le spectacle les avait laissés sans voix. Ils avaient déjà vu de la neige tous les trois, mais jamais autant. En France, le maximum qu'il pouvait tomber dépassait rarement trois pouces.

Ils avaient observé les enfants courir dans la neige, s'y laisser tomber et s'y rouler en riant. Les chiens sautaient par-dessus les enfants en jappant, aussi excités qu'eux. Quelques adultes se tenaient comme eux sur le pas de leur porte et les regardaient en souriant. André entendait encore Thierry leur dire que la première tempête de neige provoquait immanquablement cette légère euphorie.

André pénétra dans le bâtiment qui abritait le magasin de munitions en se frappant les pieds sur le sol pour secouer la neige de ses mocassins. Il balaya les flocons qui lui recouvraient les bras et les épaules, puis retira son bonnet en laine rouge. Il cligna des yeux, le temps de s'habituer à la demi-obscurité qui contrastait avec l'éclat de la neige.

— Bienvenue, dit joyeusement Jean Delguel.

L'aide-magasinier semblait heureux de le revoir. Il contourna son comptoir pour venir lui serrer la main, qu'il secoua avec énergie. Depuis le début de l'hiver, André lui rendait régulièrement visite pour discuter.

— Que se passe-t-il pour toi ? demanda André.

— Pour l'instant, je n'ai rien à faire, répondit Jean.

— Pareil pour moi, soupira André.

Pendant l'hiver, les habitants de Nouvelle-France étaient désœuvrés. Aucun travail ne pouvait être entrepris sauf à l'intérieur des maisons. Le froid enfermait les gens chez eux, et André se sentait pris au piège. En hiver, l'occupation principale des soldats était de se rassembler dans les diverses auberges et de discuter devant une chope de bière. Après quelques jours, André s'en était vite lassé. La plupart du temps, il arpentait la basse-ville à la recherche d'une quelconque occupation.

— Le marquis de Tracy a entrepris des pourparlers avec une nouvelle délégation iroquoise arrivée il y a quelques jours. Ils ne semblent pas près d'avoir une entente, commenta Jean.

André releva un sourcil intéressé et l'incita à poursuivre.

— Le gouverneur veut attaquer les Iroquois sans tarder pour leur montrer notre supériorité ; il ne veut pas attendre au printemps comme le lui demandent les miliciens. Il semblerait que mener une expédition dans la neige serait très difficile. Les miliciens sont habitués à l'hiver, mais pas les soldats français. Le marquis de Tracy veut continuer à négocier avec les chefs iroquois pour obtenir la paix.

— Tu crois qu'il parviendra à convaincre les Iroquois ? questionna André.

Jean haussa les épaules pour signifier qu'il ne savait qu'en penser.

— Les miliciens disent qu'on ne peut pas faire confiance aux Iroquois. Malgré plusieurs ententes de paix, ils continuent à attaquer les colons. Il y a cinq nations iroquoises et elles ne s'entendent pas toutes entre elles. Si le chef d'une des nations signe la paix, les chefs des autres nations ne se sentent pas toujours concernés.

Les deux hommes gardèrent le silence plusieurs minutes, plongés dans leurs pensées.

— Si les négociations échouent et que le gouverneur met son projet à exécution, j'aurai beaucoup de travail à préparer les munitions pour une telle expédition, conclut Jean.

Moins d'une semaine plus tard, le gouverneur Daniel de Rémy de Courcelle prenait la tête d'une expédition de trois cents soldats français et de deux cents miliciens, malgré la grande réticence exprimée par les hommes. Ils étaient accompagnés de plusieurs Hurons, farouches ennemis des Iroquois. Le marquis de Tracy, âgé de plus de soixante ans, n'avait pas estimé être en mesure d'y prendre part.

Les miliciens, munis de raquettes, marchaient devant pour aplanir une piste que les soldats empruntaient non sans difficulté. Des chiens tiraient des traîneaux chargés de nourriture, et chaque homme transportait sur son dos entre vingt-cinq et trente livres de provisions en plus de sa couverture. La troupe s'éloigna lentement sous les encouragements de la population.

André s'était rendu au point de ralliement pour assister à leur départ et les observa longuement. Sa compagnie ne faisait pas partie de cette campagne contre les Iroquois. D'ailleurs, aucune des compagnies arrivées en Nouvelle-France avec le marquis de Tracy n'y participait. Il entendait, autour de lui, les habitants qui qualifiaient cette entreprise de pure folie, les hivers en Nouvelle-France étant difficiles et dangereux.

20 mars 1666, Québec

— Levons nos verres aux nouvelles concessions de nos amis! dit Siméon.

André, Siméon et Moyze levèrent leur chope en l'honneur de Jean Giron, le tailleur d'habits, et de Bernard Chapelain, le talentueux pêcheur et chasseur. Ceux-ci venaient d'obtenir chacun une concession au village de la Petite-Auvergne, à mi-chemin entre Québec et Charlesbourg.

— Je possède enfin une terre bien à moi, s'exclama Bernard, visiblement très fier.

Jean Giron, tout aussi radieux, leva sa chope de bière remplie à ras bord vers ses amis, prit une pleine gorgée et s'essuya les lèvres du revers de sa manche. Ils s'étaient réunis entre amis dans une auberge bondée près de la place du marché. Les hommes réclamaient bruyamment à boire et les deux servantes parvenaient à peine à les servir. Une odeur de tabac et de bière flottait dans l'air. Siméon leva le bras pour faire signe à la servante de remplir leurs chopes à nouveau.

— Il vous restera à vous trouver une femme pour fonder une famille, rappela-t-il.

— Oh non! Pas tout de suite, je suis trop jeune! s'exclama Bernard avec un air exagérément épouvanté.

Les hommes faisaient plus ample connaissance avec Jean Giron. Moyze, pour sa part, l'avait souvent côtoyé au cours de l'hiver. Il semblait à André que le tailleur était heureux de se trouver en leur présence et qu'il participait activement à la conversation.

Soudain, on entendit des éclats de voix. Un soldat venait d'arriver et un petit attroupement se formait au milieu de la salle. Bernard se leva pour aller voir ce qui se passait. Il revint et expliqua :

— C'est un soldat qui est revenu aujourd'hui de la campagne contre les Iroquois, il va raconter ce qui s'est passé. Venez, approchons-nous pour mieux l'entendre.

La nouvelle s'étant propagée, d'autres hommes entraient dans l'auberge dans l'espoir d'entendre le soldat.

Il avait fallu une semaine complète aux troupes pour se rendre à Trois-Rivières. Après trois jours de marche, les hommes étaient exténués. Tous étaient gelés et certains seraient morts de froid si d'autres miliciens ne les avaient pas aidés à atteindre les campements où ils devaient passer la nuit.

Fin janvier, ils avaient atteint le fort Sainte-Thérèse sur la rivière Richelieu, un peu plus loin que le fort construit par la compagnie du capitaine de Chambly.

— Au fort, on a pu prendre un peu de repos. Le lendemain, une centaine d'habitants de Ville-Marie nous ont rejoints. Charles Le Moyne les avait conduits jusqu'à nous, révéla le soldat.

— Celui qui a été fait prisonnier des Iroquois ? demanda un homme.

Le soldat but une longue gorgée de bière, l'air béat de satisfaction.

— Exactement. Je peux vous dire qu'il était très déterminé à se battre contre eux.

— On l'aurait été à moins, commenta un homme.

— Taisez-vous, laissez-le parler ! ajouta un autre.

— Nous attendions des guides algonquins, mais le gouverneur de Courcelle était impatient et nous sommes partis avant leur arrivée, poursuivit le soldat.

Au milieu du mois de février, ils dévièrent de leur route et atteignirent un village hollandais au lieu d'un village iroquois. Les Hollandais, surpris de les trouver sur leur territoire, les informèrent que les Iroquois étaient partis faire la guerre à d'autres tribus et n'avaient laissé dans les villages avoisinants que des enfants et des vieillards.

Le gouverneur de Courcelle, découragé, avait alors acheté de la nourriture aux Hollandais et, après quelques jours de repos, avait rebroussé chemin. Au retour, ils avaient croisé les guides algonquins qui venaient à leur rencontre.

Il y avait eu quelques escarmouches avec de petits groupes d'Iroquois qui avaient attaqué la queue du convoi, au retour, mais la plupart des soldats français de l'expédition n'en avaient pas vu un seul. En revanche, le gouverneur de Courcelle avait laissé derrière lui une soixante d'hommes qui avaient succombé au froid et à la faim. Parmi ceux qui étaient revenus, plusieurs souffraient d'engelures.

— J'ai eu tellement froid, vous ne pouvez savoir à quel point, se plaignit le soldat.

Il montra ses doigts, tachetés de plaques rouges. Il retira ensuite ses bottes en cuir souple et ses bas. Les hommes eurent un mouvement de recul lorsqu'ils virent ses pieds. Ils semblaient avoir été frottés avec une pierre ponce. Un des hommes présents demanda qu'on apporte à ce soldat une autre bière et à manger. Plusieurs hommes lui tapotèrent l'épaule en guise de réconfort. Puis, lentement, les conversations reprirent sur les dangers de l'hiver.

Les Iroquois avaient été surpris de voir qu'un tel nombre d'hommes avaient pris part à l'expédition et, malgré l'hiver, avaient presque réussi à atteindre leurs villages. L'expédition avait été téméraire, mais n'avait pas été vaine, car, au printemps, les Iroquois entreprirent les pourparlers de paix avec plus de sérieux.

Néanmoins, dès la fonte des neiges, le marquis de Tracy décida d'organiser des exercices dans les bois, les soldats français ne connaissant rien à la guerre d'embuscade que pratiquaient les Iroquois. Les connaissances et la précieuse expérience des miliciens furent mises à contribution, les Français ne connaissant que les batailles en terrain découvert et devant un ennemi disposé en rangs serrés.

Le marquis organisa également des exercices de tir pour les soldats. Chaque compagnie fut conviée à tour de rôle à se rendre sur le chemin du cap Rouge où des cibles avaient été fabriquées à l'aide de planches. Des cercles de différentes dimensions avaient été dessinés au charbon de bois.

Le jour venu, la compagnie de Berthier se présenta au champ de tir improvisé. André avait appris à chasser à l'âge de douze ans et avait toujours été un très bon tireur. Il laissa donc Siméon et Moyze s'installer avec leur fusil et, pendant près d'une heure, il leur prodigua conseils et encouragements.

Alors qu'ils étaient à s'entraîner au tir couché, André vit Lauxain de Caviteau s'approcher et observer Moyze. André soupira intérieurement. Moyze n'était pas très bon tireur et l'enseigne ne perdrait certainement pas l'occasion de l'humilier.

— Tirez donc, soldat, que je vous observe, dit-il à Moyze.

Ce dernier ne réagit pas, ne l'ayant pas vu approcher. Pierre Lauxain de Caviteau lui donna un coup de pied sur la jambe. Moyze sursauta et se tourna d'un mouvement rapide, le fusil encore dans les mains. L'officier, stupéfait, manqua s'étaler de tout son long afin d'éviter d'avoir la gueule du canon pointée dans sa direction.

— Faites attention, bougre d'imbécile !

Il était rouge de colère.

— Tirez sur la cible. Qu'est-ce que vous attendez ? s'impatienta-t-il.

Moyze réprima son hilarité avec difficulté en se réinstallant. André, qui venait subitement de trouver une façon de venir en aide à son ami, s'empressa de se placer en position de tir en direction de la cible que visait Moyze et attendit. À l'instant où il entendit le tir de ce dernier, il tira à son tour. D'autres soldats autour de lui tiraient aussi, de sorte qu'il espérait que Lauxain de Caviteau n'y verrait que du feu. La balle d'André percuta les planches légèrement à l'intérieur du plus grand cercle, tandis que celle de Moyze ratait la cible comme chaque fois. Moyze, pensant l'avoir touchée, se releva avec une mine rayonnante. André n'osa pas relever les yeux vers l'enseigne de peur de se trahir. Siméon, de l'autre côté, rechargeait son arme avec un soin exagéré.

— Tirez donc une seconde fois, ordonna l'enseigne à Moyze.

Le soldat rechargea son arme et se remit en position de tir, ainsi qu'André, qui refit le même manège. Moyze n'en revint pas d'avoir touché les planches une seconde fois.

— C'est bien ce que je croyais. Soldat Lagacé, qu'est-ce que vous fabriquez ?

André soupira, puis se redressa. L'officier le fixait, les yeux plissés.

— Je vous observe depuis un bon moment et vous n'avez pas tiré une seule fois, sauf lorsque je demande au soldat Desprises de tirer.

— Euh... c'est-à-dire..., balbutia André en cherchant une réponse acceptable.

— Peut-être estimez-vous ne pas avoir besoin de vous entraîner ?

— J'étais…

— Nous allons voir si vous êtes un bon tireur, l'interrompit Lauxain de Caviteau.

Les soldats autour avaient cessé de tirer pour les observer. Siméon lui lança un regard d'encouragement.

— Allez-y, nous vous regardons, le pressa l'enseigne.

Ce dernier essayait certainement de lui faire perdre son calme. Il n'attendait que l'occasion de l'humilier devant tous les soldats. André pouvait lire sur son visage qu'il s'en délectait à l'avance. Il soupira intérieurement. Il avait le choix entre attiser sa colère ou se faire humilier. « Qu'il aille au diable », se dit-il en s'installant. Après avoir inspiré profondément, André visa et tira. La balle alla se ficher directement dans le plus petit cercle. Il entendit l'enseigne émettre un hoquet de surprise. Un murmure s'éleva du rang de l'assistance.

— Une autre fois, fit l'enseigne.

André rechargea tranquillement son arme, tira, et la balle atteignit la cible presque au même endroit.

— Encore, glapit l'enseigne.

André rechargea son arme une nouvelle fois et tira. La balle atteignit une fois de plus le plus petit cercle. Les soldats s'exclamèrent bruyamment.

— Ce n'est pas Lagacé que l'on devrait t'appeler, mais Lagâchette ! s'écria Siméon.

L'assemblée approuva d'une seule voix. Le visage de Pierre Lauxain de Caviteau était cramoisi. Au moment où il ouvrait la bouche, le lieutenant Claude-Sébastien Lebassier de Villieu s'approcha.

— Je vous félicite, vous nous avez déniché un très bon tireur, dit-il en posant la main sur l'épaule de l'enseigne.

— Euh… en fait…, bredouilla Lauxain de Caviteau.

— Vous allez certainement monter en grade si vous continuez de mener vos soldats de la sorte, commenta le lieutenant.

Pierre Lauxain de Caviteau observa son supérieur hiérarchique et, semblant ne déceler aucune ironie dans ses paroles, releva les épaules. André se fit la réflexion que le lieutenant de Villieu intervenait souvent avec à-propos. Observait-il Lauxain de Caviteau et avait-il pris conscience du manège de l'enseigne ? Ou, plus inquiétant encore, le surveillait-il, lui ? Quoi qu'il en soit, il était heureux que le lieutenant offre une échappatoire à cette situation. Qui sait ce que l'enseigne aurait pu inventer pour se venger ?

— Effectivement, j'ai découvert que le soldat Lagacé est un très bon tireur. Il y a longtemps que je m'en doutais, alors je lui ai demandé de tirer plusieurs fois pour m'en assurer, dit-il.

André sourit intérieurement. Le lieutenant ordonna aux soldats de continuer à s'entraîner et emmena l'enseigne avec lui. Ses compagnons félicitèrent André en lui donnant des claques dans le dos.

— Et moi qui croyais avoir atteint les planches deux fois ! se désola Moyze.

— Si tu continues à t'entraîner, tu vas peut-être finir par y arriver, l'encouragea André.

Pendant que les troupes s'entraînaient, les Iroquois poursuivaient leurs attaques. Au début du mois de mai, un soldat qui chassait aux abords de Ville-Marie fut scalpé et tué. À la fin du mois, les Iroquois capturèrent un habitant de la ville et, à la fin du mois de juin, ils tuèrent deux soldats.

Pendant ce temps, paradoxalement, les pourparlers de paix se poursuivaient avec les différentes délégations iroquoises. Selon les principaux articles du traité, les Iroquois reconnaissaient avoir toujours été sous la protection du roi et regrettaient de s'en être pris aux Français. Ils s'engageaient à ne plus nuire aux chasses des Algonquins et des Hurons ainsi qu'à ne plus entraver le commerce qu'ils menaient avec les Français.

Le marquis de Tracy ne se laissa pas amadouer par les belles paroles des Iroquois et fit construire au cours de l'été le fort Sainte-Anne sur une petite île dans la partie nord du lac Champlain. C'était le fort français le plus au sud. L'emplacement de ce quatrième fort avait été déterminé et le terrain défriché à la fin de l'automne précédent, mais il avait été impossible de commencer la construction avant l'hiver.

Peu après la fin des travaux, des Iroquois attaquèrent un groupe de sept soldats et officiers partis chasser autour du fort Sainte-Anne. Ils capturèrent deux soldats, dont un cousin du marquis de Tracy, et tuèrent les cinq autres, parmi lesquels son neveu. Lorsque la nouvelle lui parvint, le marquis de Tracy fit arrêter et jeter en prison toute la délégation venue négocier la paix.

Vers la fin du mois de juillet, le capitaine Pierre de Saurel entreprit une expédition en terre iroquoise à la tête de deux cents soldats et cent Amérindiens. En route, il rencontra le chef des Agniers, l'une des cinq nations iroquoises, fils d'une Agnier et d'un Hollandais, surnommé Bâtard Flamand. Il se dirigeait vers Québec avec des prisonniers français, dont le cousin du marquis de Tracy, qu'il voulait échanger contre des prisonniers iroquois, et il souhaitait poursuivre les pourparlers de paix. Pierre de Saurel rebroussa donc chemin et accompagna Bâtard Flamand à Québec.

Alors que les officiers français participaient à un banquet avec la délégation iroquoise, un des chefs, Agariata, se vanta d'avoir lui-même tué le neveu du marquis de Tracy. Celui-ci fut tellement en colère qu'il le fit pendre sur-le-champ. Plus les pourparlers traînaient en longueur, plus la patience du marquis diminuait.

Tout l'été, les soldats continuèrent les exercices de tir et les rondes de surveillance autour de Québec. André et Siméon eurent souvent l'occasion de pêcher, pour la plus grande joie de la famille Delestre, en particulier pour le petit Thierry qui les accompagnait désormais chaque fois. André dut cependant renoncer à la chasse, interdite en raison des risques d'une attaque des Iroquois.

10

2 août 1666, Québec

En plein cœur de l'été, Moyze était sûrement un des seuls habitants de Québec qui n'arborait pas un teint bronzé. L'année précédente, peu de temps après son arrivée dans les Antilles, pour la première fois de sa vie, sa peau s'était rapidement colorée, tout comme celle des soldats avec qui il travaillait dans les champs de pétun.

Ce printemps-ci, il avait commencé à ressentir des douleurs à l'abdomen. Au plus fort d'une crise, alors qu'il se tordait dans son lit, on avait fait venir un médecin, en pure perte puisque celui-ci avait été incapable de diagnostiquer la maladie dont il souffrait. Moyze sentait ses forces l'abandonner lentement au fil des semaines. Ses douleurs étaient entrecoupées de périodes d'accalmie de plus en plus courtes. Au début de l'été, il avait été incapable de prendre part aux exercices en forêt et il avait été relevé de ses tours de garde. Il devait se rendre à l'évidence : il ne ferait sans doute pas partie des expéditions à venir.

Jeanne lui apportait ses repas, qu'il mangeait sur sa paillasse, le dos appuyé au mur. Elle passait beaucoup de temps en sa compagnie. Lorsqu'il se sentait bien, elle lui demandait de lui raconter le lustre de sa vie en France. Il prenait plaisir à lui décrire dans les moindres détails le Louvre, où habitait le roi et où il avait assisté à un bal. Il lui brossait un tableau complet de la salle de bal et de ses milliers de chandelles éclairant les dorures des murs. Il détaillait les sublimes robes des dames et les habits des gentilshommes. Elle l'écoutait sans l'interrompre, les yeux pétillants. Il en oubliait momentanément jusqu'à la présence de Jeanne tant il s'enfonçait loin dans ses souvenirs.

Laissé seul, il glissait facilement dans une rêverie nostalgique et vaporeuse, son mystérieux mal le laissant affaibli. Ce matin-là, pourtant, les pas précipités d'un homme montant l'escalier à toute vitesse le tirèrent de sa torpeur. André entra en coup de vent dans la chambre.

— J'ai reçu une lettre !

Moyze se redressa lentement en grimaçant et s'appuya contre le mur. Il prit la lettre qu'André lui tendait et la lut à voix haute.

2 mars 1666

Bonjour André,

Nous espérons que cette lettre te parviendra et te trouvera en bonne santé. Nous avons été très heureux d'avoir de tes nouvelles à deux reprises. Remercie de notre part ton ami Moyze qui a écrit pour toi. Je suis contente de pouvoir t'écrire maintenant que tu es en Nouvelle-France.

Nous avons un nouveau membre dans la famille depuis le 15 octobre dernier. Il s'appelle Jean et il est adorable. Ton grand frère Pierre est très fier d'avoir enfin un fils après quatre longues années d'attente. Le petit a maintenant plus de quatre mois et ce sera un vrai Mignier. Il est grand et fort et il semble déjà vouloir prendre sa place. Il est affamé et grandit vite. Catherine, sa maman, lui a tricoté un joli bonnet vert qui glisse parfois sur ses yeux et le fait crier de rage.

Mère a été malade cet hiver, ses poumons. Elle est restée au lit pendant plusieurs semaines. Elle se remet maintenant, mais elle nous a inquiétés pendant plusieurs jours. Jeanne a pris soin d'elle. Elle est restée constamment à son chevet lorsqu'elle a été au plus mal. Notre sœur aînée, Marie, prend dorénavant en charge toute la maisonnée. Mère n'a plus l'énergie nécessaire. Tu connais Marie, elle aime tout régenter à sa guise. Cela a créé quelques remous avec nos frères, mais devine qui l'a emporté. Marie, bien sûr, je suis certaine que tu l'avais deviné!

Père va bien et continue d'aller vendre le gibier chaque semaine au marché et André l'accompagne. Une fois par mois, j'y vais aussi avec eux.

Michel a pris au sérieux son rôle de protecteur de Marie Jacques et il est allé avertir Jean Gardin qu'il l'avait à l'œil. Ne t'en fais pas, tous tes frères veillent sur elle. Je la vois régulièrement au marché et elle se porte bien.

Notre voisine est décédée l'année dernière et une autre famille s'est installée dans sa maison. Ils ont huit enfants, dont une jeune fille de mon âge, Marguerite. Je lui parle souvent de toi.

André a réparé le toit de l'étable, mais il est tombé et s'est foulé la cheville. Il a crié comme si on lui avait arraché la jambe. Tout le monde est accouru, mais il y avait plus de peur que de mal. Depuis qu'il a eu 15 ans, André s'est joint à la milice chargée du guet de la mer. Il se pavane comme s'il avait été choisi parmi plusieurs hommes, malgré qu'il y soit contraint. Il s'est joint à la petite escouade de six hommes dont tu faisais partie. Père est fier que le dernier de ses fils soit devenu un homme.

Au printemps dernier, lors d'une tempête, il y a encore eu un naufrage, celui d'un grand trois-mâts qui faisait le commerce avec les Antilles. Le bateau s'est littéralement désagrégé sur les rochers.

Plusieurs personnes ont été rescapées, mais beaucoup ont péri. Nous avons récupéré des morceaux de bois de toutes sortes que nous avons mis à sécher et que nous utiliserons pour nous chauffer l'hiver prochain.

Savais-tu que plus de vingt hommes sont partis de l'île pour s'engager en Nouvelle-France au printemps de l'année dernière? Les as-tu rencontrés?

Et puis, dis-nous, est-ce qu'il y a autant de neige que les gens le disaient ou étaient-ce des moqueries?

Voilà donc les nouvelles de la famille. J'espère que tu auras le temps d'écrire avant le départ des derniers bateaux avant l'hiver. Nous pensons tous très fort à toi et tu es toujours présent dans nos cœurs.

Je t'embrasse.

Catherine

André avait écouté Moyze les yeux fermés. À présent, il semblait ému. Moyze lui laissa quelques minutes, puis lui demanda:

— Tu as fait partie d'une milice?

Il reprit la lettre et chercha les mots exacts, mais André le devança.

— Une milice chargée du guet de la mer. Depuis des centaines d'années, nos ennemis, la plupart du temps les Anglais, veulent prendre possession de l'île de Ré pour y établir une base près des côtes et envahir plus facilement la France. Tous les hommes de l'île, dès qu'ils atteignent quinze ans, doivent faire partie de cette milice. Il y a des entraînements tous les dimanches et une revue générale deux fois par année, en mai et en novembre.

Moyze entendit Jeanne monter l'escalier. Elle venait lui porter de l'eau. Il but avec gratitude et lui remit le verre vide en la remerciant. Lorsqu'elle fut redescendue, il dit à André :

— Demain, j'écrirai ta réponse ; aujourd'hui, je suis trop fatigué. En attendant, j'aimerais que tu me parles de ta famille… et aussi de cette Marie Jacques que ton frère protège.

Moyze écouta André lui raconter sa vie dans l'île de Ré. André lui parla tant de ses parents et de ses frères et sœurs qu'il avait désormais l'impression de les connaître. Contrairement à sa propre enfance, celle d'André avait été heureuse.

Siméon revint en fin de journée et ils aidèrent Moyze à descendre prendre le repas avec la famille Delestre. Plus tard, ils remontèrent à l'étage et André continua son récit. Siméon était parti jouer aux cartes à l'auberge. André parla de Marie Jacques à Moyze. Les deux hommes étaient assis côte à côte sur leur paillasse, appuyés au mur, et ils discutaient dans l'obscurité. Les enfants, dans la pièce à côté, dormaient depuis plusieurs heures en émettant des soupirs et de petits ronflements.

Moyze avait deviné qu'André avait connu l'amour, même s'il avait toujours éludé ses questions. Lui n'avait jamais été amoureux. En constatant la douleur de son ami à la fin de son récit, il se demanda si ce n'était pas pour le mieux, finalement. D'un autre côté, il percevait aussi le bonheur que lui avait procuré cette femme.

Quoi qu'il en soit, Moyze était assez honnête envers lui-même pour admettre qu'il n'aurait pas le temps de connaître l'amour. Depuis deux semaines, il se levait de moins en moins longtemps, et pas tous les jours.

Il était immensément reconnaissant envers André de lui avoir accordé son amitié et sa confiance. La veille, il avait fait porter un mot au notaire Pierre Duquet, qui lui avait fixé rendez-vous le lendemain. Il demanderait à André de l'accompagner.

— Il y a eu rassemblement de la compagnie de Berthier aujourd'hui, dit André.

Le ton d'André fit accélérer les battements de cœur de Moyze.

— Le capitaine de Berthier a obtenu le commandement du fort de L'Assomption. Ce poste de relais fortifié doit être construit à une journée de canot du fort Saurel, en remontant la rivière Richelieu, pour permettre aux troupes de se reposer au cours du long périple vers le pays des Iroquois, continua-t-il.

Moyze entendit André déglutir avec difficulté.

— Notre compagnie part dans deux jours…

Ainsi, ils se feraient leurs adieux deux jours plus tard. Moyze savait que ce moment approchait, mais il ne pensait pas qu'il arriverait si tôt. Il était heureux que l'obscurité de la pièce ne permette pas à André de lire la détresse sur son visage. Même s'il arborait un air serein la plupart du temps, en son for intérieur, il tremblait de peur devant la mort. Moyze se maudissait intérieurement de ressentir cette angoisse. Pourquoi ne pouvait-il pas être confiant comme son ami ?

André était sur le point de partir en expédition contre les Iroquois ; il pourrait à tout moment mourir d'une balle de fusil, d'une blessure, d'épuisement ou, pire, scalpé. Malgré tout, jamais il n'avait laissé paraître la moindre inquiétude. Lui-même tentait par tous les moyens de ne pas laisser voir sa peur. Peut-être André faisait-il de même.

Moyze avait compris depuis longtemps qu'André était un homme énergique qu'aucune besogne ne rebutait. Pierre Lauxain de Caviteau s'était pourtant ingénié à lui assigner des tâches de plus en plus longues et difficiles à accomplir. Or, André fonçait sans laisser transparaître la moindre crainte de ne pouvoir s'en acquitter. Il agissait avec rapidité sans se poser de questions, préférant l'action à la réflexion.

Il se souvint avec colère d'une de ces journées de grandes chaleurs de juillet, lorsque l'enseigne avait envoyé André porter d'urgence un petit colis à l'Hôtel-Dieu, avec l'ordre de revenir aussitôt. À son retour, Pierre Lauxain de Caviteau lui avait confié un autre colis avec la même instruction, affichant ouvertement un air malveillant. André avait compris son manège. Dès lors, il avait parcouru la distance au pas de course, ne s'arrêtant que quelques secondes à la fontaine pour se désaltérer, refusant de montrer le plus petit signe de fatigue à l'officier. En fin de compte, il avait fait cinq allers-retours du fort Saint-Louis à l'Hôtel-Dieu pour transmettre de si petits paquets qu'il aurait pu les transporter en une seule fois.

Moyze voyait André exulter chaque fois qu'il se voyait attribuer une tâche ardue. Toutefois, il prenait soin de n'en rien laisser paraître à Pierre Lauxain de Caviteau, de peur qu'il change d'avis. Il affectait plutôt un air de martyr et partait en traînant les pieds. Néanmoins, Moyze craignait toujours qu'André laisse entrevoir sa jubilation quand il informait l'enseigne que sa tâche était parfaitement accomplie. La tension continuait de monter entre eux et l'officier pouvait exploser à tout moment. André n'en était pas conscient ou il ne craignait rien, Moyze n'aurait su le dire, mais il s'inquiétait pour lui.

— Il y aura une grand-messe chantée et en musique demain, pour le décès de la reine Anne d'Autriche, la mère de notre roi Louis XIV, indiqua Moyze.

Il redressa les épaules et raffermit sa voix.

— Veux-tu m'y accompagner ? Nous prierons ensemble.

André, surpris par une telle demande, acquiesça.

Le lendemain, Moyze rassembla toutes ses forces pour se rendre chez le notaire Pierre Duquet, en compagnie d'André. Ils marchèrent lentement sur la rue Notre-Dame en saluant d'un signe de tête les gens qu'ils croisaient, puis tournèrent à droite sur la rue Sous-Le-Fort. Il faisait déjà chaud même s'il était encore tôt. Le notaire, manifestement prospère, les accueillit avec empressement.

— Entrez et assoyez-vous, les invita-t-il.

André, ne se croyant pas concerné par la transaction de Moyze, s'apprêtait à ressortir de la pièce où se trouvaient déjà deux autres hommes, mais le notaire le pria de prendre place. Tous s'assirent en silence. Moyze s'efforça de continuer à présenter un visage neutre lorsqu'il remarqua l'air surpris d'André. Le notaire regarda les feuilles qu'il avait devant lui avant de relever la tête et de s'adresser à Moyze.

— Je vais lire le document et vous m'indiquerez les corrections à y apporter.

Moyze acquiesça en silence.

— « Par devant Pierre Duquet, notaire royal en la Nouvelle-France, et témoins soussignés, fut présent en sa personne, Moyze Aymé, natif de Saint-Just près de Marennes, soldat de la compagnie du Sieur de Berthier, capitaine du régiment de l'Allier, lequel prêt à s'embarquer pour faire voyage pour le service du Roy vers les pays iroquois, nos ennemis. Considérant la grande amitié et affection qu'il a toujours portées et porte encore à présent à

André Mignier, dit Lagacé, natif de l'île de Ré et soldat en ladite compagnie, son camarade et ami. De son bon gré et volonté, il a donné et donne par ces présentes, pour cause de mort, audit Lagacé la somme de trois cents livres tournois. Ainsi est sa volonté et pour faire insinuer ces présentes, a été constitué son procureur, le porteur des présentes auquel il a donné pouvoir de ce faire et d'en requérir acte. Ce fut fait et passé à Québec en l'étude du notaire susdit et soussigné le troisième jour d'août mille six cent soixante-six. Présents, Louis Levasseur et Jean Duquet Sieur Desrochers, témoins soussignés avec lequel Sieur donateur et le notaire, et ledit Lagacé déclare ne savoir écrire ni signer. De ce enquis suivant l'ordonnance. »

Moyze n'osa tourner la tête vers André tout le long que dura la lecture de l'acte. Il l'avait senti se contracter lorsqu'il avait compris la teneur du document.

— Est-ce que tout est conforme ? demanda le notaire.

Moyze acquiesça.

— Pas du tout ! s'exclama André.

Le notaire sursauta.

— J'ai fait une erreur ? s'enquit-il.

André regarda le notaire avec surprise, puis il se tourna vers Moyze, qui baissa les yeux.

— Pouvez-vous nous laisser seuls quelques minutes ? les pria Moyze.

Les hommes sortirent en silence, heureux d'échapper à cette atmosphère devenue lourde.

— Excuse-moi, j'aurais dû t'en parler avant. Je suis désolé de t'avoir placé dans cette situation. D'un autre côté, si je t'en avais parlé, je sais que tu aurais refusé de m'accompagner.

— Écoute, Moyze, je te suis très reconnaissant pour ton geste, mais…

André inspira profondément, essayant de trouver les mots pour refuser sans le blesser.

— … c'est un très beau geste, mais je ne peux accepter, décréta André.

Moyze soupira. Pourquoi avait-il cru qu'André serait d'accord une fois mis devant le fait accompli ?

— André, je te prie de m'écouter sans m'interrompre.

Moyze se redressa et parla d'une voix ferme.

— Il est évident que je ne verrai pas le prochain hiver.

Moyze vit les épaules d'André s'affaisser, mais ses yeux ne le lâchèrent pas une seconde.

— Tu m'as appris ce qu'étaient l'amitié et l'entraide. Je te suis infiniment reconnaissant pour cela. Tout ce que je déplore, c'est de ne pouvoir poursuivre notre amitié jusqu'à ce que nous soyons deux vieillards.

André hocha la tête et déglutit avec difficulté. Il inséra un doigt dans son col et tira doucement comme si sa chemise était soudainement devenue trop petite.

— Je souhaite de tout mon cœur que tu acceptes ce petit cadeau de ma part en échange de l'inestimable cadeau que tu m'as fait, poursuivit Moyze.

— *Petit* cadeau ? Trois cents livres représentent quatre ans de salaire pour les engagés qui traversent l'océan, protesta André.

Moyze entendait les hommes, de l'autre côté, parler entre eux. Il ne percevait pas distinctement ce qu'ils disaient, mais leurs voix étaient de plus en plus fortes. Ils commençaient à s'impatienter. Il chercha désespérément les mots pour convaincre André.

— J'ai remarqué que tu semblais intéressé lorsque le capitaine de Berthier nous a informés que des terres nous seraient concédées si nous voulions nous établir ici.

André s'agita sur sa chaise un moment. Il ne semblait pas du tout à son aise.

— Tu pourras utiliser cette somme pour acheter un bœuf et une vache, des cochons et des poules, et aussi des outils pour construire ta maison. Tu pourras bien t'établir et je serai heureux de penser que j'y ai contribué.

André observa Moyze, qui soutint son regard.

— J'ai choisi les témoins avec soin pour que cette transaction reste confidentielle. L'un des hommes est un ami de la famille du notaire – leurs pères se fréquentaient à Paris – et le plus jeune est le propre frère du notaire, précisa Moyze.

André passa la main dans ses cheveux et ferma les yeux un moment.

— Accepte, je t'en prie, l'implora presque Moyze.

André se leva et se mit à faire les cent pas dans le bureau. Moyze le regarda en silence, le laissant réfléchir.

— Je n'ai jamais reçu un tel cadeau, confia André, visiblement ému.

Moyze crut défaillir de soulagement.

— Et moi, je n'avais jamais eu d'ami.

Moyze se leva et alla ouvrir la porte. Les hommes entrèrent dans la pièce et vinrent reprendre leur place.

— Il ne nous reste plus qu'à signer, dit Moyze.

Il s'avança, prit la plume que lui tendait le notaire, la trempa dans l'encrier et apposa sa signature à la fin du texte. D'une main assurée, il avait tracé de grandes lettres à la fois rondes et allongées. Les témoins signèrent à tour de rôle et le notaire apposa sa signature en dernier. Maître Duquet remercia et accompagna tout le monde jusqu'à la porte. Les hommes sortirent après avoir serré la main du notaire.

— Je ne sais comment te remercier, avoua André.

— Crois-moi, cela me fait grand plaisir, répliqua Moyze. C'est un sentiment très fort que de pouvoir faire le bien autour de soi.

Ils gravirent la côte de la Montagne en faisant de multiples pauses et marchèrent ensuite lentement vers l'église Notre-Dame. Heureusement, Moyze repéra deux places au milieu de l'assemblée. Il se laissa tomber sur le banc, épuisé.

Le chœur de l'église avait été drapé de noir en signe de deuil pour la reine Anne d'Autriche. L'atmosphère était au recueillement et les fidèles étaient silencieux ou chuchotaient avec leur voisin. Soudain, l'orgue lança ses premières notes et tous se levèrent d'un seul mouvement. Moyze étira le cou pour apercevoir le musicien. À ses côtés se trouvait un homme qui tenait un violon, sans en jouer pour l'instant, et un flûtiste. Les hommes et les garçons qui composaient le chœur entonnèrent un chant d'une grande douceur.

Monseigneur François Montmorency de Laval, vêtu de sa plus belle chasuble, s'avança d'un pas lent et solennel dans l'allée centrale de l'église. Il était immédiatement suivi d'Alexandre de Prouville, marquis de Tracy, puis du gouverneur Daniel de Rémy de Courcelle et de l'intendant Jean Talon. Plus de vingt ecclésiastiques fermaient la marche.

La musique et le chant avaient un effet apaisant sur Moyze. Il ferma les yeux, tandis que la procession avançait vers le chœur, et son imagination le transporta dans le salon de ses parents. Sa mère, musicienne accomplie, avait l'habitude de jouer du clavecin l'après-midi. Moyze l'écoutait souvent, assis dans une bergère. Elle était incapable d'exprimer ses sentiments avec des mots, mais les traduisait clairement avec la musique et Moyze pouvait détecter si elle était en colère, triste ou si elle souffrait de solitude.

Rarement, il avait perçu qu'elle était heureuse. Ces rares fois, elle jouait tout en lui lançant de doux regards.

Après la dernière note du chant, monseigneur de Laval laissa le silence s'installer dans l'enceinte, puis il commença l'office. Il parlait fort et son visage allongé, d'un naturel austère, semblait l'être encore plus. À la fin, il rendit hommage à la mère de Louis XIV pour tous les bienfaits qu'elle avait prodigués à la colonie.

Lorsqu'une voix claire et puissante à la fois entonna l'*Ave Maria*, accompagnée du violon au son doux et plaintif, Moyze ne put retenir ses larmes. Il laissa la musique bercer son âme qui, il le découvrait, en avait un immense besoin. Tout au long du chant, il laissa ses larmes couler pour laver les derniers regrets cachés au fond de son cœur.

Moyze sortit son mouchoir et vit André en faire autant. Au bruit des reniflements qu'il entendait autour de lui, il comprit que le chant avait ému la majorité des personnes présentes. Le chœur entier, accompagné par l'orgue, le violon et la flûte, offrit ensuite une représentation d'une qualité exceptionnelle. Son répertoire était étendu et, pendant plus de deux heures, il chanta plusieurs cantiques, psaumes et requiem.

La musique et les chants avaient procuré un grand réconfort à Moyze. Il avait l'impression d'avoir vécu deux heures hors du temps pendant lesquelles il avait fait un bilan honnête de sa vie. En réalité, il comprit que les chants lui avaient permis de faire la paix avec l'idée de sa disparition prochaine. Il avait le cœur moins lourd lorsqu'il sortit lentement de l'église, la tête encore remplie des dernières notes.

Il remarqua que tous sortaient d'un pas hésitant, en silence. On aurait dit que les gens avaient tout comme lui voyagé à l'intérieur d'eux-mêmes et n'étaient pas encore tout à fait de retour dans le moment présent. Plusieurs personnes se retournaient pour regarder l'église et semblaient se demander si elles ne devraient pas y retourner.

Moyze et André descendirent vers le Saint-Laurent, tout naturellement, sans réfléchir. La marée étant basse, ils prirent place sur le muret en pierre et laissèrent leurs regards errer sur la surface de l'eau. Des enfants passèrent en courant derrière eux et les deux hommes les suivirent des yeux un moment avant de revenir aux miroitements du fleuve.

— Il y a une dernière chose que je veux te dire et après nous n'en parlerons plus, annonça Moyze. J'ai laissé à Thierry une somme suffisante pour payer votre pension, à toi et Siméon, pendant un an encore.

— Je comprends maintenant pourquoi Thierry avait accepté de nous héberger tous les trois, commenta André.

Moyze acquiesça.

— C'est très généreux de ta part, je te remercie beaucoup, dit André.

Moyze se félicita une fois de plus d'avoir demandé à Thierry de les héberger. La famille Delestre les avait accueillis avec simplicité et ils avaient pu partager leur bonheur pendant un peu plus d'une année. Qu'il puisse faire en sorte qu'André et Siméon en profitent encore agissait comme un baume sur son cœur.

À présent, Moyze était épuisé. La fatigue l'avait envahi d'un coup et était lourde à porter. André s'en rendit compte puisqu'après lui avoir jeté un coup d'œil, il dit:

— Viens, rentrons, c'est assez pour aujourd'hui.

André se releva et tendit la main à Moyze pour l'aider à se relever. Ils marchèrent lentement le long de la rive, parlant de tout et de rien, puis Moyze s'arrêta pour observer le paysage. Le fleuve coulait paresseusement en miroitant devant lui et, derrière, la falaise de roc le dominait à tel point qu'il ne pouvait en apercevoir le sommet. Tout autour, des hommes et des femmes déambulaient en discutant par petits groupes, leurs enfants courant et sautant dans un joyeux désordre.

Moyze aimait profondément cet endroit. Les habitants de Nouvelle-France y semblaient heureux. Après un dernier regard vers le fleuve, il s'engagea dans la rue Notre-Dame en marchant lentement vers la maison de Thierry, accompagné d'André, silencieux à ses côtés.

11

7 août 1666, sur la rivière Richelieu

Après un dernier coup de rame, ils se laissèrent doucement glisser vers la rive. Ils accostèrent et purent enfin
sortir du canot. André s'étira longuement et sautilla sur
place afin de se dégourdir les jambes. La compagnie du
Sieur de Berthier avait enfin atteint sa destination après
quatre jours intensifs de canotage. Ils devaient construire le
fort de L'Assomption sur la rive ouest de la rivière Richelieu,
juste en face de deux îlots, au confluent d'un grand ruisseau.
Cet endroit était un lieu de portage parce que la rivière se
changeait en rapides trop difficiles à traverser en barque ou
en canot. C'était donc l'emplacement tout indiqué pour
construire un fort qui servirait de poste de relais. Le relief
était plat à des centaines de lieues à la ronde, sauf sur la
droite où s'élevait, à trois lieues de distance, une montagne
solitaire.

Les officiers distribuèrent rapidement les tâches, car
l'après-midi tirait à sa fin. Des soldats transportèrent le
matériel pour monter le campement sur la rive, le seul
endroit qui n'était pas couvert d'arbres. D'autres allèrent
chercher du bois pour allumer plusieurs feux. L'attaque dont
avaient été victimes les soldats français trois semaines plus
tôt au fort Sainte-Anne était encore fraîche dans les

mémoires et des mesures avaient été mises en place pour assurer la sécurité de la compagnie.

D'autres soldats transportèrent les caisses de bois contenant une vingtaine de poules caquetantes, apportées pour assurer l'approvisionnement en œufs frais. Les cris rauques des cochons attachés au fond des canots s'atténuaient peu à peu. Une centaine de sacs de farine, d'oignons, de navets et de choux furent déchargés et mis à l'abri. André et plusieurs hommes à la musculature développée furent désignés pour abattre des arbres en vue de la construction de la palissade du fort. Siméon le regarda s'éloigner avec un sourire moqueur, l'air enchanté d'être dispensé d'un travail pénible, puisqu'il avait été choisi avec un autre charpentier pour surveiller l'érection de la palissade et des bastions. Quelques habiles pêcheurs lançaient déjà leurs lignes en prévision du repas du soir.

Quelques heures plus tard, lorsque André et les autres soldats purent prendre du repos, des poissons cuisaient dans des poêles posées sur un grand feu. Des soldats allaient chercher les prises des pêcheurs au fur et à mesure pour les apporter aux cuisiniers. D'autres étaient assis autour du feu, leur écuelle sur les genoux, dévorant leur repas.

André récupéra son attirail de pêche et alla rejoindre Siméon. Il préférait le calme à la joyeuse cohue des soldats. Il sauta de rocher en rocher jusqu'à se retrouver presque au milieu de la rivière, à la hauteur de Siméon. Il lança sa ligne à l'eau et poussa un soupir pour alléger le poids qu'il sentait peser sur sa poitrine. Siméon lui adressa un regard triste, sachant pertinemment la raison de son soupir.

Depuis que la compagnie avait quitté Québec, André avait pagayé sans relâche. Il s'était activé avec l'énergie du désespoir, comme un somnambule. Il n'avait pas vu le fleuve et la forêt ni les soldats autour de lui. Il avait eu les yeux rivés sur l'eau, juste devant le canot. La mort dans l'âme, il allait construire un fort tandis que son ami aurait eu besoin de lui. L'effort physique avait procuré un exutoire à sa rage, l'empêchant ainsi d'étouffer. Siméon, pareillement affecté, avait ramé avec les mêmes gestes mécaniques.

André était présent lorsque Moyze avait annoncé à Thierry Delestre qu'il demanderait à être admis à l'Hôtel-Dieu. Thierry avait refusé catégoriquement, affirmant qu'il serait beaucoup mieux chez lui, entouré de personnes avec qui il était bien plutôt qu'avec des inconnus. La petite Jeanne était intervenue pour dire à son père que, s'il était d'accord, elle aiderait Moyze et lui apporterait à boire et à manger s'il était incapable de descendre prendre ses repas avec la famille. André n'avait aucun doute qu'elle serait à ses côtés tout au long de sa maladie, lui apportant ses repas, l'écoutant, lui parlant ou veillant à ce qu'on ne dérange pas son sommeil. Moyze ne pourrait être mieux traité, ce qui allégeait un peu sa peine.

Âgée de dix ans, Jeanne le surprenait par sa maturité et son sens des responsabilités. Il retrouvait chez elle les mêmes qualités morales que chez sa plus jeune sœur. Par contre, physiquement, Jeanne, blonde et menue, ne ressemblait en rien à Catherine, qui était brune et avait hérité de la carrure des Mignier.

Il vint à l'esprit d'André qu'il n'avait pas chargé Moyze d'écrire de lettre à sa famille avant de partir. Il espérait qu'ils ne s'inquiéteraient pas. Il nota mentalement de le demander à Jeanne à leur retour. Peut-être allaient-ils revenir à Québec avant le départ du dernier navire de l'automne. Mais rien n'était moins sûr. Ils devaient construire un fort le plus rapidement possible pour renforcer les défenses.

Ce fort servirait de relais fortifié en prévision de la grande expédition que le marquis de Tracy mènerait jusqu'aux terres des Iroquois.

Les pourparlers de paix n'ayant pas abouti à une entente, le marquis de Tracy avait organisé cette grande offensive. Six cents soldats, cinq cents miliciens de Nouvelle-France, dont cent conduits par Charles Le Moyne depuis Ville-Marie, ainsi que cent Hurons et Algonquins étaient attendus quelques semaines plus tard au fort Sainte-Anne, construit sur une île du lac Champlain, pour ensuite faire route vers les villages iroquois.

André songea à ce qu'avait dit Moyze chez le notaire. Effectivement, il était tenté par la proposition de Talon de s'installer en Nouvelle-France. En France, il n'aurait jamais la possibilité d'obtenir un lopin de terre, encore moins sur son île. Il avait aimé labourer et cultiver avec son père, qui lui avait appris tout ce qu'il savait. Cependant, ils avaient toujours travaillé la terre de quelqu'un d'autre.

Quel bonheur de penser qu'on puisse conserver tous les fruits de ses efforts ! Néanmoins, s'établir en Nouvelle-France signifiait aussi ne plus revoir sa famille… ni Marie Jacques, ne serait-ce qu'un moment. À ce moment, elle lui manquait au point d'en avoir la nausée. Comme chaque fois qu'il pensait à elle, il tenta d'imaginer ce qu'elle faisait. Peut-être que sa pensée était suffisamment puissante pour qu'elle traverse l'océan et l'atteigne. Il aimait croire qu'elle s'arrêtait aussi et pensait à lui au même moment.

— Hé ! Tu es loin ! s'exclama Siméon.

André sursauta et se tourna vers Siméon qui lui faisait signe du menton de regarder sa ligne. Au même moment, il se rendit compte que la branche au bout de laquelle était attachée sa ligne vibrait dans ses mains. Il se ressaisit et entreprit de ramener sa prise sur le rivage. Un soldat les prévint d'apporter leurs poissons et de venir manger. André et Siméon mangèrent en silence, puis ils récupérèrent leur paquetage et s'installèrent pour la nuit à l'orée de la forêt, sous les branches d'un sapin.

Dès le lendemain matin, la construction du fort débuta. Les soldats furent divisés en plusieurs groupes. Un groupe coupait des arbres tandis qu'un autre les ébranchait. Des sous-officiers faisaient le tri : certains seraient transformés en piquets hauts d'une vingtaine de pieds pour la construction de la palissade, alors que d'autres seraient équarris et serviraient à ériger les murs du bâtiment intérieur. Le capitaine de Berthier et ses deux lieutenants tenaient force discussions pour déterminer le meilleur endroit où établir le fort ainsi que les dimensions nécessaires pour abriter plusieurs compagnies.

Après deux semaines de dur labeur, le poste de relais fortifié avait été érigé. Une certaine routine s'était installée, et ce fut à ce moment qu'ils furent la cible d'une attaque éclair des Iroquois. André, Siméon, Honoré Martel, Jacques Brin et six autres soldats patrouillaient en discutant tranquillement lorsque le soldat Jolicœur, près d'André, s'immobilisa soudain et poussa un râle de douleur. André se retourna et découvrit avec horreur que le soldat tenait entre ses mains une flèche plantée dans son abdomen. Jolicœur releva des yeux ahuris vers André, chancela, puis s'effondra au sol.

Le soldat La Prairie reçut ensuite une flèche dans le bras gauche. Les Iroquois, cachés dans la forêt, se lancèrent à l'attaque en poussant de sinistres hululements, leurs tomahawks brandis au-dessus de la tête.

André releva son fusil, visa un des Iroquois et tira. La balle devait l'avoir touché puisqu'il vit l'homme porter la main à son bras sans néanmoins cesser de courir. Le tir d'André dut faire l'effet d'un signal puisque les quatre autres soldats firent feu à leur tour. André se jeta derrière le tronc d'un gros sapin pour recharger son fusil.

Deux Iroquois en profitèrent pour courir vers un soldat et l'un d'eux le frappa à la tête d'un coup de tomahawk. Ils l'empoignèrent sous les bras et le soulevèrent pour l'entraîner dans la forêt. André reconnut Honoré Martel. Il semblait inconscient, car il n'opposait apparemment aucune résistance à ses ravisseurs. André ne pouvait tirer, car les risques d'atteindre son compagnon étaient trop grands. Furieux, il poussa un cri et s'élança à leur poursuite, suivi des autres soldats. André vit le captif revenir à lui et se débattre comme un diable, ruant de toutes ses forces et frappant tout ce qui était à sa portée.

André entendit d'autres détonations, puis il vit un peu plus loin, sur sa droite, Siméon courant comme lui en direction des Iroquois qui tentaient d'enlever leur compagnon. Lentement, ils gagnaient du terrain. Soudain, un coup de pied d'Honoré fit trébucher l'Iroquois à sa gauche. Ce dernier tenta de reprendre pied, sans succès, et entraîna alors son complice ainsi que leur otage dans sa chute. Les deux Iroquois se relevèrent immédiatement et prirent la fuite en abandonnant leur prise de guerre.

Deux autres Iroquois tirèrent chacun quelques dernières flèches qui ratèrent leur cible, puis se volatilisèrent dans les bois. D'autres détonations retentirent, mais les Iroquois avaient disparu. André, soulagé, rejoignit Honoré.

— Est-ce que… ça va ? s'enquit-il, essoufflé.

Incapable de parler, Honoré hocha la tête. Il avait de grands yeux apeurés, conscient d'avoir échappé à une mort certaine. Comme les autres, il avait aussi entendu les histoires de tortures que les Iroquois pratiquaient sur leurs ennemis. Il tremblait de tous ses membres. Le coup de tomahawk qu'il avait reçu sur le front avait fait pousser une bosse déjà grosse comme un œuf.

— Venez, ne restons pas ici, dit Siméon.

André et Jacques aidèrent leur compagnon à se relever, mais, au moment où il fit un premier pas, il poussa un cri de douleur.

— Aaarrh! Mon genou, geignit-il.

Ils le soutinrent et, lentement, il fit quelques pas, les traits déformés par la douleur. Le soldat Laprairie les attendait, assis un peu plus loin, le regard fixé sur la flèche toujours fichée dans son bras, l'air ahuri. Un autre soldat prit le lacet de cuir qui retenait ses cheveux et le noua pour faire un garrot. Les tirs de fusils avaient donné l'alerte au fort et une vingtaine de soldats couraient les rejoindre, le lieutenant Claude-Sébastien Lebassier de Villieu en tête.

Jolicœur, ayant succombé à sa blessure, fut transporté sur un brancard rudimentaire, tandis que les blessés étaient soutenus jusqu'au fort, où on les soigna. André, Siméon et deux autres, indemnes mais sérieusement ébranlés, furent conduits au capitaine Alexandre de Berthier à qui ils relatèrent les événements en détail.

L'attaque s'était déroulée en quelques minutes seulement, mais leur avait paru beaucoup plus longue. Sous le choc, André ressentait un mélange d'euphorie et de culpabilité. Si la flèche avait suivi une autre trajectoire, ne serait-ce qu'un pied plus à gauche, le soldat Jolicœur se tiendrait à ses côtés alors qu'un pied plus à droite, la flèche l'aurait atteint, lui, en pleine poitrine. Il préféra repousser ces réflexions, se remémorant les paroles de sa mère lors du décès d'un ami: «Ne cherche pas à comprendre, c'est la volonté de Dieu.»

Alexandre de Berthier les interrogea longuement, puis les libéra. Ils errèrent dans le fort un moment, encore secoués. André, pour sa part, était furieux de s'être laissé prendre par surprise par les Iroquois. Qu'auraient-ils dû faire ? Ils n'avaient pas été suffisamment vigilants. Un homme était mort par leur faute. André laissa la colère emplir son esprit. Ainsi, il restait moins de place pour le profond sentiment d'humiliation qu'il ressentait à l'idée de ce que le capitaine de Berthier devait penser de leur groupe. Ils avaient lamentablement échoué.

~

Au début du mois d'octobre, les gardes annoncèrent l'arrivée d'une centaine de canots qui remontaient la rivière Richelieu. Le gouverneur de Courcelle était parti de Québec quelques jours plus tôt, à la tête de cinq compagnies de soldats, de miliciens et de Hurons.

La compagnie du capitaine de Berthier était fin prête pour les recevoir. La semaine précédente, toutes les troupes avaient été mises à contribution pour constituer d'énormes provisions de gibier et de poisson, et pour faire cuire des centaines de miches de pain afin de nourrir tous les hommes qu'on attendait. Ils s'entassèrent les uns sur les autres à l'intérieur de la palissade. Les soldats bénéficièrent d'un jour de repos, puis reprirent leur périple vers les villages iroquois plus au sud.

Deux jours après le départ du gouverneur de Courcelle, le marquis de Tracy, qui avait lui aussi pris la route avec cinq autres compagnies ainsi que des miliciens et des Hurons, arriva à son tour au fort de L'Assomption. Les hommes furent nourris et purent prendre un peu de repos avant de se remettre en route deux jours plus tard, sauf la compagnie de Saurel qui composerait l'arrière-garde avec la compagnie de Berthier. Leur tour venu, ils prirent place dans une vingtaine de canots et entreprirent de remonter la rivière Richelieu.

André et Siméon ramaient tandis que les six autres soldats tenaient leurs armes sur leurs genoux, scrutant la rive à la recherche d'Iroquois. Ils atteignirent le fort Saint-Louis, construit par la compagnie du capitaine Jacques de Chambly, au milieu de l'après-midi. Ils s'y abritèrent pour la nuit, car, le lendemain, un long portage les attendait au bout de laquelle ils arriveraient au fort Sainte-Thérèse ; le jour suivant, ils pagayeraient jusqu'au fort Sainte-Anne, le dernier avant le pays des Iroquois.

Le lendemain, André fut réveillé par le bruit du tonnerre. Il entendait souffler le vent et songea qu'il serait encore plus difficile de manier le canot. Il se leva, courbaturé d'avoir dormi à même le sol, et se tourna vers Siméon pour constater qu'il semblait aussi mal en point que lui. Ils quittèrent le fort aussitôt après avoir avalé une demi-miche de pain et un morceau de lard.

La pluie s'était mise à tomber et le vent continuait de souffler, formant des crêtes menaçantes qui frappaient le flanc du canot. André pagayait de toutes ses forces pour conserver la bonne direction et éviter que les vagues ne les fassent chavirer. Une heure plus tard, ils entendirent des cris et des appels à l'aide. André releva la tête et tenta de percer le mur d'eau, mais il ne pouvait voir à plus de quelques pieds devant lui. Il se tourna vers Siméon, l'interrogeant du regard, mais celui-ci haussa les épaules en signe d'impuissance. Ils ramèrent plus rapidement pour tenter de porter secours à ceux qui semblaient en difficulté.

Lorsqu'André put enfin apercevoir quelque chose, il était trop tard. Deux canots retournés tournoyaient dans l'eau vive. Quatre autres embarcations s'en approchaient.

— Ils ont tous disparu! s'écria un soldat dans l'embarcation la plus près.

Il était manifestement ébranlé. Un de ses compagnons lui mit la main sur l'épaule pour le réconforter.

— J'ai vu les deux canots se frapper et se renverser. Les gars ne savaient pas nager… ils criaient, mais nous étions trop loin. Le temps que nous arrivions, il était trop tard, dit-il d'une voix tremblante.

Plusieurs embarcations avaient péniblement rejoint les lieux, mais aucun des naufragés ne put être repêché. Un officier donna l'ordre de continuer puisqu'ils devaient traverser le lac Champlain sur toute sa longueur et qu'ils se mettaient tous en danger en restant sur place.

Tout en pagayant, André laissa son esprit vagabonder vers Marie Jacques. Que faisait-elle à cet instant? Elle devait être au marché. L'automne, elle était toujours très occupée. Il espérait qu'elle avait tout de même trouvé le bonheur. À tout le moins, qu'elle n'était pas aussi malheureuse que lui.

En fin de journée, lorsqu'ils atteignirent la pointe sud du lac Champlain, la pluie avait cessé et le soleil avait presque séché leurs vêtements. André dévora sans l'apprécier un délicieux pot-au-feu, puis il sombra dans un sommeil lourd.

Ils marchaient depuis trois jours au son des tambours et une torpeur avait envahi André. Pour la combattre, il inspira profondément, leva les yeux et observa la forêt autour de lui. Le vent s'était levé et le ciel s'était de nouveau chargé de lourds nuages menaçants.

André s'informa auprès de Siméon :

— Sais-tu où nous sommes rendus ?

— On nous a dit que nous étions à environ une journée de marche du premier village iroquois, répliqua Siméon.

Au même moment, un éclair déchira le ciel, suivi quelques secondes plus tard d'un coup de tonnerre si percutant que plusieurs soldats eurent le réflexe de se protéger en rentrant la tête dans les épaules. De grosses gouttes de pluie se mirent à tomber, puis un déluge s'abattit sur les hommes. Comme la pluie continua de tomber tout le reste de la journée, il fut impossible d'allumer des feux pour se sécher et se réchauffer. Le marquis de Tracy donna donc l'ordre de continuer la marche toute la nuit.

Ils marchaient lentement sous la pluie lorsqu'ils entendirent un bruit de branches cassées, suivi d'un cri de douleur.

— Attention, il y a un ravin sur la droite, hurla un soldat devant.

Il faisait nuit noire et chacun se guidait aux bruits que faisait le soldat devant lui. Seuls quelques éclairs sporadiques permettaient aux hommes de vérifier qu'ils marchaient dans la bonne direction.

Soudain, on entendit de forts gémissements venant de la droite.

— Quelqu'un est tombé dans le ravin, il faut s'arrêter, alerta un soldat.

— Arrête si tu veux ! Moi, je ne veux pas risquer de me perdre à cause de quelqu'un qui ne sait pas marcher en rang ! s'exclama un autre.

Personne ne répondit et tous continuèrent à marcher. Les gémissements augmentaient de plus en plus à mesure qu'André et Siméon approchaient.

— On s'arrête ? proposa André.

— Tu crois qu'on retrouvera notre chemin ? répliqua Siméon.

— Demain, nous pourrons suivre leurs traces assez facilement.

— D'accord, alors, approuva Siméon.

— Attention, nous sortons du rang ! prévint André.

Il y eut quelques exclamations de stupeur et un moment de confusion quand les soldats derrière eux accélérèrent le pas pour resserrer les rangs.

— Imbéciles ! fit l'un des soldats en passant près d'eux.

Une fois que les troupes se furent éloignées, André entreprit de descendre dans le ravin, accroupi, posant les pieds à tâtons dans le noir. Siméon le suivait à distance. Le sol était détrempé et ils devaient se retenir aux branches des buissons pour ne pas glisser jusqu'au fond. Ils suivaient le son des gémissements de l'homme. Une fois en bas de la pente, ils avancèrent lentement en s'aidant de leurs mains posées par terre.

Soudain, André toucha le pied de l'homme, qui poussa un cri de douleur.

— Je crois que j'ai le genou foulé, expliqua-t-il.

Siméon s'approcha à son tour et toucha l'homme pour le localiser, provoquant un autre cri. Puis, il émit une exclamation de surprise.

— Qu'y a-t-il ? fit André.

— Nous sommes sous un sapin, je viens de me relever et j'ai touché les branches. Je vais ramper pour arriver au tronc et nous pourrons au moins nous mettre à l'abri de la pluie, dit Siméon.

Après quelques instants, Siméon annonça qu'il avait atteint le tronc. À deux, ils traînèrent le soldat blessé, qui ne pouvait se retenir de hurler de douleur. Près du tronc, le sol était sec et ils purent retirer leurs justaucorps trempés et les suspendre aux branches basses. Ils s'assirent et s'adossèrent de chaque côté du blessé pour se réchauffer. Après un moment, le soldat cessa de grelotter.

— Merci, dit-il.

— Ce n'est rien, répliqua André. J'aurais aimé que quelqu'un s'arrête si c'était moi qui étais tombé dans le ravin. Je suis certain que vous auriez fait de même.

L'homme resta silencieux un long moment. Il inspira profondément, puis déclara d'une voix changée :

— Vous vous trompez.

— Que voulez-vous dire ? s'enquit André.

Le blessé hésita, poussa un long soupir et reprit :

— Je ne crois pas que je me serais arrêté. Je ne suis pas bon… Je voudrais pourtant l'être.

— Allons, c'est parce que l'occasion ne s'est pas encore présentée, avança Siméon.

Ils entendaient la pluie qui tombait encore en fortes rafales. Dans leur abri, seules quelques gouttes parvenaient à traverser le réseau serré de branches et d'aiguilles. André pensa aux autres soldats qui continuaient à marcher dans le noir.

— Non… non. Je suis méchant. Je le sais, reprit l'homme après plusieurs minutes de silence.

André était surpris par les paroles de leur confrère, mais plus encore par sa voix douloureuse qui n'avait apparemment rien à voir avec sa blessure.

— Pourquoi dites-vous cela ? demanda Siméon.

L'homme tenta de se redresser, ce qui lui arracha un cri, puis il s'adossa de nouveau à l'arbre sans changer de position.

— Mon père était méchant et il m'a enseigné la méchanceté à coups de poing. Plus tard, j'ai découvert que ce n'étaient pas tous les pères qui agissaient ainsi avec leurs enfants. Mais à ce moment-là, il était déjà trop tard.

Sa voix s'était déchirée à la fin de son aveu.

— Aaah… firent André et Siméon.

André était surpris d'entendre une telle confidence de la part d'un homme qu'il ne connaissait pas et dont il n'avait même pas vu le visage. Après un silence gêné, ce dernier poursuivit.

— Mon père était le maître incontesté de sa seigneurie et personne ne pouvait lui résister. De toute façon, cette idée ne serait venue à l'esprit de personne, car tous le craignaient. On ne pouvait jamais savoir comment il réagirait. Il pouvait être calme et, l'instant d'après, il éclatait de fureur et frappait les gens ou lançait des objets. Les fermiers qui cultivaient son domaine tremblaient quand ils devaient se présenter devant lui.

Le soldat parlait lentement, comme s'il hésitait ou avait de la difficulté à prononcer les mots. André n'avait jamais entendu un homme parler avec une voix chargée d'autant d'amertume. Peut-être était-ce la peur qu'il avait ressentie à l'idée d'être abandonné, seul et blessé dans la forêt, ou le fait qu'il faisait tellement noir qu'ils ne pouvaient le voir, mais le blessé continua de parler, probablement incapable de s'arrêter.

— Comme j'étais son fils aîné, il avait décidé qu'il ferait de moi son digne successeur. Ma mère m'a protégé aussi longtemps qu'elle a pu, mais, lorsqu'il s'est mis en tête qu'il devait commencer mon éducation, elle n'a rien pu faire pour moi.

Il avait parlé d'une voix étranglée jusqu'alors, mais il cracha littéralement la suite.

— Il m'a ordonné de corriger les domestiques. Il m'a forcé à fouetter des fermiers qui ne le méritaient pas. Un jour, il m'a même obligé à regarder pendant qu'il violait une jeune servante.

André était totalement immobile, incapable de parler, essayant de se représenter la vie que l'homme avait menée. Les épaules de ce dernier étaient secouées de sanglots silencieux. Siméon, de l'autre côté, ne faisait aucun mouvement.

— Euh… je ne sais que dire, fit André.

— Il n'y a rien à dire, bredouilla l'homme.

Pour toute réponse, André lui tapota maladroitement le bras. Lorsque le soldat se fut calmé, André lui demanda :

— Comment vous êtes-vous retrouvé dans l'armée ?

— Je me suis enfui. J'étais incapable de continuer.

— Vous voyez ! Vous n'êtes pas né méchant, vous l'êtes devenu, mais vous pouvez encore changer, l'encouragea Siméon.

— Non, j'ai essayé, mais j'en suis incapable. Je regarde le capitaine de Berthier et je l'envie. Les soldats ont du respect pour lui et, pourtant, il n'est pas du tout méchant.

— Il fait preuve de détermination et il sévit lorsqu'il le doit, mais il est juste envers ses hommes. Il ne punit pas sans raison valable. En même temps, il voit à ce que ses troupes soient correctement traitées. Pour cette raison, ses hommes ont du respect pour lui. Respect ne veut pas dire peur, précisa André.

— Vous avez peut-être raison.

Leur confrère avait parlé d'un ton las.

— Jamais mes hommes n'auront cette sorte de respect pour moi, continua-t-il.

À ces mots, André sursauta. Il entendit aussi Siméon s'agiter nerveusement.

— Vous n'êtes pas un simple soldat ? demanda-t-il.

— Non, je suis un officier.

André sentit un frisson glacé courir le long de sa colonne vertébrale. Le fait qu'il avait mentionné que son père avait une seigneurie aurait dû lui mettre la puce à l'oreille. Il déglutit avec difficulté avant de poser la question suivante :

— Qui êtes-vous ?

— Je suis Pierre Lauxain de Caviteau.

— Oooh ! firent André et Siméon en chœur.

C'était au tour de l'homme de s'agiter. Il poussa un long soupir résigné, puis s'enquit d'une voix blanche.

— Et qui… qui êtes-vous ?

André et Siméon se nommèrent.

— Ahhhh ! fit-il.

Tous les trois demeurèrent silencieux jusqu'à l'aube. Il pleuvait toujours lorsque André et Siméon sortirent de sous les branches et s'étirèrent.

— Vous allez m'abandonner… De toute façon, aussi bien mourir ici. C'est le destin. Je serai puni par ceux que j'ai maltraités.

Il essayait de paraître détaché, mais sa voix tremblait.

— Vous nous connaissez mal, répliqua André.

— Effectivement, je ne vous connais pas, reconnut-il faiblement.

— Nous allons confectionner un brancard. Pendant ce temps, essayez de ramper pour sortir de sous les branches, dit Siméon.

À l'aide de leur hachette, André et Siméon coupèrent deux longs aulnes, puis entrelacèrent des branches de sapin. Ils attachèrent le tout pour obtenir un brancard de fortune. Lorsqu'ils revinrent, l'officier les attendait, les traits déformés par la douleur, mais il avait réussi à sortir de sous les branches. Ils l'installèrent le plus confortablement possible, soulevèrent le brancard et avancèrent lentement.

Ils remontèrent la pente un peu plus loin, à un endroit où elle était moins abrupte. Ils durent néanmoins s'y reprendre par trois fois avant d'atteindre le sommet du talus pour rejoindre la piste que les soldats avaient empruntée. André et Siméon poussaient et tiraient en grognant. Pierre Lauxain de Caviteau se tenait solidement aux branches de l'aulne, le visage convulsé de douleur, mais sans émettre aucune plainte.

Une fois sur la piste, ils avancèrent plus facilement. Ils suivirent les traces laissées par leurs compagnons quelques heures plus tôt. L'officier avait la tâche de surveiller les alentours pour détecter la présence d'Iroquois. Les fusils d'André et de Siméon étaient posés sur lui et il tenait le sien, prêt à faire feu. Personne ne parlait, afin d'éviter tout bruit inutile.

Tous les sens en alerte, André avançait en scrutant la forêt. Étrangement, il n'avait pas peur. Il ressentait plutôt une sorte de fébrilité, l'esprit entier accaparé par l'objectif de rejoindre leur compagnie sains et saufs. Il espérait que cette action rattraperait un peu, aux yeux du capitaine de Berthier, le fait de s'être laissé surprendre lors de l'attaque des Iroquois quelques semaines plus tôt.

Lauxain de Caviteau leur signala la présence d'un pommier et ils s'arrêtèrent pour prendre un peu de repos et manger quelques pommes juteuses. L'enseigne sortit un morceau de fromage de la poche de son justaucorps, enveloppé dans un morceau de tissu détrempé, le partagea en deux et le remit à André et Siméon, qui l'acceptèrent avec reconnaissance.

Après quatre heures de marche, ils atteignirent une grande vallée qui s'étendait à leurs pieds. Ils virent avec soulagement les compagnies au bas de la longue pente, non loin d'un village iroquois.

Malgré la distance, ils entendirent les tambours battre la charge. Les soldats aux premiers rangs s'élancèrent en courant et toute la colonne s'ébranla. Malgré la faible pluie, ils virent les Iroquois, pris de panique devant un ennemi si nombreux, prendre la fuite à travers bois, abandonnant leur village. Des miliciens s'élancèrent à leur poursuite, mais ils se dispersèrent et disparurent.

Lorsque les dernières compagnies arrivèrent à leur tour à la hauteur du village, une colonne de fumée jaillissait déjà au-dessus de la palissade. Les soldats avaient entrepris de mettre le feu au village. Les habitations en bois ainsi que la récolte nouvellement entreposée brûlèrent rapidement malgré la pluie. Une bonne odeur de maïs grillé flotta dans l'air jusqu'à eux et André constata qu'il avait faim.

Ils soulevèrent de nouveau le brancard pour amorcer la descente. Un soldat les aperçut et réunit quelques hommes pour prendre la relève. Ils amenèrent rapidement Lauxain de Caviteau à la tente qui servait d'infirmerie. Un officier s'assura qu'on leur serve une grosse portion de pain qu'ils purent tremper dans de l'eau-de-vie en guise de fortifiant. Le temps qu'André et Siméon rejoignent leur compagnie, le village entier était en feu.

Dans les heures qui suivirent, deux autres villages iroquois furent ainsi incendiés. Peu d'Iroquois perdirent la vie en les défendant, puisqu'ils s'enfuyaient tous dans la forêt. Après qu'ils eurent pris le quatrième village, les officiers commandèrent de ne pas le brûler, afin que tous les soldats puissent profiter d'un bon repas prélevé sur les réserves des Iroquois et s'accorder un peu de repos.

La compagnie de Berthier établit son campement à la lisière de la clairière. André retira son justaucorps et sa veste et les suspendit aux branches d'un sapin qu'il avait préalablement secouées afin d'en faire tomber les gouttes d'eau encore accrochées aux aiguilles. Vêtu de sa chemise, il s'approcha du feu pour faire sécher les habits qu'il portait.

— Allez, Siméon, retire tes vêtements mouillés, sinon tu n'arriveras jamais à te réchauffer, conseilla André.

Siméon, qui était accroupi près du feu, les bras serrés autour du torse, releva la tête et lui jeta un regard dubitatif.

— À te voir frissonner ainsi, je ne suis pas certain que ce soit une bonne idée.

— C'est la seule façon et tu le sais. Regarde, ma chemise est presque sèche, déclara André.

Malgré les protestations de Siméon, il le força à se mettre debout, l'aida à retirer son justaucorps et sa veste, qu'il alla suspendre. Après plusieurs minutes à gesticuler près du feu, leurs vêtements étaient presque secs. André voyait au travers des flammes les silhouettes floues des hommes sautiller autour des autres feux. Le temps s'était éclairci et les étoiles brillaient. La température avait chuté, mais André estima qu'il ne pleuvrait pas pendant la nuit. Les miliciens alimentaient les feux avec du bois sec que les Iroquois avaient ramassé.

Lorsque le souper fut prêt, ils prirent leurs écuelles et allèrent chercher leur ration. Un ragoût acheva de les réchauffer. Dès qu'ils eurent avalé leur repas, les hommes, épuisés, s'enroulèrent dans leur couverture et s'allongèrent près des feux. Plus tard, le capitaine de Berthier déambula parmi ses hommes, s'assurant que tous étaient correctement installés pour la nuit.

Le lendemain matin, la rumeur courut qu'une Algonquine, prisonnière des Agniers depuis plusieurs années, avait appris aux Français l'existence d'un cinquième village nommé Andaraqué, plus gros et mieux fortifié. Elle avait accepté de les y conduire.

Après un repas prélevé de la réserve des Iroquois et composé de galettes de maïs accompagnées de poisson séché, ils quittèrent leur campement provisoire, non sans avoir préalablement mis feu au village.

Ils arrivèrent à l'endroit décrit par l'Algonquine après deux heures de marche. Le village fortifié était impressionnant. Sa palissade faisait vingt pieds de haut et des bastions avaient été construits aux quatre coins du village, permettant aux Agniers de surplomber leurs ennemis pour décocher leurs flèches. Il ressemblait étrangement à un village hollandais. Cette fois-ci, les Iroquois voulaient se défendre avec ardeur.

André les entendait pousser des cris stridents qui ressemblaient à des hurlements de loup. Il en avait la chair de poule. Voyant la colonne ralentir le pas instinctivement, les officiers firent battre les tambours plus rapidement. Contre toute attente, dès que les soldats entreprirent d'encercler le village, les Iroquois s'enfuirent dans la forêt comme l'avaient fait ceux des autres villages.

Le lendemain, le marquis de Tracy organisa une cérémonie officielle pour marquer la prise de possession du territoire iroquois. Toutes les compagnies furent rangées en ordre de bataille et le *Te Deum* fut chanté en présence du marquis de Tracy ainsi que du gouverneur Daniel de Rémy de Courcelle et de quatre prisonniers. Une croix de bois équarri fut dressée, puis le marquis s'avança face à ses soldats et déclara d'une voix forte :

— En ce dix-sept octobre de l'an de grâce mille six cent soixante-six, cette Sainte Croix aux armes de la France proclame la prise de possession de toutes les contrées de l'ensemble de la grande nation iroquoise, si loin qu'elles peuvent s'étendre, au nom de Sa Majesté notre roi Louis XIV.

André voyait un peu plus loin sur la droite le notaire Duquet qui écrivait un document à la hâte. Ce même notaire qui les avait reçus, Moyze et lui, quelques jours avant son départ, deux mois plus tôt, pour rédiger l'acte de don. Le notaire tendit son écritoire au marquis pour qu'il signe le document.

Les soldats n'eurent droit qu'à deux jours de repos pour reprendre quelques forces. Il fallait se hâter avant l'apparition des premiers froids. Après avoir chargé toute la nourriture qu'ils étaient en mesure de transporter, ils brûlèrent le village.

La marche de retour à Québec fut longue et pénible. La neige avait commencé à tomber et, à leur arrivée, ils étaient épuisés, affamés, trempés et frigorifiés. André et Siméon durent avoir recours à l'aide de Thierry pour retirer leurs vêtements et se mettre au lit. Ils dormirent plusieurs heures d'un sommeil agité. Des quintes de toux rauques les laissaient sans force. Jeanne se tint à leur chevet, posant fréquemment sa petite main sur leur front pour évaluer leur fièvre. Elle les forçait à boire un peu de bouillon toutes les heures. Ils grelottaient malgré leurs couvertures et la brique chaude à leurs pieds. Grâce à ces soins, quelques jours plus tard, ils purent s'asseoir sur leur couche et manger une soupe que Jeanne leur servit.

— Tu es un ange, la remercia Siméon d'une voix enrouée.

André hocha la tête en guise d'approbation.

— Dormez maintenant, dit-elle d'un ton bienveillant.

Ils dormirent ensuite plus paisiblement et, le lendemain, ils purent se lever pour descendre prendre le déjeuner avec la famille.

— De retour parmi nous ! s'exclama Thierry, essayant de plaisanter malgré son évidente inquiétude.

André alla lentement s'asseoir sur le banc.

— On ne peut pas dire que vous ayez bonne mine, poursuivit-il.

— Thierry ! fit Marie Suzanne pour le faire taire.

André et Siméon se regardèrent. Avec surprise, André constata que Siméon était effectivement pâle et qu'il avait les traits tirés. Il avait perdu du poids et ses épaules étaient voûtées. Ses cheveux étaient emmêlés et auraient grand besoin d'un coup de peigne. Puis, il prit conscience qu'il devait lui ressembler. Siméon en était probablement venu à la même conclusion, car il se passait la main dans les cheveux dans une vaine tentative pour les lisser.

— Vous avez parfaitement raison, approuva André.

Les enfants qui, jusqu'ici, les avaient observés en silence, éclatèrent de rire.

— La plupart des soldats sont au lit comme vous depuis leur retour, fit savoir Thierry.

— Mais que vous ont-ils fait subir ? s'enquit Marie Suzanne.

— C'est la réalité du soldat, ma chère, peu de batailles, mais de longues marches dans toutes sortes de conditions, expliqua Thierry.

Marie Suzanne servit à chacun une part de l'immense omelette qu'elle avait cuisinée. André la savoura lentement.

— C'est délicieux! se réjouit Siméon en émettant de petits bruits de satisfaction.

Après le repas, Thierry les prit à part pour leur raconter les derniers jours de Moyze. Il était décédé deux semaines après leur départ, entouré de la famille Delestre. André n'avait pas été surpris de ne pas retrouver Moyze à son arrivée, même si, pendant les trois mois où il avait été absent, il avait entretenu l'espoir qu'il guérirait.

— Pensez-vous qu'il était huguenot?

La question avait résonné comme une accusation. André sentit Siméon se raidir à ses côtés.

— Euh… son prénom à lui seul le suggérait, répliqua André, évitant de répondre directement à la question.

— Quoi qu'il en soit, mon poste de marguillier m'a permis d'obtenir un service funèbre pour lui, un peu écourté, mais solennel. Je ne pouvais concevoir qu'il n'en ait pas. Toute la famille était présente…

Il s'interrompit, la gorge nouée. André lui posa la main sur le bras.

— Je vous remercie d'avoir pris soin de lui.

Thierry accepta le remerciement d'un signe de tête.

André et Siméon retournèrent au lit pour le reste de la journée. En fin d'après-midi, Jeanne apporta à chacun une cuvette d'eau tiède, des linges et un peigne. Ils purent faire leur toilette avant de descendre pour le souper. Ils mangèrent avec appétit et discutèrent avec Thierry près du feu le reste de la soirée.

Le lendemain, Thierry les informa qu'une procession d'Action de grâce était organisée, précédée d'un *Te Deum* chanté à l'église Notre-Dame. Tous se mirent en route en

fin d'avant-midi, sauf Marie et Jeanne, qui devaient s'occuper des plus petits. La cérémonie parut longue à André,
d'autant plus que, l'église étant bondée, les soldats avaient
dû la suivre de l'extérieur. Thierry, en qualité de marguillier,
avait pris place à l'intérieur en compagnie de Marie Suzanne.

Puis, monseigneur de Laval sortit pour prendre la tête
de la procession, accompagné du marquis de Tracy, du
gouverneur de Courcelle, de l'intendant Jean Talon, du chef
agnier Bâtard Flamand, demeuré prisonnier à Québec
pendant la campagne, ainsi que des quatre prisonniers
ramenés par le marquis de Tracy.

Une fois la procession de retour devant l'église Notre-
Dame, André remarqua qu'une potence avait été dressée.
Le marquis de Tracy s'y dirigea, fit face à la foule et fit signe
à un membre de sa garde personnelle de venir le rejoindre.
Il lui murmura quelques mots, puis le soldat se dirigea vers
les Agniers. Au premier rang, les prisonniers iroquois ne
semblaient pas en mener large. Bâtard Flamand baissa la tête
à l'approche du soldat, mais quand ce dernier saisit l'Agnier
à ses côtés, il releva les yeux sur le marquis de Tracy, manifestement surpris de ne pas être emmené. Il s'avança d'un
pas, mais fut retenu par des soldats autour de lui.

— Ce prisonnier sera pendu, parce qu'il a violé les
articles de paix et causé le malheur des Agniers, annonça le
marquis de Tracy.

André vit l'Agnier se diriger vers la potence la tête haute.
Il entonna d'une voix ferme son chant de mort tandis qu'il
montait sur la plate-forme en bois et que le bourreau lui
passait la corde au cou. La foule était silencieuse, comme
hypnotisée par l'homme qui chantait, les yeux rivés sur son
chef. Les paroles étaient incompréhensibles pour la population, mais la plupart savaient que l'Agnier relatait les actes

de courage qu'il avait accompli dans sa vie. Par respect pour le guerrier, Alexandre de Prouville lui permit de terminer son chant avant de procéder à la pendaison.

Puis, le marquis de Tracy se tourna vers Bâtard Flamand et lui dit qu'il épargnait sa vie ainsi que celles des trois autres prisonniers afin qu'il retourne vers les siens et les convainque de garder la paix. Ils avaient quatre lunes pour accepter ses conditions, lesquelles incluaient la remise des prisonniers français et l'installation de familles iroquoises à Québec en guise d'otages.

12

8 novembre 1666, village de La Flotte, île de Ré, France

Marie Jacques Michel mit dans le panier les légumes choisis par sa cliente et y ajouta quelques tiges de camomille. Elle lui remit le panier accompagné d'un sourire forcé qui ne parvint cependant pas à éclairer son visage. À présent, l'heure était venue de tout remballer et de quitter la place du marché. Elle mit les légumes non vendus dans sa brouette et prit la route de la maison. En chemin, comme chaque fois, elle s'arrêta au bord de la mer pour prendre quelques instants de repos.

Elle laissa son regard courir sur l'océan et essaya désespérément de ne pas penser à André. Penser à lui était trop douloureux. Il était parti depuis plus de deux ans déjà. Deux longues années remplies de tristesse. Au début de son mariage avec Jean Gardin, elle avait sincèrement essayé d'enfouir sa peine au plus profond d'elle-même et avait tenté de mener une vie agréable avec son époux.

Pendant plus de six mois, elle avait cru y être parvenue. Mais un jour, alors qu'elle cueillait des légumes dans son potager, elle avait entrouvert la petite porte de son esprit derrière laquelle elle avait enfermé tous ses souvenirs d'André. C'était probablement trop tôt, puisqu'elle avait alors senti une immense vague d'émotion l'envahir et avait éclaté en sanglots. Son mari, l'ayant entendue, était allé la trouver et avait voulu savoir pourquoi elle pleurait ainsi. Bien sûr, elle ne voulait lui répondre. Très en colère, il avait tourné les talons, ayant sans doute deviné la raison de son chagrin. À partir de ce jour, il avait commencé à la traiter avec brusquerie.

Elle ne se permettait pas souvent de laisser libre cours à ses pensées, car elle était alors envahie par une tristesse trop lourde à porter.

— Je t'observe depuis plusieurs mois déjà.

Surprise, Marie Jacques se retourna. Une vieille femme était assise non loin et l'examinait. Marie Jacques la connaissait, mais ne lui avait jamais adressé la parole. Elle s'appelait Nouchka, était veuve depuis plusieurs décennies et personne ne savait trop de quoi elle vivait. Quelques années auparavant, certains avaient prétendu que c'était une sorcière, mais la plupart des gens la considéraient simplement comme une vieille femme un peu excentrique et tout à fait inoffensive.

— Tu es malheureuse, déclara Nouchka.

Ces quelques mots avaient été dits avec tellement de douceur et de compassion que les yeux de Marie Jacques se remplirent de larmes qu'elle laissa couler sur ses joues. Elle acquiesça en silence et reporta son regard sur la mer. De longs sanglots la secouèrent. Après avoir retrouvé son calme, elle se tourna pour parler à la vieille femme, mais celle-ci avait disparu. Marie Jacques se releva péniblement et reprit le chemin de son domicile.

— Te voilà enfin! J'ai faim, où est mon repas?

Une fois de plus, l'accueil de son époux était glacial. Marie Jacques y était dorénavant habituée et ne broncha pas. Il détestait qu'elle aille vendre des légumes et des herbes au marché. Il croyait que les gens se moquaient de lui, pensant qu'il ne pouvait subvenir seul aux besoins de sa femme et de sa belle-mère.

Lorsqu'il avait voulu lui interdire toute occupation autre que domestique après leur mariage, la mère de Marie Jacques avait élevé la voix et s'y était opposée. Ils habitaient dans *sa* maison, alors elle jouissait de certains droits et privilèges qu'elle n'entendait pas abandonner. Le terrain lui appartenait, et ce qui y poussait aussi. Pour une fois, Jeanne Dupont avait pris la défense de sa fille – non pour lui permettre de continuer à cultiver ses légumes et ses herbes comme elle aimait le faire, mais plutôt pour profiter du revenu supplémentaire que cela leur procurait. Tant pis si l'orgueil de son gendre était égratigné au passage.

Marie Jacques ne put s'empêcher de sourire au souvenir de l'air ahuri puis consterné de son époux au moment où sa mère s'était dressée devant lui. Il s'y était résigné de mauvaise grâce, mais ne perdait jamais une occasion de faire subir son ressentiment à sa femme.

— Le repas est prêt, ne t'inquiète pas, répliqua Jeanne Dupont d'une voix brusque.

Sa mère était de plus en plus souvent impatiente avec son gendre. Marie Jacques redoutait les moments où elle laissait transparaître son animosité, car, d'une façon ou d'une autre, elle en subissait les conséquences.

— Laissez-moi quelques minutes, dit Marie Jacques.

La conversation à table fut entrecoupée de longs moments de silence. Jeanne lui demanda des nouvelles des gens qu'elle avait rencontrés au marché. Marie Jacques ne lui parla que des femmes. Elle ne se risquait plus à parler des hommes, car son époux entrait alors invariablement dans une colère noire.

Marie Jacques remit de l'ordre dans la cuisine et fit la vaisselle en silence. Le soir venu, elle subit à nouveau les assauts de son mari, toujours furieux qu'elle soit allée au marché. Elle s'y soumit avec indifférence, ce qui apparemment l'enrageait davantage, mais elle n'y prêtait plus attention. Environ un an après leur mariage, alors qu'il était particulièrement hors de lui, il l'avait rudement giflée. Le lendemain, au marché, elle arborait une lèvre enflée et fendue. Personne ne posa de questions ; un mari avait le droit de corriger sa femme.

Cependant, quelques jours plus tard, Jean Gardin revint en fin de journée avec un œil enflé. Il raconta à sa femme et à sa belle-mère qu'il avait trébuché dans son atelier. Marie Jacques en doutait mais n'en laissa rien paraître. Elle lui confectionna un cataplasme de feuilles de millepertuis qu'elle lui demanda de tenir sur ses yeux. Puis elle fit infuser quelques feuilles qu'elle avait cueillies dans le buisson de gui. Cette tisane eut pour effet d'apaiser son évidente tension et de l'aider à dormir, évitant ainsi à Marie Jacques une autre querelle.

Depuis, il n'avait plus levé la main sur elle.

~

Trois jours plus tard, au retour de sa journée au marché, Marie Jacques s'arrêta de nouveau au bord de la mer. Nouchka, qui devait la guetter, la rejoignit et s'assit près d'elle.

— Tu pourrais prendre ma relève, tu sais, dit Nouchka.

Marie Jacques se tourna vers elle et lui porta un regard interrogateur. Avait-elle toute sa tête ? Qu'entendait-elle par « prendre sa relève » ? À sa connaissance, elle ne pratiquait aucun véritable métier. Mieux valait probablement ne pas la contrarier.

— Ah oui ? dit Marie Jacques d'un ton engageant.

Sa réplique amusa la vieille femme, qui secoua la tête.

— Je vois bien que tu me crois folle, mais je ne le suis pas. Je sais que tu cultives les plantes et les herbes, et que tu as même certaines connaissances pour bien les utiliser. Mais crois-moi, ce n'est rien à côté de ce que je peux t'enseigner.

Marie Jacques l'observa plus attentivement et Nouchka soutint son regard. Les deux femmes s'étudièrent en silence un long moment. Marie Jacques était indécise. La vieille femme ne semblait pas perturbée.

— Je te laisse réfléchir, fit Nouchka.

Marie Jacques l'observa s'éloigner lentement, puis poursuivit sa route, les paroles de Nouchka flottant dans son esprit. Elle affirmait avoir de grandes connaissances sur l'utilisation des plantes et souhaitait les lui transmettre. Marie Jacques cultivait les herbes depuis qu'elle était toute petite. Sa grand-mère paternelle le lui avait enseigné. Elle était morte trop tôt pour lui communiquer tout son savoir, lui avait-elle confié avec tristesse, juste avant de mourir.

Le soir, elle tenta d'interroger discrètement sa mère. Sa réaction la surprit grandement.

— Ne t'approche pas d'elle ! s'écria Jeanne, furieuse. Ah ! Elle va me le payer !

— Vous la connaissez bien ? l'interrogea Marie Jacques, surprise.

— Nnnon… non ! Que vas-tu chercher là ? répliqua Jeanne en se détournant.

Marie Jacques vit sa mère inspirer profondément avant de se retourner vers elle. Elle affichait un air qu'elle voulait sans doute rassurant.

— Ma fille, tu ne dois pas lui parler. C'est une vieille folle et l'on dit même que c'est une sorcière. Je ne voudrais pas qu'elle te jette un mauvais sort.

Marie Jacques était perplexe. Chaque fois que sa mère commençait une phrase par «ma fille» et qu'elle utilisait ce ton doucereux, elle mentait. Jeanne ne s'en rendait pas compte, mais Marie Jacques avait appris à décoder les expressions et les gestes de sa mère. Elle en déduisit donc que Nouchka n'était pas folle; sa mère la connaissait, mais elle ne voulait pas qu'elle entre en contact avec elle. Pourquoi? Que pouvait-elle bien avoir à cacher?

Marie Jacques était tentée, mais hésitait encore à approcher la vieille dame. Elle l'intriguait parce qu'elle lui avait dit connaître les plantes et les herbes. Or, la seule chose qui apportait un peu de bonheur à Marie Jacques était son travail dans le potager. Elle s'était investie corps et âme dans le soin qu'elle prodiguait à ses plantes, essayant désespérément d'oublier qu'elle était malheureuse.

Marie Jacques poussait sa brouette sur la route longeant le front de mer. Elle se rendait au moulin pour se procurer de la farine de froment. Elle était préoccupée parce qu'elle allait bientôt manquer de lin, dont elle se servait pour faire des cataplasmes. La superficie de son jardin n'était pas assez grande pour cultiver le lin et il lui faudrait donc en acheter au prochain jour de marché.

La vue de la tour circulaire blanchie à la chaux, coiffée d'un toit pointu couvert de bardeaux de chêne et munie de quatre immenses ailes qui tournaient rapidement, ravivait toujours chez Marie Jacques d'agréables souvenirs. Son père l'emmenait chaque semaine pour acheter de la farine et il en profitait pour discuter de longs moments avec son ami le meunier. Enfant, elle observait les ailes tournoyer sans fin et avait toujours l'impression qu'elles finiraient par toucher le sol.

À l'intérieur de la tour, un escalier en bois menait à la meule et, un étage plus haut, au mécanisme des ailes. Quelques rayons de soleil entraient par la plus haute lucarne, éclairant les particules de farine qui flottaient dans l'air. En ce lieu, Marie Jacques avait chaque fois l'impression de se trouver dans un sanctuaire.

— Bonjour, Marie Jacques.

Le meunier, monsieur Margotteau, l'accueillit avec chaleur. Elle connaissait depuis toujours cet homme trapu, au visage rond et jovial, à la chevelure noire constamment poudrée de farine blanche.

— Laisse-moi servir cette dame et je reviens bavarder avec toi.

Marie Jacques se tourna vers la femme, qu'elle n'avait pas vue. Surprise, elle découvrit Nouchka qui se tenait en retrait. Le meunier termina de remplir son sac et l'attacha solidement.

— Je vais aller vous le déposer dans votre brouette.

— C'est très aimable à vous, monsieur Margotteau, répondit Nouchka.

Elle salua Marie Jacques et sortit à la suite du meunier.

— Vous la connaissez bien ? demanda Marie Jacques à son retour.

— Qui ? Ah ! Madame Nouchka ? Je la connais depuis de nombreuses années.

— On dit qu'elle est un peu étrange…

— Il ne faut pas croire tout ce que les gens racontent, commenta monsieur Margotteau.

Il hésita, puis il sembla prendre une décision.

— Je vais te révéler un secret, parce que tu es la fille de mon ami disparu. Tu dois me promettre que tu ne le répéteras à personne.

Quand elle était enfant, monsieur Margotteau lui racontait souvent des « secrets ». Il se penchait vers elle d'un air conspirateur et lui faisait jurer de ne rien révéler. Il chuchotait à son oreille pour que son père ne l'entende pas. Immanquablement, il lui indiquait où elle pourrait trouver une sucrerie que sa femme avait confectionnée.

— Il y a longtemps que vous ne m'avez pas dit de secret. Je jure de le conserver envers et contre tous, promit Marie Jacques avec le sourire.

— Écoute ton cœur.

Marie Jacques attendait la suite, qui ne vint pas.

— C'est le secret ?

— Tout à fait ! Quand tu as une décision à prendre, prends le temps d'écouter ton cœur, il te sera toujours de bon conseil.

Marie Jacques ne saisissait pas. Le meunier venait de lui conseiller de ne pas croire tout ce que les gens racontaient au sujet de Nouchka. Pourquoi lui disait-il cela ? À moins que…

— Oh !… Vous êtes certain ?

— J'y crois plus que tout au monde.

Marie Jacques l'observa un moment, puis elle prit sa décision.

— Pouvez-vous me préparer deux boisseaux de farine de froment ? Je vais me hâter de rentrer chez moi.

— Je te donne cela tout de suite, Marie Jacques, se réjouit le meunier.

— Je vous remercie… pour tout, déclara-t-elle.

Le meunier s'empressa de déposer son sac de farine dans la brouette. Comme un père à sa fille, il posa sa main sur ses cheveux et lui donna un baiser sur le front. Marie Jacques se mit en route d'un pas rapide et rattrapa Nouchka en quelques minutes.

— Alors, vous voulez me transmettre vos connaissances des plantes et des herbes, si j'ai bien compris, commença Marie Jacques.

La vieille femme lui lança un regard de profonde gratitude, comme si elle venait de la sauver de la noyade.

— Tu ressembles tant à ta grand-mère, dit-elle d'une voix nostalgique.

— Vous l'avez connue ?

Marie Jacques fixait la vieille femme avec surprise.

— J'aimerais m'asseoir et me reposer un moment, indiqua Nouchka.

Les deux femmes déposèrent leur brouette et se dirigèrent vers la plage.

— Je l'ai connue alors que nous avions tout juste vingt ans, poursuivit Nouchka après s'être assise par terre.

Le regard fixé sur la mer, la vieille femme laissa ses pensées la ramener près d'un demi-siècle en arrière. Elle prit une poignée de sable dans ses mains, écarta légèrement les doigts et le laissa s'écouler lentement.

— Je venais de me marier, et mon époux et moi venions de nous établir dans l'île de Ré. Ta grand-mère a épousé ton grand-père dans les semaines qui ont suivi. Ils habitaient la maison voisine. Nous sommes devenues amies et elle m'a aidée à m'adapter.

— Votre prénom, Nouchka… vous n'êtes pas d'ici, n'est-ce pas ? demanda Marie Jacques.

— Je suis née en Russie et mon prénom signifie Anne en russe. Mes parents ont fui la Russie alors que je n'étais qu'une enfant. Le tsar, le fils d'Ivan IV dit Le Terrible, était mort sans descendance légitime et plusieurs familles pré-tendaient férocement au trône et étaient prêtes à tout pour l'obtenir. Une époque de grandes perturbations pour mon peuple.

Marie Jacques garda le silence, attendant qu'elle conti-nue. Elle remarqua que de lourds nuages envahissaient lentement le ciel. Il allait pleuvoir et elle en était soulagée. Le potager avait grand besoin d'eau et la pluie lui éviterait plusieurs allers-retours éreintants au puits.

— Mon époux est décédé après quelques années, avant que je ne puisse avoir des enfants, et je ne me suis jamais remariée, poursuivit la vieille femme.

— Vous cultiviez les plantes et les herbes avec ma grand-mère ?

Nouchka perdit son air mélancolique et se tourna vers Marie Jacques, les yeux brillants.

— Nous avons tout de suite partagé notre savoir sans hésitation. Ma mère m'avait enseigné tout ce qu'elle savait avant que je me marie, tout comme ta grand-mère avait tout appris de la sienne. Ces précieuses connaissances se trans-mettent de mère en fille depuis des siècles.

La vieille femme poussa un soupir.

— Elle me manque. Elle a été la seule amie que j'aie jamais eue, ajouta-t-elle tristement.

Marie Jacques ramena ses genoux sur sa poitrine et les entoura de ses bras.

— À moi aussi, elle me manque beaucoup, confia-t-elle, la gorge serrée.

La jeune femme suivit des yeux le vol gracieux d'un oiseau qui s'empressait d'aller se mettre à l'abri avant la pluie. Quelques mèches de cheveux qui s'étaient détachées de son chignon flottaient au vent.

— Elle devait te transmettre tout notre savoir pour que tu puisses le transmettre à ton tour à ta fille, plus tard, affirma Nouchka. Elle m'a fait promettre de le faire à sa place, avoua-t-elle.

La vieille femme se tourna vers Marie Jacques, son visage exprimant une supplique silencieuse.

— Si tu es d'accord, bien entendu.

Marie Jacques sentit une grande quiétude l'envelopper. Elle avait l'impression de retrouver un peu sa grand-mère bien-aimée qui avait été présente durant toute son enfance, partageant ses joies et ses peines. Elle ferma les yeux et la vit en pensée dans son immense potager, penchée sur ses plantes, avec son doux visage. Elle pouvait presque sentir encore son odeur particulière, un mélange d'herbes aromatiques et de miel.

— Rien ne me ferait plus plaisir, assura Marie Jacques.

Spontanément, elle serra Nouchka dans ses bras et appuya sa joue sur son épaule, comme elle le faisait avec sa grand-mère. Après un instant de surprise, la vieille femme referma ses bras sur elle. Des larmes coulaient sur leurs joues. Les deux femmes avaient toutes les deux l'impression d'avoir retrouvé une personne disparue depuis longtemps.

13

André fendait des bûches dans le petit jardin de la résidence de Thierry. Il travaillait à un rythme régulier, levant haut la hache au-dessus de sa tête, puis l'abattant avec force sur les billots. Le froid des semaines précédentes avait gelé le bois, ce qui lui facilitait la tâche. Il poussa les morceaux de son pied, se pencha et mit une autre bûche en position.

L'hiver précédent, Thierry lui avait enseigné comment fendre le bois. Dans l'île de Ré, il n'y avait pas assez d'arbres pour fournir du bois de chauffage. Ils devaient s'approvisionner en bois à La Rochelle; les bûches arrivaient donc toutes prêtes pour le chauffage. C'était une tâche qu'André appréciait, car il utilisait ses muscles et pouvait laisser son esprit vagabonder librement.

Il s'autorisa une pause et retourna dans la maison pour boire de l'eau. Il entra en coup de vent, faisant sursauter Marie Suzanne et ses deux aînées. Une délicieuse odeur de pain l'assaillit aussitôt, lui faisant monter l'eau à la bouche.

— Hum! J'ai faim, dit-il.

— Tu devras patienter, car je dois terminer tous les pains pour la messe de minuit.

— C'est vous qui préparez le pain bénit à distribuer à tous ceux qui seront à l'église?

— Pour l'instant, il n'est pas encore béni, mais c'est exact, confirma Marie Suzanne.

— C'est un grand honneur pour notre mère de cuire le pain pour la messe de minuit, commenta Jeanne.

Soudain, Siméon pénétra dans la maison, laissant entrer un tourbillon de vent.

— Hum ! J'ai faim, dit-il.

Ils éclatèrent tous de rire, faisant froncer les sourcils à Siméon.

— Toi aussi, tu devras patienter, l'avertit Marie Suzanne.

— Viens, nous allons rentrer le bois que j'ai fendu et je t'expliquerai, indiqua André.

— Merci, vous êtes des anges.

Une heure plus tard, ils purent prendre place à table.

— Quand doit-on aller porter les pains à l'église ? s'enquit Thierry.

— Après le repas, répondit Marie Suzanne.

— Nous allons y aller avec vous, dit André.

— Parfait ! Ce n'est pas une lourde charge, mais il y en a une multitude, souligna Thierry en jetant un coup d'œil sur tous les pains qui refroidissaient un peu partout dans la maison.

La période des fêtes fut à la fois joyeuse et triste pour André. Cela faisait plus d'un an à présent qu'il habitait avec cette famille qu'il appréciait. Il en était heureux et se savait privilégié. Néanmoins, sa propre famille lui manquait énormément et il ne s'était pas encore tout à fait remis du décès de son ami Moyze.

Deux semaines plus tard, tôt le matin, un soldat se présenta chez Thierry Delestre pour convoquer André et Siméon au château Saint-Louis.

— Que crois-tu qu'ils nous veulent ? demanda Siméon.

— Aucune idée, avoua André, perplexe.

À l'heure dite, ils faisaient leur entrée au fort Saint-Louis. Un soldat les accompagna à la salle des conseils où les attendaient le capitaine Alexandre de Berthier et le lieutenant Claude-Sébastien Lebassier de Villieu. Ils les accueillirent avec empressement et leur offrirent un siège.

Le capitaine de Berthier s'éclaircit la gorge et s'adressa à eux d'une voix chaude.

— Nous sommes ici pour vous remercier officiellement d'avoir secouru l'enseigne Pierre Lauxain de Caviteau lors de la dernière campagne. Sans vous, mon officier serait certainement mort. Vous avez fait preuve de courage et de détermination en le transportant pendant plusieurs heures.

Il s'interrompit, prit sur la table une bouteille remplie d'un liquide de couleur ambrée et en remplit les verres. Il en remit un à chacun et leva le sien en regardant André et Siméon, qui se tenaient immobiles.

— À votre santé, et longue vie à vous deux !

Ils levèrent tous leurs verres qu'ils burent d'un trait. L'alcool était exquis et procurait une douce chaleur. Le capitaine remplit leur verre de nouveau et, cette fois, ils le dégustèrent à petites gorgées.

— Racontez-nous ce qui s'est passé, voulut savoir Alexandre de Berthier.

André décrivit leur périple, mais passa sous silence la conversation qu'ils avaient eue avec l'officier.

— Encore une fois, je vous remercie, réitéra le capitaine.

— Pierre Lauxain de Caviteau veut aussi vous rencontrer. Il aimerait que vous lui rendiez visite à l'Hôtel-Dieu, où il est alité, ajouta le lieutenant Lebassier de Villieu.

— Bien sûr, répondit André.

L'entretien était terminé. André et Siméon sortirent en silence et se rendirent à l'Hôtel-Dieu, où les sœurs augustines soignaient les malades. Ils demandèrent à voir l'enseigne et, après quelques minutes d'attente, on les conduisit à son chevet. Ils se tenaient droits, au pied du lit, ne sachant que dire.

— Je vous remercie d'être venus, commença Pierre Lauxain de Caviteau.

Il tenta de se redresser en grimaçant. Une religieuse qui passait par là lui vint en aide et l'adossa à plusieurs oreillers. Il la remercia d'un signe de tête, puis s'adressa à André et à Siméon.

— Je vous suis extrêmement reconnaissant de m'avoir porté secours lors de la marche vers le pays iroquois.

André allait répliquer, mais l'enseigne leva la main pour lui indiquer qu'il n'avait pas terminé.

— J'évalue à sa juste valeur ce que vous avez fait et je suis maintenant votre obligé pour le reste de mes jours, continua-t-il.

Son visage refléta ensuite sa gêne et il hésita de longues minutes avant de poursuivre courageusement.

— Depuis que je suis prisonnier de ce lit, j'ai eu le temps de réfléchir. Je dois être honnête et reconnaître que, même si vous venez tous deux de milieux modestes – cela dit sans vous offenser –, vous m'avez enseigné le respect beaucoup mieux que mon père qui, pourtant, fait partie de la noblesse. Je n'aurais jamais cru cela possible.

Il secoua la tête comme s'il ne le croyait pas encore. André et Siméon étaient silencieux, se balançant d'un pied sur l'autre, ne sachant quelle attitude adopter. Enfin, André s'éclaircit la voix et déclara :

— Nous sommes touchés par vos remerciements.

Siméon approuva d'un hochement de tête.

— S'il y a quoi que ce soit que je puisse faire pour vous, n'hésitez pas à me le demander, conclut l'enseigne.

Les deux hommes le quittèrent après lui avoir assuré qu'ils n'avaient besoin de rien. Une fois à l'extérieur, ils redescendirent vers la Basse-Ville pour retourner chez Thierry.

— Ouf! Quelle déclaration! s'exclama Siméon. Il semblait sincère, mais crois-tu qu'il l'était vraiment?

— Je crois que nous l'avons ébranlé plus que si nous l'avions battu de toutes nos forces, affirma André d'un air songeur.

Ils marchèrent en silence un moment, puis Siméon ajouta:

— Il m'est venu à l'esprit de lui demander d'être dispensé des gardes de nuit, mais cela enlèverait tout plaisir au métier de soldat, tu ne crois pas?

Le lendemain, André et Siméon accompagnèrent Marie Suzanne et Thierry à la place du marché. Ce dernier les avait informés qu'un huissier ferait la lecture publique d'une décision du Conseil souverain. Au moins deux cents personnes étaient déjà présentes au moment où ils parvinrent sur la place, et d'autres arrivaient chaque minute. L'atmosphère était à la joie et les gens discutaient entre eux, heureux d'échapper quelque temps à l'air enfumé de leurs demeures. Le soleil brillait, mais la température demeurait froide, les faisant sautiller sur place et se frotter les mains l'une contre l'autre.

Soudain, la foule se fendit, laissant le passage à un homme accompagné de six soldats qui tenait un document roulé dans sa main. Il s'avança au milieu de la place et un des soldats qui portait un tabouret le posa au sol pour qu'il puisse y monter. L'homme détacha le ruban et déroula le document. Il leva les yeux vers l'assistance, attendant que le silence se fasse.

— « Depuis l'établissement de cette colonie, la traite des boissons enivrantes a été défendue être faite aux Sauvages à cause des désordres qui en découlent et qui peuvent de beaucoup retarder l'avancement du christianisme parmi ces peuples infidèles ou devenus chrétiens et même préjudicier à l'établissement de la colonie ainsi que l'expérience l'a fait voir par les meurtres et violences qui s'en sont ensuivis. »

— Ce sont les marchands qui donnent de l'eau-de-vie aux Sauvages, cria une femme dans la foule.

— Nous ne voulons plus de violence, s'époumona une autre.

— Allez-vous finir par les empêcher de leur en vendre ? s'enquit un homme.

En guise d'approbation, un grognement sourd courut dans la foule. L'huissier du Conseil souverain s'était interrompu, avait relevé la tête et marquait une pause le temps que le silence revienne, pour bien faire comprendre que la suite était de la plus haute importance.

— « C'est pourquoi le Conseil requiert que lesdites défenses soient derechef réitérées. Le Conseil fait défense à toutes personnes de quelque qualité et condition qu'elles soient de donner, vendre ou traiter aux Sauvages directement ni indirectement sous quelque prétexte que ce puisse être, aucune boisson enivrante sur peines de cinq cents livres d'amende pour la première fois et du fouet pour la seconde fois et, en cas de récidive, aux galères perpétuelles. Excepté les volontaires, compagnons et valets qui seront punissables pour la première fois de telle punition corporelle qui sera estimée à propos par ledit Conseil s'ils n'ont de quoi satisfaire à ladite amende. Pareilles inhibitions et défenses sont faites à tous Sauvages de quelques langues ou nations qu'ils soient de traiter des mêmes boissons à peine d'amende arbitraire, et pour ceux qui s'en seront enivrés, d'être attachés au carcan pendant trois heures. Afin que lesdits Sauvages ne puissent ignorer de la teneur de ce présent arrêt, le Conseil a ordonné qu'il leur soit lu, expliqué et interprété par ceux des pères de la compagnie de Jésus qui ont soin de les instruire des principes de la religion catholique, apostolique et romaine auxquels, à cet effet, il sera délivré copie dudit arrêt. »

Hommes et femmes approuvèrent bruyamment. L'huissier promena son regard sur l'assemblée, visiblement satisfait d'avoir mené sa tâche à bien. Il roula de nouveau son document, l'attacha et descendit du tabouret. Il fendit la foule et disparut au coin d'un bâtiment. Les personnes autour d'André discutaient avec fougue de ce sujet qui suscitait de vives inquiétudes.

Thierry fit signe qu'il rentrait. André et Siméon lui emboîtèrent le pas, non sans remarquer qu'on leur lançait des regards irrités. Une fois à la maison, Marie Suzanne se tourna vers son mari.

— Mes frères continuent de vendre de l'eau-de-vie aux Sauvages, n'est-ce pas ?

Thierry hésitait à répondre.

— Beaucoup moins qu'auparavant…

— Mais c'est interdit ! s'écria-t-elle.

Thierry se passa une main dans les cheveux, puis soupira.

— C'est ce qu'ils exigent en échange de leurs fourrures. Si nous ne leur donnons pas d'eau-de-vie, ils se tournent vers les Anglais qui, eux, le font. Alors, les Anglais obtiennent les plus belles fourrures. Le roi ne veut pas non plus que nous leur échangions trop de fusils pour éviter qu'ils se retournent contre nous, mais les Anglais le font sans restriction. Alors, pour nous, les Français, il ne reste que les couteaux, les chaudrons, les couvertures, les haches et les aiguilles à échanger.

— Tout est donc une question de profit, à ce que je comprends, commenta Marie Suzanne, dégoûtée.

Thierry hocha simplement la tête.

Au début du mois d'avril, quatre des cinq nations iroquoises avaient envoyé à Québec des délégations pour négocier un traité de paix. Seuls les Agniers étaient absents. Après qu'Alexandre de Prouville, marquis de Tracy, eut menacé de faire pendre tous les chefs et sachems qu'il détenait en otage, Bâtard Flamand s'était présenté à Québec milieu avril. Il avait tenté de négocier des arrangements, mais devant la fermeté du marquis de Tracy, les Agniers l'avaient pris au sérieux et s'étaient finalement décidés à envoyer à Québec une véritable délégation qui signa enfin, en mai, le traité de paix.

Depuis, Jean Talon s'activait à recruter des colons parmi les soldats. Sans perdre de temps, il avait mandaté les capitaines des vingt-quatre compagnies pour qu'ils persuadent leurs troupes de s'établir en Nouvelle-France, promettant même une prime pour les capitaines qui convaincraient le plus grand nombre de soldats. Alexandre de Berthier discuta donc avec ses soldats en petits groupes pour essayer de les convaincre.

— Le roi vous fera remettre à chacun cent livres sous formes diverses, que ce soit des outils, des meubles, un bœuf, des cochons ou des poules, pour vous aider à vous installer sur votre nouvelle concession, expliqua-t-il. De plus, votre solde vous sera payée jusqu'à l'année prochaine, même si vous n'êtes plus en service actif. Vous serez relevés de vos tours de garde pour entreprendre le défrichement de vos terres.

Il marqua une pause et conclut de sa voix la plus convaincante :

— La Nouvelle-France a besoin de jeunes hommes courageux comme vous. De plus, l'offre qui vous est faite est très avantageuse. C'est beaucoup plus que ce que vous pouvez espérer obtenir en France.

Après mûre réflexion, André et Siméon décidèrent finalement de s'établir en Nouvelle-France. Leur décision prise, ils demandèrent à rencontrer Alexandre de Berthier pour accepter l'offre. Après les avoir félicités, leur capitaine organisa une rencontre avec l'intendant Jean Talon, au château Saint-Louis, la semaine suivante.

Le jour du rendez-vous, les deux amis se tenaient dans le vestibule, fébriles et impressionnés, attendant que Jean Talon les reçoive. Un soldat vint les chercher et les conduisit à son bureau.

— Entrez, Messieurs, et prenez place.

L'intendant s'était levé à leur arrivée et les invita à s'asseoir. Il était grand et mince. Ses vêtements étaient de bonne qualité, mais sobres. Il portait une perruque de cheveux longs et ondulés comme c'était l'usage chez les gentilshommes de France. Son long nez droit attirait le regard et masquait sa petite bouche aux lèvres ourlées. Son visage était ouvert et souriant. Il les félicita pour leur décision de s'établir en Nouvelle-France.

— Nous devrions pouvoir produire tout ce dont nous avons besoin dans un avenir assez rapproché. Pour cela, il nous faut défricher un plus grand territoire afin d'en tirer les produits nécessaires à notre subsistance et d'exporter nos surplus. Nous pourrions exporter en France et aux Antilles beaucoup plus que nous ne le faisons actuellement.

Il s'était levé et marchait de long en large en agitant les bras, tout à son discours. Il parlait d'une voix rapide et résolue.

— Je veux que nous ayons une industrie navale. Nous possédons le bois nécessaire pour construire de grands navires. Nous pouvons fabriquer du goudron, des cordages, des mâts. J'incite les colons à produire du lin et du chanvre pour confectionner leurs vêtements. Nous avons du cuir en abondance pour façonner nos souliers. Nous pouvons exporter les surplus de la pêche.

Il s'arrêta un instant afin de reprendre son souffle. Ses joues étaient roses de plaisir et ses yeux brillaient.

— Comme toujours, je m'enflamme lorsque je pense à toutes les possibilités que nous offre cette Nouvelle-France.

Il replaça sa perruque, qui avait glissé.

— Je vais faire construire une brasserie. J'ai déjà reçu les deux chaudières que j'avais commandées l'automne dernier. Nous allons utiliser nos surplus d'orge et de blé pour fabriquer de la bière. Avez-vous une idée de la somme que nous dépensons par année pour importer de France de l'eau-de-vie et du vin ?

Il venait de se tourner vers ses interlocuteurs, l'air inter-rogatif, ses longs sourcils froncés.

— Euh… non, admit André.

— Plus de cent mille livres. N'est-ce pas scandaleux ?

Il n'attendit pas la réponse et poursuivit avec conviction.

— La Nouvelle-France a besoin d'hommes comme vous. Vous pouvez cultiver, apprendre un métier et contribuer à faire prospérer la colonie. Vous devrez vous marier et fonder une famille.

Il s'arrêta net et pivota vers eux.

— C'est bien votre intention, n'est-ce pas?

— Bien sûr! répondit Siméon.

Satisfait de la réponse, Jean Talon reprit son va-et-vient tout en continuant à parler.

— Je suis conscient qu'il y a peu de femmes disponibles. Croyez-moi, j'en suis sincèrement désolé. C'est pourquoi j'ai demandé au ministre Colbert de nous envoyer plus de filles à marier cette année et dans les quelques années à venir pour que vous puissiez trouver une épouse. En plus de fonder une famille, vous devrez vous établir sur votre terre. J'ai écrit une ordonnance qui précise que le seigneur doit inclure dans le contrat de concession que le censitaire doit tenir feu et lieu dans les douze mois de la concession ainsi que défricher et mettre en culture deux arpents par année. Défense aussi de vendre la terre avant d'avoir défriché deux arpents et d'y avoir érigé une maison.

Il s'arrêta et reprit place à son bureau, l'air songeur. Puis, il sembla se souvenir que les hommes devant lui venaient précisément pour obtenir une concession. Il concentra son regard sur eux et leur demanda ensuite où ils aimeraient s'installer.

— Nos amis Bernard Chapelain et Jean Giron ont obtenu une concession l'année dernière dans le village de la Petite-Auvergne. Nous savons qu'il n'y en a plus de disponibles, mais peut-être qu'il y en a plus loin à Charlesbourg, indiqua André.

— Pourrions-nous avoir deux concessions près l'une de l'autre pour faciliter notre entraide? demanda Siméon.

— C'est une excellente idée. D'ailleurs, le village de Charlesbourg, avec toutes ses terres qui se rejoignent au centre, a justement été conçu dans un but de coopération et de protection des habitants. Par contre, les seules terres non encore concédées à Charlesbourg sont isolées les unes des autres, révéla Jean Talon.

André en fut déçu.

— Laissez-moi vérifier ce qu'il reste.

Talon alla fouiller dans sa bibliothèque débordante de cahiers et de livres de toutes sortes et il sortit finalement une liasse qu'il feuilleta un moment.

— J'ai trouvé ce qui pourrait vous intéresser. Les terres vacantes sont situées à moins d'une demi-lieue à l'ouest du village de Charlesbourg. Je crains que, pour l'instant, ce futur village ne soit peu peuplé, mais les autres terres ne tarderont pas à être concédées. Cela vous conviendrait-il ? demanda-t-il.

— Tout à fait, approuva André, enthousiaste.

— Je suis d'accord aussi, affirma Siméon.

— C'est Dame Guillemette Hébert qui détient cette seigneurie du nom de Saint-Joseph. Une grande dame à n'en pas douter. Elle est arrivée ici en 1617 avec son père Louis Hébert, un apothicaire. On dit de lui qu'il fut le premier colon à s'établir avec sa famille en Nouvelle-France. Quel homme courageux ! Elle a été mariée à Guillaume Couillard à l'âge de quinze ans et elle a eu dix enfants. C'est un modèle pour les nouveaux colons.

André et Siméon acquiescèrent en silence.

— Où êtes-vous logés ?

— Nous sommes chez Thierry Delestre dit Levallon, répondit Siméon.

Jean Talon eut un léger mouvement de surprise.

— C'est un bourgeois bien établi. J'ai eu le plaisir de le rencontrer à plusieurs occasions. Il a confectionné plusieurs habits pour les officiers. Un homme de qualité, pour sûr. Je vous ferai porter un mot chez monsieur Delestre pour vous informer de la date de la rencontre avec dame Hébert.

Avec son efficacité habituelle, Jean Talon leur avait obtenu dès le lendemain un rendez-vous. Deux jours plus tard, ils remontèrent donc la côte de la Montagne et se présentèrent chez dame Hébert à l'heure dite. Une servante vint leur ouvrir la porte et les conduisit dans une pièce meublée de plusieurs chaises et fauteuils ainsi que d'une table basse.

— Bonjour à vous, Messieurs, les accueillit la seigneuresse en entrant dans la pièce.

Les hommes se levèrent pour la saluer et se présenter. Elle était âgée d'au moins une soixantaine d'années et se déplaçait lentement, mais son regard était vif. Quelques cheveux blancs s'échappaient de sa coiffe en dentelle. Sa longue robe noire témoignait de son veuvage.

— Mon ami Jean Talon m'a dit que vous désiriez vous établir en Nouvelle-France. Je vous félicite. Nous avons besoin de jeunes hommes comme vous pour faire prospérer notre colonie.

André et Siméon hochèrent la tête. André sourit intérieurement. Tous semblaient s'accorder sur ce point.

— Je suis entièrement disposée à vous accorder une concession.

Les deux hommes poussèrent des exclamations de joie. Guillemette Hébert leva la main pour faire cesser les débordements d'enthousiasme.

— Cependant…

Les deux amis s'immobilisèrent, soudain attentifs.

— Cependant, reprit-elle, ce ne sera officiel que si vous me démontrez que vous saurez la défricher et la faire prospérer.

Elle lissa de la main le tissu sans plis de sa jupe et poursuivit.

— L'année prochaine, une fois que je serai en mesure de constater le travail effectué et le sérieux de votre désir de vous établir, je ferai préparer le contrat chez le notaire. Je suis prête à concéder des terres, mais à des hommes fiables. Comprenez bien que cette mesure vise à éviter d'octroyer des terres qui ne seront pas mises en valeur.

— Nous désirons sincèrement nous établir en Nouvelle-France. Nous sommes prêts à travailler avec autant d'ardeur qu'il le faudra, assura André.

— Voilà qui est bien, approuva Guillemette Hébert. Chaque concession implique un cens et rente de trois livres et deux chapons vifs, que vous devez me remettre chaque année le jour de la Saint-Martin. Cela vous convient-il ?

Les deux hommes acquiescèrent à l'unisson.

— Demain matin, à sept heures, mon homme de confiance, Jean Bray, vous conduira sur les lieux et vous pourrez lui confirmer si ces terres sont à votre satisfaction.

André et Siméon affirmèrent qu'ils seraient présents le lendemain et la remercièrent avec effusion avant de la quitter. Une fois dans la rue, ils laissèrent éclater leur joie en poussant un cri de satisfaction.

— Viens, allons célébrer à l'auberge en prenant une bonne chope de bière, proposa Siméon.

Ils entrèrent et prirent place à une table dans un coin. La servante apporta deux chopes.

— Là-bas, dans la forêt, il faudra nous entraider si nous voulons survivre. En utilisant les forces de chacun, nous pourrons prospérer. Si nous travaillons chacun de notre côté, ce sera plus difficile, dit André.

— Ce n'est que le début de notre partenariat, lança Siméon.

Ils levèrent leur chope, le sourire aux lèvres et les yeux pleins d'espoir.

— Que tramez-vous, tous les deux ?

Jean Giron s'avançait vers leur table.

— Nous allons recevoir chacun une terre en concession, expliqua André d'une voix forte.

— Félicitations !

Il fit signe à la servante de lui apporter une chope de bière avant de s'asseoir.

— À quel endroit ?

— Tout près du village de Charlesbourg, semble-t-il. L'homme de confiance de dame Hébert nous y conduira demain.

— Je crois savoir que ces terres sont à l'ouest de Charlesbourg. Pour vous y rendre, vous devrez traverser la rivière Saint-Charles par le bac, puis prendre la route vers le village de la Petite-Auvergne, où j'habite ; ensuite vous continuerez vers le village de Charlesbourg dans les hauteurs.

Jean Giron leva la chope que la servante venait de poser devant lui.

— Encore une fois, félicitations !

— Puis-je savoir ce que vous célébrez ?

André se retourna. Un homme se tenait devant leur table, leur manifestant un intérêt sincère.

— Ah ! C'est toi, Michel. Joins-toi à nous, l'invita Jean.

Il leur présenta Michel Riffault, un maçon travaillant à l'Hôtel-Dieu qu'il avait connu peu après son arrivée en Nouvelle-France. Celui-ci détenait la terre voisine de la sienne au village de la Petite-Auvergne, près de Charlesbourg.

— Nous célébrons l'obtention de leurs nouvelles concessions, poursuivit Jean.

Michel approcha une chaise tout en appelant la servante d'un signe de la main.

— Une nouvelle tournée, je vous prie.

Puis, il s'assit et s'adressa à André et Siméon :

— Nos terres ne sont pas tellement éloignées l'une de l'autre. Si vous avez besoin de faire creuser un puits, je suis votre homme.

Il devait avoir tout juste la trentaine, mais ses sourcils très fournis formaient une ligne presque continue et le faisaient paraître plus vieux.

— Il faudra défricher et décider où construire la maison auparavant, mais cela fait, nous ferons appel à vous, affirma André.

Ils entrechoquèrent leurs chopes une fois de plus, puis ils entendirent à la table voisine un homme qui s'exclamait, l'air indigné :

— Si quelqu'un ose tuer un de mes cochons, il verra de quel bois je me chauffe, c'est moi qui vous le dis !

Jean hochait la tête tout en écoutant l'homme.

— Ce sont des bourgeois pour sûr qui ont eu cette idée. Pour eux, c'est facile d'utiliser leurs engagés pour couper les arbres, les scier et construire des clôtures.

D'autres hommes dans l'auberge l'approuvèrent et des remarques fusèrent sur la stupidité des nouveaux règlements.

— Savez-vous de quoi il parle ? demanda Michel.

— Aujourd'hui, sur la place du marché, nous avons eu lecture publique d'une nouvelle décision du Conseil souverain, répondit Jean. Dorénavant, les cochons devront être gardés dans des enclos, car s'ils font des dommages dans les champs, le propriétaire lésé pourra les abattre.

— Je comprends mieux pourquoi il est en colère. Il paraît qu'il y a aussi eu une flagellation. Vous y étiez ?

D'un coup, la bonne humeur d'André tomba. Pour la première fois de son existence, il avait été témoin d'une flagellation publique. Dans son village de l'île de Ré, il n'y en avait à peu près jamais et il n'avait pas assisté à la dernière, étant trop jeune.

— Oui. Un habitant de Ville-Marie qui faisait appel de sa sentence. Il a reçu six coups de fouet à la haute-ville et autant à la basse-ville.

Le malheureux était arrivé à la place du marché en traînant les pieds, les mains liées devant lui et le dos strié de lignes rouges, parce qu'il avait déjà reçu la moitié de son châtiment à la haute-ville. Le premier coup l'avait surpris et il avait lâché un cri de douleur, puis il avait serré les dents et avait gardé le silence. Seul un grognement de souffrance lui échappait à chaque coup. Le bruit de la lanière frappant la peau de l'homme résonnait sur les murs des maisons bordant la place du marché.

Jean croisa le regard d'André.

— Tu ne dois pas le plaindre. Il était certainement heureux de recevoir ces coups de fouet, avança Jean.

André le dévisagea d'un air ahuri, ce qui déclencha le rire de Jean.

— Il avait été condamné à être marqué d'une fleur de lys, à soixante livres d'amende et à trois ans de galère. À la place, il n'a reçu que douze coups de fouet. Il avait volé treize minots de blé. On dit aussi qu'un officier qui abuse de ses pouvoirs à Montréal, le capitaine de La Frédière, a la mainmise sur les réserves de blé. Il a certainement commis ce vol pour nourrir ses enfants, supposa Jean.

Ils discutèrent ainsi le reste de l'après-midi, échangeant des nouvelles et des plaisanteries.

14

18 mai 1667, village de La Flotte, île de Ré, France

Chaque matin, à l'aube, Marie Jacques commençait sa journée agenouillée parmi ses plantes, à respirer leur parfum et à écouter le chant des oiseaux. Elle savourait ce moment où elle était seule et pouvait réfléchir tranquillement.

Elle désherba autour de ses achillées millefeuille et, comme chaque fois, le souvenir du cataplasme qu'elle avait préparé pour André avec cette plante lui revint en mémoire. Elle sourit au souvenir de son air ébahi. Il ne se rendait pas du tout compte qu'il attirait les regards des jeunes filles. Elle était encore étonnée d'avoir eu l'audace de l'aborder ce jour-là. Au fil de leurs rencontres, elle avait découvert un homme au charme duquel elle avait été plus sensible qu'elle ne l'eût cru possible.

— Mon Dieu ! Comme tu me manques, chuchota-t-elle.

Toute la peine contenue céda soudain et les larmes jaillirent de ses yeux. Elle serra ses bras contre sa poitrine, se recroquevilla sur elle-même et demeura ainsi prostrée plusieurs minutes.

— Qu'est-ce que tu fais là ? demanda soudain Jean Gardin d'une voix bourrue.

Marie Jacques se redressa précipitamment.

— Rien... j'ai simplement des crampes au ventre, répliqua-t-elle sans se retourner.

— Ça veut certainement dire que tu n'es toujours pas capable de me donner un fils, cracha-t-il.

Son époux tourna les talons rageusement et rentra dans la maison. Elle s'assura que les bulbes de ses plants d'ail étaient bien recouverts avant de rentrer à son tour pour aller préparer le déjeuner.

Dès que Jean fut parti, elle annonça à sa mère qu'elle allait chez une amie qui avait besoin de son aide et se rendit chez Nouchka. D'un regard, la vieille dame détecta sa peine et la prit dans ses bras. Marie Jacques s'y abandonna un moment.

— Qu'y a-t-il, ma petite?

Tout comme sa grand-mère, Nouchka devinait souvent lorsque quelque chose la troublait.

— Rien, répondit-elle.

Nouchka lui caressa les cheveux avec affection. Comme il était bon de redevenir une petite fille pendant quelques minutes! Marie Jacques laissa couler quelques larmes, la joue appuyée contre la généreuse poitrine de Nouchka qui dégageait une bonne odeur d'herbes, de terre et de fleurs.

— Tu ne l'as pas oublié, n'est-ce pas? s'enquit la vieille dame d'une voix douce aux accents chantants.

— J'en suis incapable.

Marie Jacques se dégagea à regret et déposa un baiser sur la joue de Nouchka.

— Que faisons-nous aujourd'hui?

— Madame Gauthier m'a demandé de lui préparer un baume pour ses mains, car elles sont tellement gercées que la peau craque et fend.

— Aïe! La pauvre femme! J'y pense, peut-on en faire un peu plus? Mon amie Marie Jodon a le même problème. Je lui en apporterai.

Nouchka acquiesça et prit dans sa grande armoire un des nombreux sachets de graines séchées, son mortier et le pilon de pierre pour écraser les graines.

— Veux-tu attraper mon bocal de baies de sureau séchées? Nous en aurons besoin. Pour les baumes, tu dois utiliser de la graisse d'oie, dit Nouchka.

Elle prépara le baume tout en mentionnant les ingrédients utilisés et en montrant à Marie Jacques comment faire. Elle lui en donna une petite noisette pour qu'elle l'applique sur ses mains.

— Tu vois comme c'est doux et comme le baume s'étend bien sur ta peau. C'est la graisse d'oie qui permet cela.

Marie Jacques porta ses mains au visage et les huma avec étonnement.

— Ce sont les baies de sureau qui donnent cette bonne odeur; elles servent à faire diminuer l'inflammation, expliqua Nouchka.

Elles discutèrent pendant un moment de divers baumes, de leur préparation et de leur utilisation.

— Ma mère ne serait pas enchantée de savoir que je suis ici avec vous...

La vieille femme fit une moue malicieuse.

— C'est probablement parce qu'elle est venue me demander de lui préparer un philtre d'amour.

Marie Jacques sentit un frisson glacé lui parcourir l'échine.

— Pour qui?

Voyant l'expression de Marie Jacques, Nouchka s'empressa de répondre.

— Ne me dis pas que tu crois à ces sornettes ? Mes philtres d'amour sont parfaitement inoffensifs, ce ne sont que des herbes qu'on peut ajouter aux mets, boire en infusion, ou un petit bouquet qu'on place sous un oreiller. Ils me permettent de gagner un petit revenu et ceux qui les achètent sont heureux de poser une bonne action. Si je ne leur en vends pas, ils demanderont à n'importe quel charlatan qui ne connaît rien aux herbes et pourrait leur préparer un philtre nuisible.

— Pour qui ? répéta Marie Jacques.

— Pour Jean Gardin et toi, plusieurs mois après votre mariage. Je crois que ta mère avait compris que tu étais malheureuse. Elle voulait seulement que tu réussisses à l'apprécier un peu. Jamais je n'aurais fait quoi que ce soit pour te nuire.

Nouchka posa sa main ridée sur la sienne. Ainsi, sa mère avait eu quelques regrets. Marie Jacques comprenait qu'elle ait voulu améliorer l'entente entre les époux logeant sous son toit, car l'atmosphère à la maison était parfois lourde. Qu'aurait été sa vie si sa mère ne l'avait pas forcée à épouser Jean Gardin ?

— Pardonne-moi.

Les deux femmes travaillèrent en bavardant pendant plus d'une heure, profitant de ce bon moment ensemble. Puis, soudain, on frappa à la porte.

— Reste ici, je vais voir qui c'est, dit Nouchka.

Marie Jacques acquiesça d'un léger mouvement de tête. La vieille femme ne voulait pas que les villageois l'aperçoivent. Nouchka savait qu'ils la trouvaient étrange et que certains n'hésitaient pas à la traiter de sorcière. Néanmoins, cela ne les empêchait pas de venir la consulter lorsqu'ils avaient un problème.

— Bienvenue, Mesdames. Que puis-je pour vous ?

— Ma mère souffre de maux de ventre, expliqua une femme.

— Oui… ? dit Nouchka pour l'inciter à poursuivre.

— Et elle a aussi… euh…

— Il n'est pas nécessaire de mentionner cela, intervint une voix bourrue.

— Elle ressent des ballonnements dans le ventre ? demanda Nouchka.

— C'est cela, approuva la jeune femme avec un soulagement facilement perceptible dans sa voix.

— Je crois que j'ai quelque chose pour vous. Je vais vous donner une tisane. Attendez-moi quelques instants, je vais la préparer.

Nouchka revint dans la pièce de derrière et, tandis qu'elle préparait la tisane, des chuchotements se faisaient entendre.

— Je crois que nous devrions partir, je ne suis pas à l'aise ici, avança la mère.

— Ne vous inquiétez pas. Je vous assure que nous ne risquons rien. Et puis, vous êtes souffrante depuis trop longtemps.

— Peut-être vaudrait-il mieux que je fasse une neuvaine.

— Nous allons essayer son traitement, conclut la jeune femme avec fermeté.

Nouchka finit de préparer la tisane et fit un clin d'œil à Marie Jacques avant de retourner dans la pièce de devant.

— Je vous ai préparé une tisane à base d'aneth. L'aneth est tout indiqué contre les maux dont vous souffrez, Madame. Savez-vous que, dans la Bible, il est mentionné que l'aneth servait de paiement pour la dîme ?

— N… non !

— Une telle plante ne peut être entachée d'aucune tare, n'est-ce pas ? ajouta Nouchka.

— Si c'est écrit dans la Bible, c'est certainement bon, approuva la mère d'une voix nettement plus amicale.

— Mettez une pincée de cette tisane dans une tasse d'eau bouillante au moment de vous mettre à table et laissez infuser, elle sera prête après votre repas. Buvez-en après chaque repas pendant au moins une semaine. Vous devriez rapidement vous sentir mieux.

— Et pour le paiement? demanda la jeune femme en hésitant.

— Vous me paierez à la fin de la semaine si le traitement a été efficace.

— C'est inhabituel! intervint la mère, suspicieuse.

— J'ai pleine confiance en l'efficacité de ma tisane. L'aneth vous procurera de tels bienfaits que vous devriez en boire dorénavant au moins une tasse chaque jour.

— Ah! fit la mère.

Marie Jacques se retint de pouffer de rire. La mère était redevenue méfiante, suspectant Nouchka de vouloir lui vendre une grande quantité d'aneth.

— Je peux vous donner des semences d'aneth que vous pourriez cultiver dans votre potager et, ainsi, en avoir tous les jours, proposa Nouchka.

— Aaah… émit la mère, surprise.

— Nous vous remercions, dit la jeune femme. Je reviendrai vous voir dans une semaine.

— N'oubliez pas de faire le signe de la croix avant de boire votre tisane et après.

Les deux femmes sortirent et Nouchka vint retrouver Marie Jacques.

— Est-ce vrai que l'aneth servait à payer la dîme? voulut savoir Marie Jacques.

— Bien sûr ! Tu crois que je mentirais à ce sujet ? s'indigna Nouchka.

Marie Jacques fit une moue ironique.

— Je suis certaine que la mère va le demander au curé… mais qu'elle n'avouera jamais que c'est moi qui le lui ai dit, poursuivit Nouchka. Les gens ont peur de ce qu'ils ne connaissent pas, alors je dois trouver un moyen de les rassurer. Certaines personnes préféreraient se laisser mourir plutôt que de venir me voir. Ces deux femmes ne vont certainement pas crier sur tous les toits que mon traitement a été efficace, mais vont probablement cesser d'alimenter les fausses rumeurs qui courent à mon sujet. Si je réussis à traiter un autre de leurs problèmes de santé, elles commenceront à en parler discrètement à leurs parents et amis.

— C'est désolant.

— C'est mieux ainsi. Si ma réputation de guérisseuse devenait trop grande, cela attirerait l'attention du curé qui croirait que je veux éloigner les malades de la prière. Nous savons tous que la maladie est l'œuvre de Dieu pour nous punir de nos péchés et que seul Dieu peut nous guérir, déclara Nouchka d'un air malicieux.

— Mais c'est Dieu qui a créé toutes ces plantes qui servent à nous guérir !

— C'est ce que je mentionne souvent aux villageois qui viennent me voir.

— Tout comme de faire le signe de la croix en buvant leur tisane, dit Marie Jacques, sceptique.

Nouchka parut amusée.

— C'est pour éviter qu'elles pensent avoir commis un péché et qu'elles se croient obligées de s'en confesser. Ainsi, elles guérissent et ont la conscience tranquille.

Nouchka releva les yeux et vit l'expression de Marie Jacques.

— Vous risquez d'aller en enfer avec de tels gestes, se désola la jeune femme.

— Je prends le risque, car je ne crois pas à l'enfer. Pour moi, rien n'est plus important que de soigner les gens. Et puis, je crois que lorsque je me présenterai devant Lui, le bien que j'ai fait autour de moi pèsera dans la balance.

— C'est le péché d'orgueil que vous commettez là. J'ai peur pour vous.

Nouchka parut triste.

— Je n'aurais jamais dû te dire cela. Pardonne-moi, je te prie.

— Je prierai pour vous.

Marie Jacques attrapa son châle.

— Avant que je ne retourne à la maison, pouvez-vous me conseiller sur ce que je pourrais donner à mon mari qui a une vilaine toux depuis quelques jours et qui se plaint d'avoir mal à la gorge? Hier soir, je lui ai fait un cataplasme avec des graines de moutarde que j'ai appliqué sur sa poitrine et je lui ai fait boire une infusion de thym, parce qu'il faisait un peu de fièvre. Mais ce matin, son état ne s'était pas amélioré.

Nouchka approuva d'un mouvement de tête le traitement de Marie Jacques, puis fronça les sourcils en réfléchissant.

— Donne-lui du vinaigre de cidre pour qu'il se gargarise. En as-tu?

— Non.

Nouchka fouilla dans son coffre et prit un petit cruchon qu'elle tendit à Marie Jacques.

Après avoir serré la vieille femme dans ses bras, Marie Jacques reprit le chemin de la maison. Une fois chez elle, elle commença la préparation du repas.

Jean arriva environ une heure plus tard. Il avait le teint rouge et les traits tirés. Il se traîna à sa chaise et se laissa tomber lourdement. Inquiète, Marie Jacques s'approcha de lui et posa la main sur son front.

— Seigneur Jésus ! Tu es brûlant ! s'exclama-t-elle.

Jean leva des yeux anxieux. Il était cerné et paraissait épuisé.

— Viens. Je vais t'aider à te mettre au lit.

Le simple fait qu'il ne proteste pas et qu'il accepte de se laisser conduire acheva d'alarmer Marie Jacques. Elle l'aida à retirer ses vêtements et à s'étendre. Elle le recouvrit ensuite soigneusement avec de nombreuses couvertures, car il s'était mis à grelotter. Elle alla à la cuisine chercher le vinaigre de cidre. Elle l'aida à se soulever et lui tendit le cruchon de vinaigre.

— Prends une gorgée et gargarise-toi le plus longtemps possible, ensuite recrache le liquide dans ce bol.

Son époux s'exécuta laborieusement, puis se laissa retomber sur les oreillers en fermant les yeux. Une quinte de toux douloureuse le secoua et le laissa épuisé. Elle alla préparer une infusion de thym à laquelle elle ajouta une cuillerée de miel. Il but en grimaçant à chaque gorgée. Malgré les soins qu'elle lui prodiguait, Marie Jacques se sentait impuissante.

Tard dans la soirée, elle s'enroula dans une couverture et se coucha sur le sol près de la cheminée. Elle ne parvint pas à dormir, la toux régulière de son époux la tenant éveillée une grande partie de la nuit. Le lendemain matin, son cœur se serra à la vue de son visage hagard. Elle toucha son front qui était toujours brûlant. Il ouvrit les yeux et la regarda.

Ses yeux étaient injectés de sang et son teint, blême. Il respirait difficilement, semblant chercher son souffle.

Marie Jacques pria sa mère de veiller sur Jean et courut chez Nouchka. Essoufflée, elle frappa à sa porte à petits coups, insistante. La porte s'ouvrit à la volée puis, à sa vue, Nouchka ravala rapidement ses protestations.

— Qu'y a-t-il ? demanda-t-elle, inquiète.

— L'état de Jean a empiré. Il est brûlant de fièvre et tousse beaucoup. Je ne sais plus quoi faire.

Nouchka la prit par l'épaule, la fit entrer et asseoir.

— A-t-il mal à la tête ? Semble-t-il essoufflé ?

Marie Jacques acquiesça, la mine sombre. Nouchka alla chercher un petit sachet qu'elle lui remit.

— Ce sont des fleurs séchées, des racines et des feuilles de brunelle. Elles sont efficaces pour faire diminuer la fièvre et traiter les maux de gorge. Remplis ta petite marmite d'eau, verse le contenu de ce sachet et laisse bouillir le tout jusqu'à ce que l'eau ait diminué de moitié.

Elle toucha le bras de Marie Jacques et la regarda droit dans les yeux.

— Si son état ne s'améliore pas, il faudra que tu demandes le docteur. Je n'aime pas trop ce que tu me dis, sa grippe est peut-être en train de tourner en pneumonie et…

Elle soupira et son visage prit un air triste.

— … et peu en réchappent, ajouta-t-elle doucement.

Marie Jacques déglutit difficilement.

— Je sais, souffla-t-elle.

Elle retourna à la maison, l'esprit préoccupé. Son père avait succombé à une pneumonie quatre ans plus tôt et le souvenir de sa courte et fulgurante maladie lui revint en mémoire. Son mari ne pouvait mourir ainsi. Elle ne l'aimait pas, certes, mais elle ne se réjouissait pas pour autant de le voir souffrir. Elle était même très inquiète. Au-delà du fait qu'elle ne lui voulait aucun mal, elle s'inquiétait aussi de l'avenir s'il venait à trépasser. Que deviendraient-elles, sa mère et elle ?

Elle chassa ces sombres pensées et accéléra le pas. À son arrivée, elle prépara la décoction selon les instructions de Nouchka et la fit boire à Jean. Malgré la chaleur de la petite maison, il grelottait toujours. En fin d'après-midi, l'état de Jean ayant encore empiré, elle enjoignit à sa mère d'aller chercher le médecin. Celui-ci arriva rapidement et se rendit au chevet du malade. Marie Jacques en profita pour sortir. Elle s'assit sur une grosse pierre et attendit avec angoisse que le médecin ait fini d'ausculter son époux. Il ressortit au bout d'une vingtaine de minutes, marcha lentement vers elle et s'installa à ses côtés sur la pierre.

C'était un homme d'une cinquantaine d'années, très apprécié des villageois. Il accourait auprès des malades dès qu'il était demandé, et ce, même s'il n'était pas toujours rétribué à sa juste valeur.

— Il a la même maladie que mon père, n'est-ce pas ? s'enquit Marie Jacques d'une voix blanche.

Il posa son bras sur celui de la jeune femme avant de répondre.

— C'est bien ça.

Marie Jacques avait une boule dans la gorge.

— Combien de temps ? souffla-t-elle.

— Une journée, deux tout au plus. Je suis désolé, je ne peux rien faire de plus, soupira-t-il.

Marie Jacques hocha la tête. Après avoir serré son bras une dernière fois, le médecin se leva et la laissa seule. Marie Jacques se sentait désemparée. Elle inspira profondément pendant plusieurs minutes, puis se leva pour retourner au chevet de Jean. Lorsqu'elle s'avança vers le lit, il se tourna vers elle. Dans ses yeux, elle lut que le médecin lui avait appris la triste vérité. Elle saisit une chaise en bois, l'approcha du lit, s'assit et lui prit la main.

— Je suis désolée, dit-elle doucement.

Il ferma les yeux un moment.

— Pas autant que moi.

Il respirait avec difficulté et son corps était secoué de frissons. Les cernes bleutés sous ses yeux tranchaient avec son visage aussi blanc que la chaux du mur.

— Pourras-tu me pardonner? demanda-t-il faiblement.

Marie Jacques le regarda avec surprise. Son époux délirait-il?

— Je n'ai rien à te pardonner, ce n'est pas ta faute si tu es malade.

Il toussa et porta la main à sa poitrine avec une grimace de douleur.

— Ne parle pas, tu vas t'épuiser, dit Marie Jacques.

Jean Gardin reprit lentement son souffle. Marie Jacques se leva pour aller chercher une chandelle, car il faisait de plus en plus sombre. Elle la déposa sur la petite table près du lit.

— J'ai absolument besoin de te parler. Écoute-moi, l'implora-t-il.

— Je vais d'abord aller préparer une autre infusion de thym et de miel, répliqua Marie Jacques.

Il hocha la tête. Marie Jacques alla préparer l'infusion, revint et l'aida à se soulever pour qu'il boive quelques gorgées. Il s'allongea de nouveau et la remercia d'un sourire triste.

— Je voudrais de tout mon cœur que tu me pardonnes, mais si tu ne peux pas, je comprendrai.

Marie Jacques ouvrit la bouche, puis s'arrêta en voyant son regard implorant. Elle acquiesça et attendit qu'il continue.

— Pardonne-moi de t'avoir forcée à m'épouser. Je savais qu'André et toi désiriez vous marier, mais je t'aimais depuis longtemps et j'étais jaloux de lui. J'aurais tellement voulu que tu me regardes une seule fois comme tu le regardais, lui.

Sa voix s'était brisée sur ces derniers mots. Des larmes se mirent à couler sur les joues de Marie Jacques. Soudain, une vague d'émotion la submergea. Elle enfouit son visage entre ses mains et éclata en sanglots.

— Je croyais que tu finirais par m'aimer. J'ai eu le temps, depuis, de constater que c'était une erreur, admit-il.

Diverses émotions se bousculèrent dans le cœur de Marie Jacques. À la douleur d'avoir perdu André se mêlait une grande peine devant l'injustice de la vie. Elle aimait André, mais on l'avait empêchée de l'épouser. Jean l'aimait, mais elle était incapable de l'aimer en retour. Pourquoi était-ce ainsi ? Pour être honnête, elle devait avouer que Jean n'avait pas non plus choisi de l'aimer. Il lui vint à l'esprit que ce qu'elle avait à lui pardonner, en réalité, était qu'il n'avait pas eu assez de courage pour accepter qu'elle en aime un autre.

Elle releva la tête et constata qu'il pleurait aussi.

— Tu es jeune et jolie. André est parti, mais tu trouveras rapidement un autre mari. Tu mérites un bien meilleur époux que moi, dit-il d'une voix douce qu'elle ne lui connaissait pas.

Après un moment, elle prit sa décision.

— Je te pardonne, assura-t-elle.

Le visage de Jean s'éclaira. Il prit sa main et la serra doucement. Il semblait transformé et les traits de son visage étaient désormais apaisés. Marie Jacques, de son côté, se sentait déchargée du poids qui pesait sur sa poitrine et respirait plus librement. Depuis trois ans, elle avait traîné sa rancœur comme un boulet. Elle inspira un bon coup, redressa les épaules et sourit à Jean.

— Que tu es belle ! Je suis heureux d'emporter avec moi l'image de ton visage souriant.

Jean la regarda longuement à la lueur de la chandelle, puis il ferma les yeux, épuisé. Pendant deux jours, Marie Jacques veilla Jean. Sa mère lui préparait des repas, auxquels elle touchait à peine, et la relayait auprès de Jean pour qu'elle puisse prendre une ou deux heures de repos. Son époux semblait de plus en plus mal en point.

— Il faudrait faire venir le prêtre pour lui administrer l'extrême-onction, ne crois-tu pas ? demanda doucement Jeanne.

Marie Jacques se prit la tête entre les mains. Elle inspira profondément et se tourna enfin vers sa mère.

— Vous avez raison. Pouvez-vous aller le chercher ? Je vais demeurer avec Jean.

Jeanne acquiesça en silence et sortit de la chambre. Marie Jacques mit sa main sur celle, brûlante, de son mari. Il ouvrit les yeux.

— Mère est partie chercher le prêtre.

Jean ferma un instant les yeux en signe d'approbation, puis riva son regard au sien jusqu'à l'arrivée du père Lefebvre. Une fois au chevet du malade, celui-ci revêtit son étole violette et demanda à Jean s'il désirait se confesser. Jean fit signe qu'il le désirait. Le prêtre pria alors les deux femmes de reculer contre le mur, puis il se pencha tout près du malade. Marie Jacques entendit Jean murmurer avant que le prêtre ne se redresse et dise à voix haute :

— Au nom du Père, du Fils et du Saint-Esprit, je vous pardonne tous vos péchés. Amen.

Le prêtre prit ensuite son boîtier, mit un peu d'huile sur son pouce et fit le signe de la croix sur le front du mourant en disant :

— Par cette onction sainte, que le Seigneur en sa grande bonté vous réconforte par la grâce de l'Esprit-Saint.

Puis, il prit soin d'oindre doucement les paumes des mains de Jean, déclarant :

— Ainsi, vous ayant libéré de tous vos péchés, qu'Il vous sauve et vous relève.

Le père Lefebvre sortit de la chambre et pria Marie Jacques de le suivre.

— J'ai entendu dire que vous côtoyiez une certaine vieille dame, déclara-t-il, allant droit au but.

Comme toujours, il était au courant de tout ce qui se passait dans sa paroisse.

— C'est vrai, confirma Marie Jacques.

— Vous savez, n'est-ce pas, que la prière est ce qu'il y a de plus efficace contre la maladie ?

— Bien sûr que je le sais. D'ailleurs, nous avons prié ensemble, mon époux et moi.

Le prêtre la toisa en grimaçant légèrement, pas tout à fait satisfait de sa réponse.

— J'ai remarqué toutes sortes de boissons, cataplasmes et autres manifestations d'un prétendu savoir médical dans la chambre de votre époux…

Son regard, auquel on ne pouvait se soustraire, était à la fois sévère et bienveillant.

— Je m'inquiète pour vous, ma fille, ajouta-t-il après un moment.

Marie Jacques poussa un soupir intérieur. Elle le connaissait depuis plusieurs années. Il leur était venu en aide à la mort de son père et, ensuite, à la mort de sa grand-mère. Ses visites leur avaient été d'un grand réconfort. Au fond, il prenait soin de ses ouailles et il était tout naturel qu'il se fasse du souci.

— Soyez sans crainte, mon père, je sais faire la différence, en mon âme et conscience, entre ce qui est bien et ce qui est mal.

Il la dévisagea avec insistance, mais Marie Jacques soutint vaillamment son regard. Il prit soin de la bénir avant de partir. Elle retourna au chevet de Jean et lui prit la main. Il l'observa en silence, puis ferma les yeux, épuisé. Un peu plus tard, elle se réveilla en sursaut et prit conscience qu'elle s'était endormie. Elle posa la main sur le bras de Jean et, constatant qu'il ne bougeait pas, elle le secoua légèrement.

C'était peine perdue : Jean était parti vers un monde meilleur, la laissant seule devant un avenir incertain.

Une semaine après la mort de son mari, Marie Jacques se trouvait de nouveau en compagnie de Nouchka. Elles étaient en train de broyer des graines qu'elles avaient fait sécher. La poudre ainsi obtenue était très nourrissante et servait dans plusieurs préparations de tonique fortifiant.

— L'autre jour, lorsque nous avons discuté de Dieu et de guérison…, commença Marie Jacques.

— Oublie cela, mes paroles ont dépassé ma pensée, l'interrompit Nouchka.

— Je crois en fait que vous avez en partie raison.

La vieille dame sembla surprise.

— Que veux-tu dire ?

— Je crois qu'en guérissant les gens, vous suivez la volonté de Dieu. Il ne vous aurait pas donné un tel don s'Il n'avait pas voulu que vous vous en serviez. De plus, les religieuses qui s'occupent des malades et qui fondent des hôpitaux sont au service de Dieu. Je crois que vous avez raison d'agir comme vous le faites, je veux dire, de trouver des astuces pour mettre les gens en confiance, puisque c'est pour faire le bien. Je crois aussi que Dieu reconnaîtra le bien que vous faites autour de vous.

— Oh, ma petite !

— Moi aussi, j'aspire à faire le bien autour de moi. Je veux plus que jamais apprendre tout de vous.

Nouchka en fut émue.

— Ta grand-mère aurait été fière de toi, tout comme je le suis. Mais je dois te mettre en garde. Si tu te diriges dans cette voie, il faut que tu sois la plus discrète possible. Tu ne dois jamais faire étalage de tes connaissances, car la plupart des femmes et des hommes ne voient pas cela d'un bon œil. Comme je te l'ai dit l'autre jour, les gens ont peur de ce qu'ils ne connaissent pas. Les sorcières n'ont jamais existé, ce ne sont que des femmes comme toi et moi qui ont de grandes connaissances. Je veux que tu sois pleinement consciente qu'il y a des risques pour toi.

— J'en suis consciente, affirma résolument Marie Jacques.

Nouchka la serra dans ses bras et elle s'y abandonna un instant.

— Et quelle est l'autre partie ?

Marie Jacques se dégagea et jeta un regard interrogateur à Nouchka.

— Pardon ?

— Tu as dit que j'avais raison « en partie ».

— Ah! Je crois que vous avez tort de ne pas croire à l'enfer. Je suis certaine qu'il existe, car il m'est trop pénible de croire que même les meurtriers iront au ciel. Et puis, je ne peux me résoudre à croire que notre curé nous ment depuis toutes ces années.

— Sois sans crainte, il ne vous ment pas, il y croit sincèrement. Je ne suis qu'une vieille femme excentrique, alors ne prends pas au sérieux tout ce que je te dis. Peut-être même a-t-il raison, qui sait?

15

8 juin 1667, Québec

André se réveilla avant l'aube et la première pensée qui lui vint à l'esprit fut que ce jour serait certainement mémorable, car c'était celui où on le conduirait à sa concession. Pour la première fois de sa vie, il pourrait fouler le sol d'une terre qui lui appartiendrait.

Siméon et lui se présentèrent tôt à la résidence de dame Hébert dans la Haute-Ville. Jean Bray, l'homme de confiance de Guillemette Hébert, les attendait, assis sur les marches du perron. Ils se mirent en route et se dirigèrent d'abord vers l'église, puis vers l'Hôtel-Dieu des Augustines. Ils contournèrent l'hôpital et empruntèrent le chemin qui descendait jusqu'à la rivière Saint-Charles.

Pendant tout le trajet, ils discutèrent avec le jeune homme au tempérament jovial et exubérant. Jean Bray parlait avec enthousiasme et faisait d'amples mouvements avec les bras. Ses rires soudains faisaient s'envoler les oiseaux en un concert de piaillements. André découvrit qu'il venait de La Rochelle et qu'il avait émigré trois ans plus tôt. Ils arrivèrent enfin à la rivière.

— Bien le bonjour! fit Gilles Quesnel, le passeur, en se levant à leur approche.

— Bonjour à vous, répondirent-ils.

— Prenez place.

Il mit sa barque à l'eau et l'approcha d'un petit quai en bois. Pour conduire trois hommes jusqu'à l'autre rive, sa petite barque suffisait. Ils s'installèrent et le passeur entreprit de traverser la rivière.

— Dites-moi, quel bon vent vous amène ?

— Vous aurez de nouveaux clients, car je les amène voir leur nouvelle concession, expliqua Jean.

— À la bonne heure !

Durant toute la traversée, il les informa des dernières nouvelles concernant les habitants du village de la Petite-Auvergne et de Charlesbourg, puis il posa des questions sur leur destination et sur leurs plans en vue de s'établir, recueillant ainsi des informations qu'il pourrait transmettre aux autres colons.

Une fois sur l'autre rive, ils se mirent en route vers les hauteurs de Charlesbourg. Ils marchèrent presque deux heures, parcourant forêts, champs et marécages, puis le village de la Petite-Auvergne. Une fois arrivés à Charlesbourg, ils prirent à gauche une simple piste qui traversait la forêt. Après plusieurs minutes de marche, une petite clairière apparut sur la droite.

— Ici, c'est la concession d'André Barbault dit Laforest. Il sera votre voisin à tous les deux puisque sa concession est entre les vôtres. Il a le même prénom que toi, André, et il est charpentier, comme toi, Siméon, alors vous devriez bien vous entendre, plaisanta Jean Bray.

— Nous sommes arrivés ! s'exclama André.

Il était subitement fébrile. Il se répétait intérieurement ces deux mots : *ma terre*. Il avait peine à y croire. Arrivé à l'endroit que Jean Bray lui indiqua, il quitta le sentier et avança lentement entre les arbres serrés. Il fit quelques pas, puis se retourna vers Siméon qui le regardait en silence, aussi ému que lui.

Jean lui montra une bande de tissu bleu qui était attachée à un érable à la limite de la concession d'André Barbault. Il marcha ensuite le long de la piste en rebroussant chemin vers Charlesbourg tout en comptant ses pas, puis il s'arrêta et noua un ruban à un tronc d'arbre.

— Ici se termine ta concession.

André évalua la distance parcourue depuis la clairière. Toute cette superficie pour lui ! Jamais il n'aurait osé rêver n'en posséder ne serait-ce que le quart. Il était enchanté.

Ils revinrent sur leurs pas et, à l'autre extrémité de la concession d'André Barbault, ils trouvèrent un autre ruban.

— Ici commence la concession de Siméon.

L'homme continua d'avancer sur la piste en recommençant à compter ses pas.

— La deuxième terre est de la même largeur que la première, dit Jean Bray en s'arrêtant pour nouer un autre ruban.

Siméon était manifestement ravi. Jean Bray les informa que la superficie de leurs terres était de deux arpents de largeur sur trente arpents de longueur. André en fut ébahi. En se retournant, il tenta d'apprécier du regard ce que représentaient deux arpents et essaya ensuite d'imaginer l'étendue de trente arpents. Ils s'enfoncèrent ensuite dans la forêt pour marcher sur toute la longueur de leurs terres, vérifier que les rubans de tissu délimitant la terre d'André Barbault étaient bien en place et attacher ceux des nouvelles concessions.

— Et voilà, Messieurs. Ces terres vous conviennent-elles ? demanda Jean Bray une fois de retour sur la piste.

— Tout à fait, répondit André avec conviction.

— C'est au-delà de mes espérances, renchérit Siméon.

Les deux hommes serrèrent la main de Jean Bray avec effusion et se congratulèrent mutuellement à coups de bourrades. Ils se remirent en route pour Québec et, en chemin, les deux amis écoutèrent attentivement Jean Bray leur prodiguer de multiples conseils.

— D'abord, vous devrez défricher le plus possible. Ne perdez pas de temps à retirer les souches, c'est un travail trop difficile. Construisez-vous une cabane qui vous abritera pour l'hiver. Habituellement, la maison doit être construite au milieu de la concession pour être à égale distance de chaque voisin. Au printemps prochain, vous devrez semer du blé entre les souches. Vous devrez aussi aménager un potager. L'année suivante, vous construirez une plus grande cabane pour abriter une famille. Votre première cabane vous servira alors d'étable. Vous devrez aussi brûler les souches pour pouvoir les arracher plus facilement.

Une semaine plus tard, André et Siméon partaient pour leurs concessions. Ils avaient engagé un charretier pour les y conduire avec tout le matériel qu'ils avaient rassemblé. En plus des provisions achetées au marché, plusieurs paniers étaient remplis de nourriture que Marie Suzanne avait préparée pour eux. Elle leur avait aussi fourni un tonneau d'anguilles salées et une jarre de terre cuite remplie de cidre. Jeanne avait fait des galettes, qui se conservaient longtemps.

André avait réussi à trouver une toile résistante découpée dans une vieille voile de navire afin de confectionner un abri pour dormir et tenir leurs biens au sec. La semaine précédente, ils s'étaient procuré haches, scies, hachettes, couteaux, cordes, seaux, pelles, couvertures, poêlon, marmite, grille de fonte et semences, payant le tout avec la solde de soldat qu'ils avaient reçue peu après l'arrivée des premiers

bateaux du printemps. Puisqu'ils avaient décidé de s'installer en Nouvelle-France, André et Siméon avaient été libérés
de leur régiment.

La seule ombre au tableau avait été la tristesse des
enfants Delestre au moment de leur départ, plus particulièrement du petit Thierry, qui avait espéré pouvoir les accompagner. Pour le consoler, son père lui avait promis qu'ils
leur rendraient visite trois semaines plus tard, afin de leur
apporter des provisions.

Ils décidèrent d'installer leur campement sur la terre de
Siméon, profitant d'une petite éclaircie naturelle à l'emplacement où il prévoyait construire sa future maison. Ils
entreprirent de vider la charrette pour que le charretier
puisse reprendre la route.

En premier lieu, les deux hommes attachèrent la grosse
toile sous un énorme pin dont ils avaient coupé les branches
les plus basses. Ils scièrent deux grosses branches d'aulnes
qu'ils installèrent en dessous pour soulever le toit de toile,
puis placèrent de grosses pierres sur les côtés afin d'éviter
que le vent ne soulève les parois ou qu'un animal ne s'y
faufile. Enfin, ils transportèrent leur matériel à l'intérieur
de l'abri.

Les deux amis entreprirent ensuite d'enlever la couche
d'herbe à l'endroit qui, leur semblait-il, serait le meilleur
pour aménager un potager. À midi, ils s'arrêtèrent pour
manger du pain et un morceau de lard salé. En fin de journée, ils avaient labouré avec la pioche empruntée à Thierry
un potager d'environ dix pieds carrés, prêt à être ensemencé
dès le lendemain de carottes, de navets, d'oignons, de choux
et de haricots.

André ramassa plusieurs pierres avec lesquelles il forma
un large cercle, délimitant ainsi un espace pour le feu, puis

il partit à la recherche de bois sec. Il alluma le feu, installa la grille en appui sur les pierres et y déposa la marmite pour réchauffer le ragoût de chevreuil et de légumes qu'il avait pris soin de garder au frais dans le petit ruisseau.

— Quelle journée! s'écria Siméon.

Il était assis près du feu et arborait un air de profonde satisfaction. André vint le rejoindre avec les écuelles et se laissa tomber à ses côtés. Des yeux, il fit le tour de la clairière avec un regard de contentement.

— Je suis satisfait, affirma André. Nous sommes installés et demain nous pourrons entreprendre le défrichage.

André parcourut des yeux la forêt qui les entourait. Il y avait de nombreux arbres à abattre, mais il ne se sentait pas écrasé par le poids du travail à accomplir. Au contraire, il ressentait une grande impatience à l'idée d'entreprendre le défrichage. C'était une tâche exigeante, il le savait, mais il trouvait gratifiant de voir la forêt reculer devant leurs efforts.

— J'ai réfléchi et je crois que nous devrions travailler tous les deux sur la même terre et alterner chaque jour, proposa Siméon.

— Nous devrions plutôt couper assez d'arbres pour construire une cabane sur une des terres avant de nous occuper de l'autre, suggéra André.

— Tu as raison.

André se leva pour remplir à nouveau son écuelle et celle de Siméon, et ils mangèrent en discutant de l'organisation de la journée du lendemain. Ce soir-là, sous l'abri de toile, il s'endormit en quelques instants, confiant en l'avenir pour la première fois depuis qu'il avait quitté son île.

Trois jours plus tard, ils firent la connaissance de leur voisin.

— Bonjour, je me nomme André Barbault dit Laforest. J'ai rencontré Jean Bray à Québec et il m'a dit qu'il vous avait accompagnés pour vous indiquer l'emplacement de vos concessions.

Les deux hommes se nommèrent et confirmèrent la nouvelle.

— Je suis enchanté de savoir que je ne serai plus seul. Si vous avez besoin de quoi que ce soit, n'hésitez pas à venir me voir.

Il semblait être un homme honnête et sympathique. André appréciait d'avoir un voisin en cas de besoin, car les terres étaient situées en plein cœur de la forêt. Au cours des jours suivants, les trois hommes firent plus ample connaissance.

Un peu plus de deux semaines après leur arrivée, le jour de la Saint-Jean-Baptiste, André Barbault les avait convaincus de prendre une pause et de l'accompagner à Charlesbourg où un feu de joie serait allumé, une coutume importée de France, alléguant que ce serait une bonne occasion de connaître les habitants du village.

Un immense bûcher avait été monté à l'aide de longs troncs d'arbre posés en un large cercle à la base, leurs pointes appuyées les unes contre les autres au sommet. Au centre, on apercevait des bûches plus petites et plusieurs branches de sapin, dont certaines complètement sèches, qui s'enflammeraient rapidement. Le feu n'avait pas encore été allumé ; cela exigeait une cérémonie particulière.

Un grand nombre de personnes étaient rassemblées au trait-carré de Charlesbourg, une grande superficie de terrain à laquelle étaient rattachées toutes les terres formant le village. Celles-ci avaient un front large d'un demi-arpent et allaient en s'élargissant jusqu'à quatre arpents à leur extrémité. Cette disposition permettait aux habitants de construire leurs maisons relativement près les unes des autres dans un but de protection mutuelle. Ces terres avaient été concédées deux ans plus tôt.

Tandis qu'ils déambulaient parmi la foule, André Barbault entreprit de présenter André et Siméon à plusieurs hommes qu'il connaissait. Puis, un prêtre venu de Québec présida à une courte cérémonie de prière à la fin de laquelle il alluma le feu sous les acclamations.

La nuit tombait et les flammes prenaient de plus en plus d'ampleur, éclairant les visages souriants. André, trop près du brasier, se détourna d'un mouvement brusque, bousculant la femme derrière lui.

— Je vous demande pardon, Madame, je ne vous avais pas vue.

Il tourna son regard vers son mari, qui l'avait retenue d'une main tandis que, de l'autre, il soutenait une petite fille de deux ou trois ans. Ce ne fut qu'au moment où l'homme tourna la tête dans sa direction qu'il le reconnut, ses traits éclairés par le feu.

— Jacques! Jacques Galarneau!

L'homme le regarda en plissant les yeux et André réalisa que, puisqu'il faisait face au feu, Jacques devait être aveuglé. Il se déplaça pour permettre à son visage de sortir de l'ombre.

— Ah! Oui! Tu es un des Mignier de l'île de Ré, n'est-ce pas? le reconnut Jacques en cherchant manifestement son prénom.

— Oui, André Mignier.

— Tu connais Jacques? s'étonna André Barbault.

— Un peu. Jacques vient de La Rochelle et son père était filassier ; il travaillait les plants de lin pour en extraire la filasse dont ma mère et mes sœurs faisaient du fil. Nos familles ont souvent échangé des tonnelets de vin contre de la filasse, raconta André.

— Je vous présente ma femme, Jacqueline Héron, et ma fille Marie, dit Jacques.

La jeune femme d'une vingtaine d'années les salua d'un sourire tandis que la petite fille, gênée, enfouit son visage dans le cou de son père. Ils discutèrent un moment, puis un couple vint les rejoindre.

— Je vous présente Pierre Chamard et son épouse Florimonde Rableau. Pierre, connais-tu André, de l'île de Ré ? demanda Jacques.

Pierre plissa les yeux à son tour, cherchant dans sa mémoire. André ne se souvenait pas de l'avoir déjà rencontré et secoua la tête.

— Non, je ne crois pas, déclara Pierre. Peu importe, enchanté de faire votre connaissance.

Il lui serra la main et celle de Siméon. André Barbault informa les deux couples qu'André et Siméon étaient ses nouveaux voisins et qu'ils avaient commencé à défricher leur terre dans la seigneurie de Saint-Joseph.

— C'est un travail harassant, mais je ne retournerais pas vivre dans une ville comme La Rochelle maintenant, souligna Jacques.

Jean Giron, Michel Riffault et Bernard Chapelain vinrent les retrouver. Les deux femmes discutèrent de leur côté tandis que les hommes échangeaient les dernières nouvelles. Plus tard, ils joignirent leurs voix aux chants, en pensant à leurs familles restées en France.

Un petit animal gratta un moment la toile tout près de la tête d'André. Ce dernier tendit le bras et frappa un petit coup sur le tissu, puis entendit l'animal déguerpir. Ce devait être un porc-épic, une marmotte, ou encore un vison, animaux qu'on trouvait en grand nombre dans les forêts de Nouvelle-France. André s'étira lentement pour chasser le sommeil. Le soleil n'était pas encore levé, il était donc trop tôt pour sortir de l'abri. En frissonnant, il remit en place ses couvertures qui avaient glissé. Les nuits étaient plus froides à présent.

Que de travail accompli depuis leur arrivée, trois mois plus tôt! André ressentait un immense sentiment de satisfaction à contempler les espaces dégagés par la coupe des arbres, prêts à être ensemencés au printemps prochain.

— Tu es déjà réveillé? demanda Siméon d'une voix ensommeillée.

— Oui. L'aube approche.

Un grognement lui répondit. Après un dernier moment de détente, André s'arma de courage, retira ses couvertures et s'habilla sans tarder. Il sortit, tisonna le feu et ajouta quelques bûches. Ensuite, il saisit le seau et se dirigea vers le petit ruisseau, un peu plus haut.

Son terrain et celui de Siméon étaient en pente ascendante. Au début de l'été, André s'était rendu au point culminant, juste avant le plateau d'où l'on pouvait apercevoir au loin, entre les arbres, le promontoire rocheux de Québec. La vue promettait d'être sublime une fois la partie avant de sa concession complètement défrichée.

Siméon sortit de la tente au moment où André revenait. Ce dernier versa de l'eau dans la petite marmite et ajouta des feuilles de thé des bois qu'il avait cueillies. Il récupéra leur dernière miche de pain et la déchira en deux. Il prit un oignon qu'il éplucha avec son couteau.

— Hé! Ne mange pas tous les oignons, protesta Siméon.

André fut tenté de lui faire croire qu'il n'en restait plus mais il y renonça, car ce dernier en raffolait et se fâcherait certainement.

— Il t'en reste un, dit André, se faisant exagérément rassurant.

Il fit un geste de la main, invitant Siméon à se servir.

Après le déjeuner, ils rangèrent les provisions et se préparèrent à partir. En ce dernier dimanche d'août, une messe serait dite en l'honneur d'Alexandre de Prouville, marquis de Tracy, à l'occasion de son départ de Nouvelle-France.

En chemin, André se remémora la visite d'André Barbault à leur campement, la veille.

— Vous avez accompli beaucoup de travail cet été, avait-il constaté.

— Tu dis vrai. Cela en valait la peine, avait répondu Siméon.

André Barbault aussi avait beaucoup travaillé; sa cabane était entièrement construite. Pour leur part, André et Siméon avaient décidé de construire une seule cabane pour l'hiver, s'évitant ainsi de couper du bois de chauffage pour deux cabanes.

Ils avaient creusé une tranchée de deux pieds de profondeur environ, formant un rectangle d'environ dix pieds par huit, qu'ils avaient remplie de pierres. Ils y avaient enfoncé des billes de bois serrées les unes contre les autres, qui faisaient office de murs. Le mur du devant avait six pieds de haut tandis que celui de derrière s'élevait à huit pieds, de sorte que le toit n'avait qu'une pente. Il était fabriqué de longues écorces d'orme en demi-lune posées sur la structure et recouvertes d'un deuxième rang posé en sens contraire pour empêcher l'eau d'y pénétrer.

Jusqu'à la semaine précédente, leur abri de toile était resté confortable, leur permettant de dormir en profitant de la brise lors des grandes chaleurs, mais les nuits devenaient de plus en plus froides. Encore quelques jours de travail et ils pourraient heureusement emménager dans leur cabane.

Ils prévoyaient bûcher la terre d'André jusqu'au printemps puis entreprendre la construction de sa cabane à l'été suivant.

— Le printemps prochain, je mettrai les bouchées doubles, car je veux avoir construit ma maison avant l'arrivée des filles à marier, indiqua soudain Siméon.

André le regarda avec surprise.

Siméon poursuivit :

— Comme moi, tu as entendu Jean Talon dire qu'il y aura encore plus de filles à marier au printemps prochain. Ces femmes choisissent des hommes qui ont une terre et une maison. Cet automne, j'aurai trente ans ; il est temps de me marier et de fonder une famille.

Après avoir obtenu une concession et avoir construit une maison, la suite logique était de trouver une femme et d'avoir des enfants, André le concevait facilement. D'ailleurs, les hommes ne souhaitaient pas rester seuls sur leur terre. Il y avait beaucoup trop de travail pour une seule personne.

— Alors, nous construirons ta maison en premier, proposa André.

Pour sa part, il n'était pas particulièrement pressé de se marier. Le souvenir de Marie Jacques était encore trop présent dans sa mémoire.

— Tu ne veux pas te marier ? s'étonna Siméon.

— Bien sûr, mais ça ne me dérangerait pas d'attendre une année de plus, répliqua André.

Tout au long du chemin, ils discutèrent joyeusement de leurs projets. Arrivés à l'église Notre-Dame de Québec, ils avaient dû rester à l'extérieur, car elle était bondée. André entendait les paroles en latin de monseigneur François Montmorency de Laval, mais n'y comprenait rien. Il se mit à se balancer d'un pied sur l'autre pour bouger et combattre la somnolence qu'il sentait venir. Il se tourna vers Siméon et remarqua avec surprise que ce dernier avait les yeux fermés. Pendant un moment, il crut que c'était par ferveur religieuse, mais Siméon ouvrit un œil harassé et il comprit que lui aussi tentait tout simplement de demeurer éveillé.

Comme dans un songe, André imagina Siméon en train de tomber de tout son long sur le sol parce qu'il s'était endormi. Dans l'état de fatigue extrême où il se trouvait, l'image lui parut désopilante et il réprima son fou rire avec difficulté. Ses épaules sautaient et il se tenait les côtes, essayant de ne faire aucun bruit. Siméon s'en rendit compte et lui lança un regard interrogateur, mais André lui fit signe de ne pas tenter de lui parler. Après plusieurs minutes, il finit par se calmer, mais il devait à tout prix éviter de regarder Siméon.

Tout au long de l'été, ils avaient travaillé d'arrache-pied à abattre les arbres sur chacune des concessions. La tâche était ardue en raison notamment de la chaleur et des moustiques. Après plusieurs semaines de ce travail, André avait senti venir le découragement. C'était plus difficile qu'il ne l'avait imaginé. Il ne s'en ouvrait pas à Siméon, qui semblait aussi découragé que lui, de peur qu'une fois la chose dite, elle devienne encore plus réelle. Ce qu'il trouvait le plus pénible était le fait que son regard ne puisse se porter au loin. Autour de lui, il y avait toujours un arbre à quelques pieds. On ne pouvait imaginer un panorama plus différent de celui de la plage de l'île de Ré, d'où il avait l'habitude de laisser son regard se perdre sur l'océan.

Toutes les deux semaines, ils revenaient à Québec pour faire le plein de provisions. À trois reprises, Thierry leur avait rendu visite avec son fils, apportant du pain que Marie Suzanne et ses filles leur avaient cuisiné.

La messe se termina et une procession se forma pour conduire le marquis de Tracy au port où l'attendait le *Saint-Sébastien*, un grand vaisseau de guerre venu spécialement le quérir pour l'emmener avec les honneurs. Peu de soldats partaient avec lui ; la plupart des compagnies demeureraient au moins une année de plus. L'intendant Jean Talon poursuivrait pendant ce temps sa campagne pour convaincre le plus de soldats possible de s'établir en Nouvelle-France.

Juste avant de monter dans l'embarcation qui le conduirait au *Saint-Sébastien*, Alexandre de Prouville, l'homme qui avait réussi à contraindre les Iroquois à accepter un traité de paix, se tourna une dernière fois vers la foule qui l'acclamait et salua bien bas. Alors que l'embarcation se dirigeait vers le navire, Thierry Delestre et Marie Suzanne s'approchèrent d'André et de Siméon.

— Venez, allons à la maison, suggéra Thierry.

Sans protester, André et Siméon les suivirent. Les enfants furent enchantés de les voir et leur firent la fête. Marie Suzanne leur servit une généreuse portion de ragoût de poulet avec du pain frais qu'ils avalèrent avec délice.

— Vous allez maintenant me faire le plaisir d'aller faire un somme en haut. Je vous réveille dans quelques heures, dit Marie Suzanne.

André et Siméon obéirent sans protester et montèrent l'escalier en silence. André se réveilla en sursaut deux heures plus tard en entendant des voix d'hommes qui discutaient. Il s'étira et vit Siméon qui ouvrait aussi les yeux. Ils descendirent d'un pas lourd. Les frères de Marie Suzanne parlaient avec Thierry.

— Ah! Vous voilà, commenta ce dernier.

André et Siméon saluèrent les hommes et prirent place à table. Marie Suzanne sortit deux gobelets et Jean Peré leur versa de l'eau-de-vie.

— Avez-vous déjà réfléchi à faire la traite de pelleteries? leur demanda Arnaud Peré.

— Ils ne peuvent pas. Ils viennent d'obtenir une terre et doivent la défricher et s'y installer pour que le contrat soit signé chez le notaire, expliqua Thierry.

— C'est dommage. Nous venons de signer un contrat d'association avec Thierry et quelques autres en vue de faire la traite des fourrures dans le pays des Outaouais. Nous cherchons des hommes forts et débrouillards pour aller là-bas, négocier et rapporter des fourrures.

— Malheureusement, c'est effectivement impossible cette année, mais l'aventure m'attire, confirma André.

Depuis que Bernard Chapelain lui avait parlé des coureurs des bois, André se disait que ce serait certainement une activité qu'il apprécierait. Il était suffisamment résistant pour faire de longues marches et savait très bien tirer au fusil. Il ne voulait pas se marier de sitôt, alors peut-être que l'année suivante, il tenterait l'expérience.

— Nous sommes toujours à la recherche de bons coureurs des bois, venez nous voir quand vous voudrez, dit Jean Peré.

Siméon fit une moue signifiant que, pour sa part, c'était peu probable.

Les hommes discutèrent tout le reste de l'après-midi, puis Marie Suzanne leur servit le repas. Alors qu'André mentionnait qu'ils retourneraient sur leur terre le lendemain, elle s'interposa.

— Il n'en est pas question, affirma-t-elle avec force.

André et Siméon la regardèrent, ébahis. Thierry promena son regard entre sa femme et les deux hommes, semblant se demander s'ils seraient de taille à s'opposer à ses plans.

— Vous allez rester ici quelques jours pour vous reposer et pour vous remplumer. Vous avez les yeux cernés et les joues creuses.

— Nous devons terminer la cabane, objecta André.

— Vous la finirez plus tard. Aucune discussion possible.

André se tourna vers Thierry en quête d'un soutien, mais celui-ci le regardait d'un air amusé, manifestement enchanté de voir qu'il n'était pas le seul à recevoir des ordres. Après quelques instants de réflexion, André dut s'avouer qu'il était effectivement fatigué et que quelques bons repas de Marie Suzanne seraient très appréciés. Il se tourna vers Siméon pour connaître son point de vue, mais il n'eut pas à le lui demander tant la fatigue se lisait sur son visage.

— Vous avez raison, nous allons rester quelques jours, approuva André.

— Bien sûr que j'ai raison!

16

5 septembre 1667, La Flotte, île de Ré, France

Depuis plusieurs semaines, la mère de Marie Jacques, Jeanne Dupont, se tenait avec elle derrière leur étal au marché. Avec l'aide de Nouchka, Marie Jacques avait appris à confectionner des baumes et des pommades qu'elle vendait dorénavant, outre ses légumes et ses herbes. De plus en plus de femmes venaient s'approvisionner à son étal, ayant entendu parler de ses marchandises par une parente ou une voisine.

Comme Marie Jacques était veuve, les recettes de la vente de ses produits au marché étaient le seul revenu qu'elle touchait pour sa mère et elle. Bien sûr, elle avait vendu les outils de Jean Gardin, mais l'argent ne leur permettrait pas de subsister toute une année.

Une pensée s'était imposée à son esprit depuis quelques semaines. Dans un an, André serait probablement de retour. Il était parti depuis trois ans désormais. Marie Jacques avait appris par Catherine Mignier qu'il était en Nouvelle-France pour combattre les Iroquois. S'il n'était pas de retour cet automne-là, il le serait l'été suivant, ce qui serait parfait, parce qu'elle aurait alors complété une année de veuvage, un délai suffisamment long pour respecter les convenances. À plusieurs reprises, elle avait imaginé la joie de leurs retrouvailles, mais chaque fois revenait une petite inquiétude. Elle espérait de toute son âme qu'André ne s'était pas désintéressé d'elle.

Tandis qu'elle expliquait l'utilisation du baume à base de pétales de souci à une femme, Marie Jacques, du coin de l'œil, vit sa mère faire la coquette. Elle chercha des yeux à qui ces œillades étaient destinées. Elle aperçut monsieur Richer, veuf depuis plusieurs mois, qui marchait nonchalamment un peu plus loin. Ce n'était pas la première fois que Marie Jacques le voyait près de son étal, mais jamais il ne venait leur parler. Ce matin-là, pourtant, il vint vers elles.

Marie Jacques poussa un soupir intérieur. Bien sûr, sa mère avait commencé à planifier leur avenir. Jeanne Dupont ne pouvait plus l'obliger à épouser qui que ce soit et Marie Jacques s'était assurée que sa mère l'avait parfaitement compris. Certainement poussée par son insécurité coutumière, sa mère avait donc décidé de se chercher un époux.

Depuis que son père était décédé quelques années plus tôt, Marie Jacques n'avait jamais plus retrouvé la quiétude qui régnait autrefois dans leur demeure. Il avait été un homme d'une grande bonté et avait eu un effet apaisant sur sa mère. Comme il lui manquait! Marie Jacques sourit au souvenir de son père lui avouant qu'à sa naissance, il avait cherché une marraine qui s'appelait Marie Jacques pour qu'ainsi elle puisse porter ce prénom, dérivé féminin de son propre prénom, Jacques.

Monsieur Richer était à présent devant l'étal à discuter avec sa mère. Il avait la taille avantageuse d'un homme prospère, mais il arborait un petit air condescendant qui ne lui disait rien de bon.

Puis, Marie Jacques vit Catherine Mignier se frayer un chemin vers elle. Elle se réjouit un instant et, remarquant la mine triste de Catherine, son cœur fit un bond. Elle redoutait qu'elle ait de mauvaises nouvelles à lui apprendre.

— Peux-tu te libérer quelques minutes ? demanda Catherine.

Marie Jacques se tourna vers sa mère et interrompit sa conversation.

— Mère, je dois m'absenter quelque temps, je vous laisse responsable de l'étal.

Marie Jacques s'éloigna sans attendre la réponse, sous le regard contrarié du veuf.

Elle marcha aux côtés de Catherine vers la sortie de l'enceinte. Une fois hors de la cohue, elles trouvèrent un endroit tranquille où parler.

— Que se passe-t-il ? l'interrogea Marie Jacques.

Catherine sortit une lettre de la poche de sa jupe.

— Nous avons reçu des nouvelles d'André, dit Catherine.

— Elles ne sont pas bonnes ?

— Laisse-moi te lire sa lettre.

16 juin 1667

Bonjour à tous,

J'espère que cette lettre vous trouvera en bonne santé. Pour ma part, je vais très bien. En premier lieu, je dois vous annoncer que j'ai décidé de m'établir en Nouvelle-France. J'ai longtemps réfléchi avant de prendre ma décision puisque je sais qu'ainsi je n'aurai probablement plus la chance de vous revoir. Croyez-moi, cet aspect me peine énormément.

Marie Jacques sentit ses genoux défaillir et préféra s'asseoir au pied d'un arbre avant de s'effondrer. Catherine, qui s'était interrompue, lui lança un regard triste. Elle s'installa à ses côtés, puis continua sa lecture.

J'ai obtenu une concession de deux arpents de front et trente arpents de profondeur. J'ai encore de la difficulté à croire que je possède une terre qui est presque aussi grande que tout notre village sur l'île. J'aime les grands espaces, les forêts et les cours d'eau immenses. Je ressens ici un sentiment de liberté difficile à décrire.

Les habitants proviennent de plusieurs régions de France, mais s'entraident pour s'établir. À mes côtés, mon ami Siméon a obtenu une terre comme la mienne. Nous partons dans quelques heures pour aller défricher afin de nous bâtir une maison. Vu l'absence de forêt sur l'île, il est probablement difficile pour vous de croire que je dois couper plusieurs arbres pour dégager suffisamment d'espace afin de construire ma maison. En fait, toute ma terre est une forêt. Pour obtenir un champ à labourer, je devrai d'abord enlever les arbres. Comme ce n'est pas cela qui manque ici, les maisons sont en bois et non en pierre, comme sur l'île.

Je devrai prendre une épouse pour me seconder. Un homme seul peut difficilement arriver à tout faire. Avec beaucoup de travail, un homme parvient à bien nourrir sa famille. Le roi nous offre des provisions ainsi que notre solde de soldat pour une année afin de nous permettre de bien nous établir.

J'espère sincèrement que vous comprendrez ma décision.

Votre fils et frère dévoué,

André

Marie Jacques inspira à fond pour refouler ses larmes. En ce moment même, André était peut-être déjà marié.

— Je suis désolée, dit Catherine. Je voulais t'avertir de ne plus l'attendre.

Les larmes débordèrent des yeux de la jeune fille de treize ans qui paraissait tout à coup fragile.

— Il a décidé de s'établir en Nouvelle-France parce qu'il ne sait pas que tu es veuve. Lorsqu'il est parti, il m'a dit qu'il ne supporterait pas de te voir mariée à un autre homme. Je sais que ce n'est pas très charitable, mais, lorsque j'ai appris le décès de Jean, je me suis empressée d'écrire à André…

Elle éclata en sanglots.

— … mais la saison était trop avancée. Je n'ai pas trouvé de bateau qui faisait la traversée, hoqueta-t-elle.

Catherine enfouit son visage dans ses mains. Marie Jacques la prit dans ses bras et pleura avec elle.

— Toi seule pouvais le faire revenir. Et maintenant, il est trop tard. Il a une terre et il est sûrement marié. Je suis tellement désolée pour nous, gémit Catherine.

Son fol espoir de pouvoir de nouveau parler un jour à André venait de s'évanouir. Marie Jacques avait l'impression que son cœur avait été lacéré et, pendant quelques minutes, elle eut de la difficulté à reprendre son souffle. Elle en voulut au destin qui lui jouait un si mauvais tour. Elle consola néanmoins la jeune sœur d'André du mieux qu'elle put.

— Pardonne-moi, je voulais être forte. Je sais que tu as probablement plus de peine que moi, dit Catherine.

— Nous avons toutes les deux beaucoup de peine, déclara Marie Jacques en caressant les cheveux de l'adolescente.

Quelques jours plus tard, Marie Jacques se rendit chez Nouchka d'un pas pesant. Chaque soir avant de s'endormir, elle pleurait la perte définitive d'André. Sa mère voyait bien que quelque chose n'allait pas, mais Marie Jacques ne pouvait se résoudre à se confier à elle. Elle devait pourtant se douter que c'était relié à lui, puisqu'après sa rencontre avec Catherine Mignier, Marie Jacques était revenue à l'étal les yeux rouges et avait le cœur gros depuis ce temps.

Nouchka était dans son jardin en train de couper les dernières herbes et Marie Jacques se joignit à elle. Elles ramenèrent à la maison de grands paniers remplis de romarin, de basilic, de camomille, de mélisse, de sauge et de thym.

— C'est heureux que tu sois venue aujourd'hui, je pourrai t'enseigner à conserver les herbes. Chaque automne, cela me procure beaucoup de travail, expliqua Nouchka.

— Je suis contente de me rendre utile, cela me changera les idées, répliqua Marie Jacques.

La vieille femme releva un sourcil interrogatif, mais Marie Jacques n'en dit pas plus.

— Nous allons débuter par le séchage même si tu connais probablement cette méthode. Donne-moi le panier qui contient le thym, je te prie.

Nouchka prit une dizaine de branches de thym, qu'elle lia en un bouquet lâche et qu'elle suspendit la tête en bas à un des clous du mur de sa maison.

— Votre mur va ressembler à celui de ma grand-mère chaque automne, commenta Marie Jacques d'une voix nostalgique.

Marie Jacques confectionna plusieurs bouquets, puis Nouchka lui demanda de s'arrêter.

— Qu'allez-vous faire du reste?

— Je veux en mettre dans le vinaigre de vin, faire du vin aux herbes et aussi préparer des bocaux d'herbes salées. Surtout, je veux en conserver pour ajouter à ma délicieuse gelée de raisins et de sureau, indiqua Nouchka.

— J'ai souvent vu grand-mère faire des bocaux d'herbes salées et en mettre aussi dans son vinaigre, mais je ne l'ai jamais vue en mettre dans le vin et je n'ai jamais goûté à une telle gelée.

— J'en cuisinerai avec toi dans quelques jours.

Marie Jacques continua à travailler en silence à attacher des bouquets des diverses herbes. Malheureusement, la tâche n'était pas difficile et lui laissait beaucoup trop de temps pour penser à André. Au fil de l'après-midi, son humeur s'assombrit de plus en plus.

— Qu'est-ce que tu attends pour enfin te décider à partir ?

Marie Jacques, un bouquet à la main, releva la tête et regarda Nouchka d'un air surpris.

— Partir ? reprit-elle.

— Non pas que je souhaite que tu partes, loin de moi cette idée. Je suis tellement heureuse d'avoir partagé ta vie ces dernières années ; je serai très malheureuse quand tu partiras. Je sais pourtant que c'est inéluctable.

La vieille femme éprouvait réellement de la tristesse.

— Vous voulez que je m'en aille ? dit Marie Jacques, étonnée. Alors, je pars.

Elle se leva de son tabouret, accrocha son dernier bouquet et commença à dénouer son tablier.

— Mais non, pas maintenant. Au printemps, précisa Nouchka.

— Mais enfin, je ne vais nulle part ! s'exclama Marie Jacques, légèrement excédée.

Nouchka poussa un soupir et la dévisagea, les yeux remplis d'amour.

— Je ne comprends rien à ce que vous dites, ajouta Marie Jacques plus calmement.

Elle scruta le regard de la vieille femme à la recherche d'un indice. Pourquoi souhaitait-elle son départ? Elle se sentait tellement bien avec elle. Marie Jacques sentit les larmes lui monter aux yeux.

Nouchka posa sa main sur son bras.

— Je veux dire, partir pour la Nouvelle-France.

Marie Jacques eut un mouvement de recul.

— Il n'en est pas question, répliqua-t-elle avec véhémence.

Nouchka sembla étonnée. Elle retira sa main et se rassit sur son tabouret.

— Ah! Désolée, je croyais que tu l'aimais encore.

— Oui, justement, répliqua Marie Jacques, le visage fermé.

Que se passait-il ce jour-là? Pourquoi Nouchka lui tournait-elle ainsi le fer dans la plaie? La douleur était déjà assez grande sans que celle qu'elle considérait comme sa grand-mère la tourmente ainsi. Elle leva les yeux vers elle; la vieille femme paraissait sincèrement surprise et peinée.

— Et tu ne veux pas aller le rejoindre? Je ne comprends pas pourquoi, argua doucement Nouchka.

Marie Jacques poussa un soupir. «Aller le rejoindre pour souffrir encore plus? Certainement pas.»

— Il est sûrement marié, parvint-elle à prononcer dans un souffle.

Nouchka eut un soupir d'incompréhension.

— Qu'en sais-tu? Il a obtenu sa terre au début de l'été.

Tu m'as dit qu'il avait écrit qu'il devait la défricher pour bâtir sa maison et pouvoir ensemencer son champ. Tu crois vraiment qu'il aura eu le temps d'ensemencer à temps pour récolter au mois d'août? Il ne pourra pas prendre une épouse, il sera incapable de la nourrir tout l'hiver. Crois-moi, il attendra l'été prochain, à l'arrivée des bateaux.

Marie Jacques en resta sans voix. Était-ce possible? Elle ne voulait rien de moins que d'aller le retrouver, où qu'il soit.

— Vous croyez? balbutia-t-elle.

— J'en suis convaincue. Il ne te reste qu'à prendre le premier bateau du printemps et à aller le retrouver.

Cela semblait si simple. L'était-ce? Marie Jacques sentit un tourbillon d'émotions envahir son cœur. Elle permit de nouveau à son esprit d'imaginer leurs retrouvailles et ressentit presque la chaleur des bras d'André. Elle ferma les yeux pour mieux savourer cette sensation.

Puis, la peur l'envahit. Il y avait un océan entre eux. On disait qu'il fallait plusieurs mois pour effectuer la traversée, entassés les uns sur les autres dans les cales. Il y avait les tempêtes et la maladie à affronter, et certains n'y survivaient pas.

Elle comprit soudain qu'elle n'hésiterait pas à traverser l'océan pour aller rejoindre l'élu de son cœur. Mieux valait mourir en tentant de le rejoindre que de survivre sans lui. Après un moment, elle leva les yeux vers Nouchka et lut une profonde tristesse sur son visage.

— Vous viendrez avec moi? s'enquit Marie Jacques avec espoir.

La vieille femme secoua la tête tristement.

— Je suis beaucoup trop vieille pour entreprendre un tel voyage.

Les épaules de Marie Jacques s'affaissèrent.

— Nouchka…

La vieille femme se leva d'un bond, la prit dans ses bras et la serra tendrement. Marie Jacques laissa les larmes rouler sur ses joues.

— Le destin t'offre une nouvelle chance, ne la gâche pas pour une vieille femme qui a presque terminé sa vie. Toi, tu es encore jeune, tu auras trente ans bientôt; il est encore temps de te remarier et de fonder une famille.

Nouchka regarda Marie Jacques dans les yeux.

— Tu es la petite-fille que je n'ai jamais eue et je suis très heureuse de passer beaucoup de temps avec toi, mais je le serai encore plus de te savoir là-bas avec l'homme que tu aimes.

Marie Jacques hocha la tête.

— Voulez-vous m'aider à me préparer? J'aurai besoin que vous m'enseigniez tout ce que vous savez. André a écrit que sa terre se trouve au beau milieu de la forêt. Je devrai me débrouiller seule pour semer, cueillir, sécher et conserver tout ce dont j'aurai besoin pour nous nourrir et nous soigner.

— Ne perdons pas de temps. Voyons voir. Tu auras besoin des herbes qui constituent la base de plusieurs traitements contre les maux les plus fréquents. Commençons par le basilic. Quelle utilisation en fais-tu?

— Il me sert à soigner le rhume et la grippe en infusion et aussi contre la mauvaise digestion.

— Parfaitement! De plus, une feuille fraîche frottée contre une piqûre d'insecte aide à atténuer l'irritation. Si ce qu'on raconte au sujet de la multitude d'insectes qu'on trouve dans la colonie est vrai, tu devras en avoir une grande quantité dans ton potager.

Marie Jacques prit une tige de basilic et la huma.

— J'aime son odeur, elle est plus intense que celle de plusieurs autres herbes, dit-elle.

— Respirer l'odeur du basilic chasse la tristesse et la mélancolie. Utilise-le autant que tu peux dans le pot-au-feu, la soupe de légumes et les omelettes, il procure plusieurs bienfaits et il apporte un goût savoureux.

Nouchka choisit un petit bouquet de tiges aux feuilles dentelées.

— Voici une plante que j'ai rapportée de Russie. Il s'agit du cerfeuil. Elle sert à nettoyer l'intérieur du corps. Et aussi de tonique. Elle peut être utile pour soigner les paupières enflées et les yeux rouges. Tu dois faire infuser des feuilles séchées, puis tu imbibes un morceau de tissu pour faire une compresse que tu places sur les yeux. Tu peux aussi faire un cataplasme pour apaiser les brûlures et irritations de la peau. Utilise le plus souvent possible le cerfeuil en cuisine, il accentue le goût. Les herbes procurent d'autres bienfaits que je ne peux t'expliquer. Je sais seulement que je suis plus vieille que la plupart des villageois et qu'il me reste encore plusieurs dents.

Marie Jacques fut étonnée. Qu'est-ce que les dents avaient à voir avec les plantes ? En y réfléchissant, elle prit conscience qu'il manquait plusieurs dents à la plupart des villageois et que celles qui restaient étaient plutôt d'une couleur noirâtre. Celles de Nouchka étaient plus blanches.

— Vous croyez que les plantes y ont contribué ?

— Depuis la nuit des temps, les hommes utilisent les plantes autant pour se maintenir en santé que pour se guérir. Les anciens ne savaient pas plus que nous comment cela était possible. Certaines personnes jalouses de notre savoir ont appelé cela de la magie. Il n'y a rien d'occulte à cultiver des plantes dans son potager. L'important est que l'on puisse être en meilleure santé si on profite de leurs bienfaits.

Nouchka choisit une branche qui ressemblait étrangement à une branche de sapin.

— Dernière espèce pour aujourd'hui. Ceci est une branche de romarin qui provient du buisson devant la maison. Le romarin est utile en infusion pour traiter les maux de tête. On peut en faire un gargarisme contre les maux de gorge, l'irritation des gencives et les ulcères de la bouche. On l'utilise en onguent pour traiter les rhumatismes. On dit que le parfum du romarin préserve des cauchemars.

— Ma grand-mère mettait toujours un rameau de romarin pour parfumer le vinaigre. Je continue à le faire, expliqua Marie Jacques.

— Elle devait aussi certainement en ajouter dans ses mets. Il y a une légende qui avance que la Vierge Marie s'est cachée derrière un buisson de romarin lorsqu'elle a dû fuir en Égypte.

— Si un buisson de romarin a servi à protéger la Vierge Marie, il ne peut donc être entaché d'aucune tare, dit Marie Jacques d'un air malicieux.

— Tu as bien retenu la leçon, déclara Nouchka en riant.

Marie Jacques s'apprêtait à retourner chez elle. Elle regarda Nouchka intensément avant de s'adresser à elle :

— Il nous reste quelques mois avant que je ne parte, je viendrai vous voir tous les jours d'ici là… grand-mère.

Cette fois, ce furent les yeux de Nouchka qui s'emplirent de larmes.

17

3 octobre 1667, Québec

Une fois la cabane terminée, André et Siméon s'y étaient installés avec plaisir. Puis, ils avaient entrepris de scier les troncs des arbres abattus au printemps, qu'ils avaient mis à sécher en appui sur de gros feuillus, et qui serviraient de bois de chauffage pour l'hiver qui venait. Les bûches avaient été cordées le long du mur arrière de la cabane pour procurer un rempart supplémentaire contre le vent glacial. Ensuite, ils avaient brûlé les broussailles pour dégager la terre. Ils se rendaient à présent à Québec pour acheter deux pioches afin de labourer cet automne une petite superficie et de pouvoir semer du blé entre les souches le printemps suivant.

Ils en profitèrent pour rendre visite à Thierry et à sa famille, mais lorsqu'ils arrivèrent, Jeanne fut la première à sortir de la maison. Elle ne se pressait pas et son visage affichait un air de profonde tristesse.

Le cœur d'André se serra et l'inquiétude l'envahit. À voir la mine de Jeanne, il était arrivé un malheur.

— Ma grande sœur Marie est décédée un mois après votre dernière visite, dit-elle.

— Oh non! fit André.

Il s'avança et la prit dans ses bras. Elle s'y abandonna et se mit à sangloter. Il la serra fort en la berçant doucement

333

jusqu'à ce qu'elle se calme. André était surpris, car Marie n'était pas souffrante ni faible. Néanmoins, il savait qu'une grande proportion d'enfants ne parvenait pas à leurs vingt ans.

Il relâcha Jeanne et se rendit compte que Marie Suzanne et Thierry étaient sortis à leur rencontre.

— Marie Suzanne, je suis vraiment désolé, déclara André.

Elle se tenait droite et tentait de retenir les larmes qui perlaient au coin de ses yeux.

— Elle est allée rejoindre notre petit Louis, qui n'a été avec nous que pendant deux semaines, il y a plusieurs années déjà, dit-elle, la voix brisée.

André serra Marie Suzanne dans ses bras. Il se tourna ensuite vers Thierry. Il avait les traits tirés et de nouveaux plis barraient son front. André posa une main sur son épaule en guise de réconfort.

— Que s'est-il passé?

— Elle a été prise d'une mauvaise fièvre et le médecin n'a rien pu faire, confia-t-il.

André et Siméon réconfortèrent du mieux qu'ils purent le reste de la famille. Seul le petit Joseph, alors âgé d'un peu moins de trois ans, ne semblait pas conscient des événements et manifestait sa joie de les revoir.

Marie Suzanne avait cuisiné un excellent ragoût de poulet qu'ils dégustèrent tout en discutant. André et Siméon durent raconter en détail tout ce qu'ils avaient fait durant l'été. Thierry et Marie Suzanne semblèrent se détendre et prendre plaisir à la conversation.

— Cet été, j'ai initié Siméon à la chasse, révéla André, l'air espiègle.

— Tu ne vas pas raconter ça! s'exclama Siméon.

— Oui! Oui! fit le petit Thierry, flairant une bonne histoire.

— J'avais expliqué à Siméon comment installer des collets pour attraper des lièvres. Le lendemain, il y est allé seul pour s'entraîner, débuta André.

Soudain, la petite Barbe, qui aurait bientôt quatre ans, fit un mouvement brusque et son gobelet d'eau se renversa sur la table, faisant sursauter tout le monde. Surprise, elle se mit à pleurer.

André se leva, souleva la petite Barbe par-dessus la table et l'assit sur ses genoux pendant que Marie Suzanne essuyait l'eau répandue. La petite cessa de pleurer et regarda ses sœurs, le visage triomphant.

— Alors, dans l'après-midi, je suis allé voir s'il avait bien installé ses collets et…

André jeta un regard à Siméon comme pour s'excuser à l'avance de se moquer de lui.

— … je ne sais pas s'il s'imaginait qu'un lièvre est aussi gros qu'un renard, mais les collets étaient beaucoup trop larges et trop hauts. Si un lièvre avait voulu passer la tête dans le collet, il aurait été incapable de l'atteindre, même en sautant, conclut-il.

— Ce n'était qu'une petite erreur, se défendit Siméon, faisant mine d'être profondément insulté dans le but de divertir les petites, Marguerite, Louise et Barbe, qui n'avaient pas compris ce qui était amusant.

Thierry enchaîna en faisant remarquer que la pêche à l'anguille tirait à sa fin et que tout était organisé pour le lendemain.

— Je vous ai procuré des tonneaux neufs ainsi qu'une bonne quantité de sel pour que vous puissiez avoir des réserves à rapporter sur vos terres, annonça-t-il.

André et Siméon le remercièrent.

— J'allais oublier de vous raconter que j'ai croisé Pierre Lauxain de Caviteau au fort Saint-Louis il y a quelques semaines, ajouta Thierry.

André et Siméon se raidirent instinctivement.

— Détendez-vous, il est reparti en France.

Les épaules d'André se relâchèrent. L'officier avait sûrement donné des ordres pour que leur service se passe le mieux possible après qu'il les eut remerciés, mais André ne pouvait se résoudre à lui accorder sa pleine confiance.

— Il a reçu une lettre l'informant que son père était décédé et qu'il devenait ainsi le seigneur de ses terres. Il est donc parti s'occuper de son domaine. Il voulait que je vous transmette un message.

Thierry fronça les sourcils, essayant de bien se souvenir.

— Il m'a chargé de vous dire qu'il ne sera pas le digne fils de son père, poursuivit-il.

— Ah! firent André et Siméon.

— Y comprenez-vous quelque chose? demanda Thierry.

André et Siméon acquiescèrent. L'enseigne saisissait peut-être l'occasion qui lui était donnée de se racheter. André lui souhaita mentalement bonne chance. Puis, chassant Pierre Lauxain de Caviteau de ses pensées, il s'écria:

— Qui vient à la pêche à l'anguille avec nous, demain?

Un concert d'exclamations joyeuses lui répondit.

∼

André et Siméon se dirigeaient chez André Barbault, qui les avait invités à souper avec lui. Il s'ennuyait seul dans sa cabane et les trois hommes avaient pris l'habitude de se rencontrer une fois par semaine. Une bonne chaleur régnait dans sa maison. Ils enlevèrent leurs manteaux, bonnets et mitaines, puis se réchauffèrent près de l'âtre.

Lorsqu'ils s'installèrent à table, Siméon entreprit d'informer leur hôte des dernières nouvelles. Quelques jours plus tôt, lors d'une visite à la famille Delestre, ils avaient assisté à une pendaison. Un certain Jean Raté avait été accusé et déclaré coupable d'avoir violé une jeune fille de onze ans. André Mignier n'avait jamais vu une telle fureur dans les yeux de Marie Suzanne.

En sa qualité de sage-femme et en raison du jeune âge de la victime, Marie Suzanne avait été la personne désignée pour examiner l'enfant en compagnie du maître chirurgien Jean Madry. Elle avait raconté combien elle avait eu de la difficulté à cacher sa colère afin d'être en mesure de mettre en confiance et de réconforter la jeune fille, qui était extrêmement perturbée. Quelques jours plus tard, Jean Raté avait été pendu sur la place publique et Marie Suzanne avait été au premier rang pour y assister. André Mignier ne pouvait concevoir qu'un homme fasse une chose pareille.

Alors qu'il montait la garde dans la Grande Allée avec Siméon, au printemps de l'année précédente, ils avaient surpris un soldat qui s'apprêtait à commettre un viol. André avait agrippé l'homme par son justaucorps et ils avaient échangé plusieurs coups. Le soldat avait réussi à s'enfuir avant qu'André ne puisse voir son visage. Siméon, pendant ce temps, avait tenté de rassurer la jeune femme terrorisée qui s'était sauvée à toutes jambes.

Certains soldats passaient beaucoup de temps à boire dans les auberges et Jean Talon avait transmis au marquis de Tracy plusieurs plaintes des colons. Thierry leur avait raconté qu'un capitaine, le sieur de La Frédière, avait été obligé de retourner en France contre son gré parce qu'il avait abusé de ses pouvoirs sur les colons de Ville-Marie. Tous les officiers en discutaient au fort Saint-Louis.

Une fois qu'André et Siméon eurent transmis les dernières nouvelles, ils discutèrent du transport des troncs d'arbre coupés. Ils avaient bûché sur la terre d'André comme prévu et plusieurs longs billots les attendaient.

— Jacques Galarneau a accepté de nous louer son bœuf. C'est le moment idéal, il y a suffisamment de neige pour que les troncs glissent bien et pas assez pour que le bœuf s'enlise, expliqua André Barbault.

Depuis le début des chutes de neige, ils avaient fait plusieurs allers-retours en raquettes entre les troncs d'arbre à transporter et le site des futures maisons de manière à aplanir une piste et faciliter le travail du bœuf.

Ils parlèrent ensuite de la construction des maisons. Étant tous deux charpentiers, André Barbault et Siméon échangèrent sur les techniques de construction jusqu'à tard dans la soirée.

Le lendemain matin, André Mignier et Siméon se rendirent de nouveau chez André Barbault, qui était allé chercher le bœuf de Jacques et, pendant une semaine complète, ils transportèrent des troncs d'arbre. Malgré le travail d'aplanissement effectué, les premiers allers-retours furent difficiles. Les trois hommes avaient dégagé des aires de sciage et les billots s'accumulèrent lentement à ces endroits, prêts pour la construction des maisons au printemps suivant.

— C'est à ton tour de te lever en premier pour ajouter du bois, dit Siméon d'une voix enrouée.

André poussa un profond soupir de résignation. Il avait essayé sans succès de se rendormir pour éviter d'affronter le froid glacial de la cabane. Ils avaient placé leurs paillasses de chaque côté de l'âtre pour profiter du plus de chaleur possible, mais au petit matin, le feu était presque éteint. André rassembla son courage et se leva d'un bond, faisant sursauter Siméon.

Il prit un rondin et s'en servit pour tisonner la braise, puis le déposa sur les plus gros morceaux. Il ajouta deux autres rondins et souffla sur la braise pour l'activer. Enfin, une flamme s'éleva, éclairant la petite cabane. En claquant des dents, André retourna sous les couvertures le temps que le feu dégage un peu de chaleur.

— Bon Dieu qu'il fait froid !

De l'autre côté de l'âtre, il ne voyait de Siméon que les yeux et le bonnet de nuit.

— Hum !

C'était le ton d'un compagnon qui compatit, mais qui est tout de même satisfait d'être blotti au chaud sous les couvertures. Certains jours, il avait fait tellement froid que du givre était apparu à l'intérieur de la cabane. Ils avaient calfeutré les murs avec un mélange de glaise et de paille, mais l'air glacial réussissait à s'infiltrer par de minuscules ouvertures.

Après un moment, André cessa de frissonner et put tourner son esprit vers les tâches de la journée. Ils devaient finir de fendre le bois pendant que les bûches étaient encore gelées. L'hiver en était à ses dernières semaines et il était satisfait du travail accompli.

Sans s'en rendre compte, André se rendormit, un sourire de satisfaction flottant sur ses lèvres.

18

13 mai 1668, sur le Nouvelle-France, *en direction*
de Nouvelle-France

Marie Jacques se réveilla en sursaut, un peu avant l'aube,
persuadée d'avoir entendu un bruit inhabituel. Les nuits
n'étaient pourtant jamais silencieuses à bord du *Nouvelle-
France*, navire de deux cent cinquante tonneaux, qui transportait plus de quatre-vingts femmes à marier. Le pont
inférieur avait été aménagé pour contenir plusieurs rangées
de structures en bois, espacées les unes des autres d'à peine
deux pieds et construites pour contenir d'étroites couchettes
superposées sur trois étages. Les coffres étaient placés sur
le plancher sous les couchettes du premier niveau.

C'était Nouchka qui avait eu l'idée. Elle avait proposé
à Marie Jacques d'aller en Nouvelle-France comme fille à
marier pour rejoindre André. Louis XIV avait décidé de
soutenir le développement de sa colonie, jusqu'à présent
surtout composée d'hommes, en y envoyant de jeunes
femmes, pour la plupart pauvres, orphelines ou veuves, prêtes
à prendre mari, fonder une famille et s'établir de l'autre côté
de l'océan. Le roi leur fournissait une dot, plusieurs articles
de première nécessité et assumait les frais de la traversée.

Marie Jacques était allée trouver le père Lefebvre pour
lui soumettre son projet. Il avait accepté sur-le-champ de

prendre en charge sa demande et de lui remettre un certificat de bonne moralité, y voyant sans doute l'occasion rêvée de la soustraire à l'influence de Nouchka.

Marie Jacques s'assoupissait de nouveau lorsqu'un gémissement sourd s'éleva à côté d'elle.

— Françoise, qu'y a-t-il? s'inquiéta-t-elle.

Marie Jacques avança sa main à tâtons, puis la posa sur le bras de la jeune fille couchée sur le lit d'en face, au premier niveau, tout comme elle. La pièce était obscure et elle ne distinguait que quelques ombres. Françoise Leclerc était une jeune femme d'une trentaine d'années, timide et sensible. Marie Jacques avait eu de la difficulté à percer sa réserve, mais elle s'avérait dorénavant une compagne très agréable. En discutant de ce qui les attendait en Nouvelle-France, Marie Jacques avait découvert qu'elle possédait une bonne dose d'optimisme et de détermination.

Elle sortit de sa couchette, se rapprocha de la jeune femme et se pencha au-dessus d'elle.

— Es-tu souffrante? demanda anxieusement Marie Jacques.

Après avoir poussé une longue plainte, Françoise répondit d'une voix faible.

— J'ai mal au ventre.

— Est-ce parce que tu as… euh… s'enquit Marie Jacques.

— Oui, souffla-t-elle.

— Est-ce que c'est toujours comme ça? la questionna Marie Jacques.

— Oui.

Marie Jacques savait que certaines jeunes femmes souffraient plus que d'autres chaque mois, car elle avait étudié, avec Nouchka, les herbes qui soulageaient ces douleurs. Pour l'instant, il lui était impossible de préparer quoi que ce soit ; la pièce était encore trop sombre pour qu'elle puisse fouiller dans son coffre.

La jeune fille couchée de l'autre côté de Françoise se mit à s'agiter.

— Que se passe-t-il ? Vous ne pouvez pas dormir comme tout le monde ? gronda-t-elle.

— Ce n'est rien, rendors-toi, murmura Marie Jacques.

La jeune fille se retourna en grognant et se rendormit.

— Je vais aller te chercher une brique chaude. Mors dans ta couverture pour ne pas faire de bruit, je reviens tout de suite, dit Marie Jacques.

Françoise lui répondit par un gémissement étouffé. Marie Jacques entreprit de se rendre à l'échelle en marchant lentement tout en se guidant de ses mains sur les armatures de bois. Près de l'échelle, elle réveilla leur surveillante, une femme d'âge mûr. Il était interdit aux filles à marier de se rendre seules dans l'antre du cuisinier. Elle secoua doucement la femme.

— Hein ? Qu'y a-t-il ?

— Je dois aller chercher une brique chaude pour Françoise. La pauvre a horriblement mal au ventre, expliqua Marie Jacques.

La femme se leva en grommelant. Elles descendirent l'échelle et parvinrent sur le pont inférieur obscur. Seule une lampe, brillant faiblement dans la cabine du cuisinier, leur permit de s'orienter.

— Pouvez-vous nous donner une brique chaude, s'il vous plaît ? Nous vous la rapporterons dans quelques heures, demanda-t-elle au cuisinier.

Il venait manifestement de se lever et semblait d'une humeur massacrante.

— Que voulez-vous en faire ? s'enquit-il, l'air suspicieux.

— Puisque je vous dis que nous la rapporterons dans quelques heures, que vous importe ce que nous en ferons! s'emporta la surveillante.

En marmonnant, le cuisinier prit une pince et récupéra près du feu une brique qu'il posa au milieu d'un carré de toile. Il souleva les quatre coins pour éviter de toucher directement à la brique et remit le paquet à la femme.

— Je vous remercie, Monsieur, dit Marie Jacques.

Il haussa les épaules, puis leur tourna le dos. Elles refirent le chemin inverse en silence et Marie Jacques revint près de Françoise.

— Voici une brique chaude à poser sur ton ventre, chuchota-t-elle.

Françoise était couchée sur le côté, les genoux repliés. Marie Jacques plaça la brique au creux de son ventre.

— Lorsqu'elle sera moins chaude, tu pourras la mettre sous tes couvertures.

Les gémissements de Françoise se transformèrent petit à petit en soupirs de contentement.

— Je te remercie, cela me fait beaucoup de bien.

— Essaie de dormir, maintenant, souffla Marie Jacques.

Elle s'allongea et se laissa bercer par le roulis du bateau. Comme chaque soir, elle enfouit son visage sous ses couvertures pour cesser de respirer l'odeur insoutenable de la cale, un mélange de poussière, de saleté et de sueur rance, avec un léger relent de vomi. Le jour, les sabords étaient ouverts pour aérer la cale. Les jours de pluie étaient les plus difficiles, les sabords demeurant fermés et toutes les femmes devant rester confinées dans la cale humide.

Malgré les craquements du bateau jumelés aux soupirs et aux ronflements des dormeuses, elle finit néanmoins par s'assoupir.

En ouvrant les yeux au matin, elle vit tout près d'elle le visage de Françoise, baigné de larmes.

— Tu ne vas pas mieux ?

Françoise tenta d'esquisser un sourire rassurant.

— Je vais beaucoup mieux, je te remercie, la brique m'a grandement soulagée, dit Françoise.

— Pourquoi pleures-tu ?

Françoise hésitait à parler, mais, à force d'encouragement, elle finit par avouer :

— Ma jupe est tachée. Je ne peux pas sortir de ma couchette ainsi, j'aurais honte.

Marie Jacques réfléchit un instant à ce qu'il convenait de faire. Elle leva les yeux et remarqua que Madeleine Deschalets, qui couchait juste au-dessus de Françoise, la regardait avec suspicion. Dans la couchette supérieure, sa sœur Claude la dévisageait avec le même air soupçonneux. Marie Jacques ne pouvait apercevoir l'autre sœur, Élisabeth, qui prenait place sur la couchette au-dessus d'elle-même. Elle ressentait un trouble au contact des trois sœurs et essayait autant que possible de ne pas demeurer en leur présence.

Madeleine, la plus jeune, était celle qui, étrangement, régentait les deux autres et qui semblait la plus prétentieuse. Marie Jacques l'avait entendue déclarer qu'étant les plus jolies femmes du groupe, elles trouveraient facilement un époux. Leurs parents étaient décédés et Madeleine avait décidé que toutes les trois émigreraient en Nouvelle-France, vers un avenir meilleur. Madeleine avait bien l'intention non seulement de se trouver un bon mari, mais d'en trouver un aussi à ses deux sœurs. De plus, elle avait déclaré qu'elle veillerait à ce qu'elles habitent non loin les unes des autres – probablement pour garder son emprise sur elles.

L'aînée, Élisabeth, semblait à première vue très docile, mais Marie Jacques soupçonnait qu'il s'agissait d'un moyen de défense. Elle acquiesçait de la tête d'un air indifférent à ce que sa plus jeune sœur disait, mais toute son attitude affirmait le contraire. La jeune fille était réservée et Marie Jacques l'avait surprise à quelques reprises à rougir de honte aux paroles de ses sœurs.

La cadette, Claude, de loin la plus jolie des trois, idolâtrait visiblement sa jeune sœur. Marie Jacques la voyait souvent l'observer à la dérobée et imiter son attitude hautaine. Marie Jacques se tourna de nouveau vers Françoise, qui était pâle et paraissait épuisée.

— Retire ta jupe et ta longue chemise sous les couvertures et je vais aller les laver, souffla Marie Jacques.

Françoise la fixa d'un air embarrassé.

— Tu n'as pas d'autre choix.

Françoise se contorsionna plusieurs minutes sous ses couvertures, puis lui tendit un paquet de vêtements roulés en boule. Marie Jacques alla trouver la surveillante, qui lui fit préparer en un rien de temps un baquet d'eau de mer. Elle plongea la jupe ainsi que la chemise dans l'eau et les frottait énergiquement lorsque Madeleine vint la rejoindre.

— Qu'est-il arrivé à Françoise, cette nuit? Je vous ai entendues discuter et tu es revenue ensuite avec un étrange paquet, dit Madeleine.

La question était posée d'un ton tellement soupçonneux que Marie Jacques hésita à répondre. Qu'avait-elle imaginé? Madeleine sembla interpréter son silence comme une volonté de cacher quelque chose et elle plissa les yeux encore un peu plus.

— Elle avait mal au ventre et je suis allée lui chercher une brique chaude pour la soulager, expliqua enfin Marie Jacques.

— Tu trouves ça normal, tout ce sang ?

Marie Jacques haussa les épaules. Avant qu'elle ne puisse répondre, Madeleine continua.

— J'ai compris ce qui s'est passé. Vous ne pouvez me le cacher.

Marie Jacques était ébahie.

— Cacher quoi ?

Madeleine la regarda un moment d'un air entendu, puis ricana en tournant les talons. Marie Jacques la vit rejoindre ses sœurs de l'autre côté du pont et, à ses mimiques, elle comprit que Madeleine se moquait d'elle.

Elle continua à nettoyer les vêtements et les attacha à un cordage où ils flottèrent au vent. Ce serait rapidement sec. Elle récupéra ensuite son déjeuner et celui de Françoise, et retourna sur le pont inférieur. D'ordinaire, elles mangeaient sur le pont à l'air libre, mais Marie Jacques estima que Françoise avait surtout besoin de se reposer.

— Tu dois avaler quelque chose pour reprendre des forces, dit Marie Jacques.

Un grognement lui répondit et Françoise se redressa lentement.

— Avec ta ration d'eau, je t'ai fait une infusion de persil, qui allégera tes douleurs. Bois-en en petite quantité, mais régulièrement, conseilla Marie Jacques.

Elles mangèrent en discutant tranquillement, puis Marie Jacques reprit la brique pour aller l'échanger contre une autre plus chaude. Elle revint la porter à Françoise et remonta sur le pont pour la laisser dormir.

Accoudée au bastingage, Marie Jacques laissa son regard errer sur l'immense étendue d'eau devant elle. «Mon Dieu, faites que je le retrouve et qu'il ne soit pas marié», pria-t-elle pour la énième fois. L'angoisse lui noua le ventre.

Peut-être l'avait-il oubliée. Peut-être avait-il changé. Puis, elle entendit, en esprit, la voix aux accents chantants de Nouchka, aussi clairement que si elle avait été à ses côtés : « Fais confiance à la vie, ma petite. »

Des larmes perlèrent au coin de ses yeux. Elle s'ennuyait tant de Nouchka que, certains jours, elle ne pouvait s'empêcher de pleurer en silence, le visage enfoui sous ses couvertures. Les derniers mois avant son départ, la vieille femme avait accéléré son enseignement et l'avait fait répéter des centaines de fois pour être certaine qu'elle n'oublierait rien. Heureusement, Marie Jacques avait une bonne mémoire, mais, pour plus de sûreté, chaque jour, elle repassait dans sa tête toutes les informations, imaginant Nouchka lui posant des questions et y répondant.

La vieille femme avait fait sécher et empaqueté une multitude d'herbes et de racines ainsi que d'innombrables semences qu'elle avait déposées dans un coffre en bois clair. Elle lui avait aussi donné le coffre de voyage qu'elle avait utilisé lorsqu'elle était venue de Russie, en lui expliquant qu'elle n'en aurait pas besoin pour le dernier voyage qu'il lui restait à faire.

Sa mère aussi l'avait choyée malgré l'immense peine qu'elle avait ressentie à l'annonce de son départ. Elle avait confectionné pour elle deux jupes, deux chemises longues, deux corsets, deux mantelets, trois tabliers, des mouchoirs de col, une cape en laine et deux couvertures chaudes. De plus, comme elle venait de se remarier et que son nouvel époux avait apporté plusieurs articles, elle avait pu lui donner des écuelles et des chopes en étain, une poêle ainsi que deux marmites, une petite et une grande. En repensant à toutes les gentillesses de ses proches, Marie Jacques songea qu'ils allaient beaucoup lui manquer.

Au lendemain d'une tempête qui les avait retenues prisonnières sur leurs couchettes pendant quatre jours, Marie Jacques sortit sur le pont dès qu'elle y fut autorisée. L'océan était encore agité, mais les nuages avaient disparu. Marie Jacques respirait à pleins poumons l'air vivifiant lorsqu'elle entendit Madeleine Deschalets houspiller une jeune fille qui était accoudée au bastingage à l'avant du navire.

— Tu as enfin cessé de pleurnicher! Tu nous as empêchées de dormir toute la nuit avec tes cris!

— Poltronne! lança Claude Deschalets.

— Tu pourrais faire preuve d'un minimum de courage, dit Madeleine avec mépris.

La jeune fille se mit à pleurer, visiblement apeurée. Marie Jacques se dirigea rapidement vers le groupe pour porter secours à Anne Poitraud, une timide jeune fille de seize ans.

— Même si tu cries, cela ne nous empêchera pas de couler, si tel est notre destin, reprit Madeleine.

Claude se tourna vers sa sœur avec un air horrifié et se signa rapidement pour conjurer le mauvais sort.

— Qu'est-ce qui t'a pris de dire une chose pareille? s'écria Élisabeth Deschalets.

Madeleine leur jeta un regard exaspéré.

— Cessez tout de suite de malmener cette jeune fille! intervint Marie Jacques.

— C'est toi qui m'en empêcheras? persifla Madeleine.

Avant que Marie Jacques ne puisse répondre, une voix résolue se fit entendre derrière elle.

— Avec mon aide.

Une jeune femme vêtue d'une jupe et d'un mantelet de bonne qualité s'avançait d'un pas ferme. Madeleine hésita à poursuivre, d'autant plus que la surveillante des jeunes filles venait vers elles à toute vitesse. Après un dernier coup d'œil méprisant à sa victime, elle tourna les talons et s'éloigna, entraînant ses sœurs à sa suite.

Marie Jacques se pencha sur Anne, qui s'était laissée glisser au sol.

— Elles sont parties. Ne t'en fais pas.

— Ce ne sont que des imbéciles, lança la jeune femme qui s'était accroupie, elle aussi.

Elle tendit sa main à Marie Jacques au-dessus d'Anne et se présenta :

— Je me nomme Marie Major.

— Marie Jacques Michel, et voici Anne Poitraud.

Marie Jacques frottait le dos de la jeune fille en un geste apaisant. Marie Major était une jeune femme d'une trentaine d'années, tout comme elle. Son abondante chevelure blonde, que son bonnet ne pouvait couvrir complètement, encadrait un visage aux traits fins.

— Tu veux bien l'aider à retourner dans son lit ? Je vais aller lui préparer une infusion qui l'apaisera, demanda Marie Jacques.

Marie Jacques se rendit dans l'antre du cuisinier pour avoir de l'eau chaude. Heureusement, la pluie des derniers jours avait permis de reconstituer les réserves d'eau douce et le cuisinier put lui en remettre une petite quantité. Cet homme d'âge mûr aux dehors bourrus, qui cachait en fait une grande bonté, était désormais habitué à ses demandes de toutes sortes. Avec patience, Marie Jacques avait réussi à vaincre ses réticences.

Dans son coffre, cette dernière choisit des feuilles de mélisse séchées qui conviendraient pour soulager la tension nerveuse d'Anne et faciliter son sommeil. Il aurait été plus efficace de faire infuser des feuilles fraîches, mais Anne était tellement épuisée d'avoir pleuré pendant deux jours que l'infusion suffirait certainement à la faire s'endormir rapidement.

Quand Anne fut endormie, Marie et Marie Jacques retournèrent sur le pont.

— Qu'est-ce qui t'a amenée à partir comme fille à marier ? demanda cette dernière.

— Oh ! Je n'ai pas décidé, quelqu'un l'a fait pour moi.

— On t'a obligée à embarquer sur ce bateau ?

Marie s'amusa de son étonnement.

Elle tourna son regard vers l'étendue infinie de l'océan, plissant les yeux pour se protéger de l'éclat du soleil.

— Mes parents sont décédés. Mon père était percepteur des impôts pour la baronnie d'Heuqueville-en-Vexin.

Marie Jacques comprit sur-le-champ que Marie était une bourgeoise, même si sa jupe était usée et reprisée à de nombreux endroits. Comme si elle avait deviné sa réflexion, Marie lui jeta un regard en coin.

— Bien sûr, j'ai eu une enfance protégée, à l'abri du besoin, mais je l'ai payé cher par la suite.

Marie Jacques avait du mal à croire que les épreuves subies par cette jeune femme aient pu être si terribles.

— Mon père a été tué lors d'une violente révolte des paysans. Le seigneur de la baronnie percevait des impôts, mais l'État et l'Église aussi. Il y avait eu une grande famine quelques années plus tôt et ils peinaient déjà à nourrir leurs familles. Je peux comprendre leur ressentiment, mais avaient-ils besoin de tuer mon père ? Il ne faisait qu'obéir aux ordres du baron.

— Je suis vraiment désolée pour toi, cela a dû être affreux.

Marie hocha la tête d'un air triste et, après un moment de silence, elle continua son récit.

— Quelques années plus tard, ma mère est décédée. Mon frère voulait me marier avec un beau parti qu'il avait choisi, mais j'ai refusé. J'ai préféré aller vivre à Paris avec une amie. Ayant dépassé l'âge de vingt-cinq ans, j'ai naïvement cru que je pouvais décider d'attendre quelques années avant de me marier.

Surprenant la mine sceptique de Marie Jacques, Marie sourit.

— Je sais que, pour toi, cela peut sembler improbable. Une jeune fille de ma condition, cela dit sans vouloir te vexer, peut bénéficier d'une certaine liberté et, ayant reçu un héritage de mon père, je pouvais subvenir à mes besoins. De plus, nous étions deux à veiller l'une sur l'autre.

Marie s'interrompit et poussa un profond soupir.

— Je n'ai pas profité de ma liberté très longtemps, car, quelques semaines plus tard, j'ai été arrêtée et enfermée à la Salpêtrière.

— Non ! Pourquoi ?

— Je soupçonne fortement mon frère et ma sœur de m'avoir fait enfermer.

— Ce n'est pas possible, tu dois te tromper, commenta Marie Jacques.

Marie fit une moue révélatrice.

— Je ne crois pas, parce que mon frère était furieux que je sois partie à Paris et ma sœur disait que ma conduite l'empêchait d'avoir des propositions de mariage dignes de son rang. Je crois qu'ils ont décidé d'obtenir une lettre de cachet pour me faire enfermer. Dieu seul sait ce qu'ils ont raconté. Quelques semaines après que j'ai été enfermée, j'ai réussi à envoyer une lettre à ma sœur, mais je n'ai reçu aucune réponse ni aucune visite.

Marie s'interrompit, le temps d'observer les manœuvres de trois matelots qui hissaient une voile.

— Un jour, après deux ans d'enfermement, j'ai été convoquée au réfectoire avec plusieurs autres filles. Une dame s'est présentée et nous a annoncé qu'on nous offrait d'aller nous marier et peupler la colonie. Comme j'avais compris que c'était la seule façon de sortir de là, autant accepter.

Marie Jacques révisa mentalement son jugement à la fin du récit de Marie. Effectivement, elle l'avait payé cher. Elle avait entendu quelques jours plus tôt des jeunes femmes parler des conditions de vie à la Salpêtrière. Non seulement elles devaient travailler, mais on leur donnait fort peu à manger. Marie Jacques se sentait privilégiée d'avoir, la plupart du temps, mangé à sa faim.

— Je crois que nous serons bien, en Nouvelle-France. J'ai entendu des recruteurs sur la place publique. Ils disaient que c'est un lieu où la nourriture est abondante ; il n'y a pas de guerres ni d'épidémies, comme c'est si souvent le cas en France, ajouta Marie.

Elle se tourna vers Marie Jacques.

— Et toi ?

— Mon père aussi est décédé, mais pas ma mère.

— Tu as dû avoir de la difficulté à la quitter. Qu'est-ce qui t'a convaincue de partir ?

Marie Jacques hésita un moment à tout lui raconter, puis le conseil du meunier lui vint subitement à l'esprit. Marie était une fille honnête et, de plus, elle n'avait pas hésité à prendre la défense d'une inconnue. Avec tous les malheurs qu'elle avait connus, il était difficile de croire qu'elle la trahirait.

— Je suis veuve. Je suis partie dans l'espoir de retrouver mon premier fiancé. Ma mère avait refusé que je l'épouse. Il a été soldat en Nouvelle-France, puis il a décidé de s'établir là-bas.

— Et il t'attend ! Quelle belle histoire !

La joie de Marie s'assombrit lorsqu'elle vit l'expression de Marie Jacques.

— Il ne sait pas que je viens le rejoindre et je ne connais même pas l'emplacement de sa concession. J'espère de tout mon cœur qu'il ne sera pas déjà marié, ajouta Marie Jacques.

Marie mit sa main sur l'épaule de Marie Jacques.

— Je suis certaine que tu le retrouveras et qu'il t'épousera.

⁓

Quelques jours plus tard, Marie Jacques prenait l'air sur le pont, tentant de calmer son angoisse à l'aide de profondes inspirations. Au bout de quelques minutes, elle sentit les nœuds dans son ventre se relâcher lentement et elle releva la tête pour recevoir la caresse du vent sur son visage. Le matin, elle avait encore dû assister à une cérémonie funéraire. Une quatrième jeune femme avait succombé à la fièvre qu'elle avait contractée à bord du navire.

Soudain, des cris retentirent à l'autre bout du bateau. La plupart des jeunes femmes étant sorties sur le pont, Marie Jacques n'était pas en mesure de savoir laquelle des femmes criait. Des altercations semblables se produisaient désormais plusieurs fois par jour. Après plus de huit semaines en mer, toutes les passagères étaient à cran.

— Terre !

La vigie venait de hurler de toutes ses forces pour couvrir le tumulte. Le cœur de Marie Jacques fit un bond. Elle tourna son regard vers l'avant du bateau et scruta l'horizon légèrement brumeux. La veille, la corne de brume avait fait entendre son chant à intervalle régulier pour signaler leur présence à un éventuel autre navire, un brouillard épais flottant paresseusement sur l'eau.

Autour d'elle, plusieurs jeunes femmes s'étaient précipitées et la bousculaient, mais Marie Jacques ne s'en rendait pas compte tant elle avait l'esprit entièrement tourné vers l'espoir de voir apparaître enfin le Nouveau Monde.

— Je ne distingue rien, gémit une jeune femme derrière elle.

— Il n'y a rien à voir. Il n'y a pas de terre, rétorqua une autre qui se retenait fermement au bastingage.

Marie Jacques croyait que la vigie avait crié pour faire taire les jeunes femmes et les occuper pendant un moment. Néanmoins, au bout de vingt minutes, elles distinguèrent effectivement une langue de terre grise et floue à l'horizon.

— Terre-Neuve ! s'écria la vigie.

Des exclamations enthousiastes s'élevèrent. Certaines jeunes filles versèrent des larmes de soulagement, d'autres riaient et pleuraient à la fois, s'étreignant les unes les autres.

Marie Jacques hoqueta bruyamment et se rendit compte avec surprise qu'elle pleurait aussi. Enfin, cet infernal voyage allait bientôt s'achever. Ses larmes coulaient sans retenue afin d'évacuer la terreur ressentie lors des deux tempêtes qu'ils avaient traversées et la peur de se sentir perdue au milieu de nulle part.

Être enfermée une bonne partie de la journée dans un entrepont humide et ne pouvoir que s'asseoir ou s'allonger sur sa couchette avait fini par devenir oppressant. L'eau restante était désormais croupie, à tel point qu'il leur fallait se boucher le nez en l'avalant pour ne pas sentir l'odeur

infecte qui s'en dégageait. La nourriture commençait à manquer et ce qui restait était, si on avait de la chance, pas trop
moisi.

Une main se posa sur son épaule. Marie Jacques se
retourna et se retrouva face à Françoise, qui était blême,
mais qui se jeta dans ses bras et la serra avec une force
surprenante. Par-dessus son épaule, elle aperçut plus loin
les trois sœurs Deschalets qui se tenaient la main et sautaient de joie, puis, derrière, Marie Major qui courait vers
elle et l'étreignit en poussant des cris de joie.

Les jeunes femmes finirent par s'endormir tard ce soir-là
tant l'excitation était grande. Marie Jacques rêva qu'elle
cherchait André et que, lorsqu'elle le trouvait, il s'éloignait
d'elle sans se retourner. Pour une raison qu'elle ignorait,
elle était incapable de courir derrière lui. Sans l'avoir vue,
il s'éloignait de plus en plus jusqu'à disparaître. Elle se
réveilla en sursaut, la poitrine serrée comme dans un étau
et le souffle court.

19

15 juillet 1668, une concession près de Charlesbourg

André se laissa tomber sur une bûche servant de banc, éreinté mais satisfait. Il leva le regard sur la structure à moitié érigée de la maison de Siméon et la contempla longuement en plissant les yeux.

— Qu'y a-t-il ? demanda Siméon, suspicieux.

— Je crois qu'il faudra la redresser, elle n'est pas droite, affirma André.

— Elle est droite, assura Siméon.

André fit une moue perplexe et haussa les épaules. Du coin de l'œil, il vit Siméon s'enflammer en un instant.

— Je suis charpentier, je te le rappelle, et si je dis qu'elle est droite, c'est qu'elle l'est, éclata-t-il.

Il se tourna vers André, les yeux en feu, puis aperçut son air moqueur. En un instant, sa colère naissante retomba.

— Tu trouves encore la force de plaisanter ! s'étonna Siméon.

— C'est ce que j'ai trouvé de mieux pour m'éviter de penser à mes muscles douloureux et à mes mains couvertes d'ampoules et d'échardes, grogna André.

Au printemps, ils avaient commencé par labourer, puis ils avaient semé leur potager qu'ils avaient agrandi, car ils devaient nourrir une personne de plus, soit la future femme de Siméon. Ils avaient ensuite ensemencé le champ de Siméon entre les souches, sachant tout de même que ce ne serait pas suffisant pour produire assez de blé pour sustenter trois personnes. Après, ils avaient entrepris la construction de la maison de Siméon avec des troncs à peine équarris qu'ils posaient horizontalement les uns sur les autres, érigeant ainsi un mur. Ils avaient presque terminé à force de travailler du lever au coucher du soleil.

André Barbault vint leur rendre visite. Il était allé à Québec et, comme chaque fois qu'il s'y rendait, il venait les informer aussitôt des dernières nouvelles. Au bout d'un moment, il annonça :

— Un bateau rempli de filles à marier a accosté il y a environ dix jours, dit-il.

Siméon, qui l'écoutait distraitement tout en continuant à travailler, s'immobilisa soudain.

— Déjà ! s'écria-t-il.

Instinctivement, il leva les yeux sur sa maison. Il lâcha la scie et se mit à faire les cent pas. Il semblait dans un état de grande fébrilité.

— Nous sommes à la mi-juillet, il est normal de voir arriver des navires, indiqua André Barbault. J'ai eu la surprise de rencontrer trois sœurs qui habitaient mon quartier à Fontenay-le-Comte. Elles sortaient à peine de l'enfance lorsque j'ai quitté la France.

André Mignier perçut de la nostalgie dans le ton d'André Barbault qui continua, ignorant le va-et-vient de Siméon :

— Elles étaient comme des sœurs pour moi.

— Je dois aller à Québec demain, sinon les meilleures filles seront déjà promises ! s'exclama Siméon.

André Barbault releva soudainement la tête et les observa.

— Je pourrais vous les présenter. Siméon a raison, allons à Québec dès demain.

Il jeta un regard interrogateur à André.

— Allez-y sans moi.

Siméon s'arrêta un moment comme si une idée l'avait frappé. Il scruta ses vêtements et pinça les lèvres.

— Je dois laver ma chemise et ma culotte au ruisseau. J'y vais tout de suite pour que ce soit sec demain matin, dit-il.

Sous le regard abasourdi des deux hommes, il partit séance tenante à grandes enjambées, puis il lança à André Barbault par-dessus son épaule :

— Sois prêt à l'aube.

André Mignier était surpris : il n'avait pas saisi à quel point son ami voulait se marier.

— Même si tu ne cherches pas une femme tout de suite, tu pourrais quand même venir avec nous à Québec, ça te changera les idées et ça te permettra de prendre un peu de repos, commenta André Barbault.

André n'avait pas le cœur à regarder ses amis faire connaissance avec de jeunes femmes.

— Je préfère rester seul et profiter d'un peu de tranquillité.

— Comme tu veux.

Barbault le salua et retourna chez lui.

Siméon et André Barbault prirent la route dès l'aube le lendemain, comme prévu. Pour sa part, André Mignier entreprit d'arracher les mauvaises herbes de leur potager. Plusieurs fois, il alla au ruisseau remplir deux grandes jarres pour l'arroser, ayant constaté qu'il en avait grand besoin. L'après-midi, il alla chasser, car leur réserve de viande avait baissé.

Tandis qu'il marchait dans la forêt, à l'affût d'une proie, il réfléchit. Il se demanda s'il serait en mesure de cultiver des vignes comme il le faisait avec son père dans l'île de Ré. Certes, l'hiver était long, mais il savait que certaines variétés de raisin mûrissaient rapidement. Il se promit de tenter l'expérience dans les années à venir.

Il observait la forêt et se mit à regretter que Marie Jacques ne soit pas avec lui. Quel immense bonheur il aurait eu à cultiver sa terre avec son aide ! Il ne lui vint pas à l'esprit qu'il possédait une terre parce que le destin avait fait en sorte qu'il ne puisse épouser Marie Jacques.

Deux heures plus tard, il rentra chez lui avec deux lièvres et quatre perdrix.

André Barbault et Siméon revinrent en fin de journée.

— Et puis, la chasse a été bonne ? ironisa André.

— Nous avons du pain ! s'écria André Barbault.

Le pain était ce qui leur manquait le plus. N'ayant pas encore construit de four à pain, ils ne pouvaient en faire cuire.

— Nous allons nous régaler avec ces belles prises ce soir, continua-t-il.

Il sortit de son sac de toile la nourriture qu'il avait achetée. Il brandit d'un air triomphant deux gros poissons. André Mignier se tourna vers Siméon, qui semblait avoir l'esprit ailleurs. Il scruta André Barbault et pointa Siméon du menton.

— Votre voyage a-t-il été inutile ?

André Barbault poussa un soupir.

— Au contraire.

André Mignier jeta un regard dubitatif à Siméon. Celui-ci remarqua qu'il l'observait et reprit ses esprits.

— J'ai trouvé ma femme ! claironna-t-il.

— En fait, ils se sont trouvés, je dirais. Tu aurais dû voir ça. Lorsque je l'ai présenté aux trois sœurs de mon village, il a regardé Claude sans rien dire pendant une bonne minute avant de la saluer. Puis, il a pris son bras et ils se sont éloignés en discutant, nous laissant plantés là, raconta André Barbault.

— Claude?

— Claude Deschalets, ma future épouse. Nous avons aussi rencontré Jean Giron et je crois bien qu'il était très intéressé par sa sœur Madeleine, et toi, tu pourrais épouser leur sœur Élisabeth, déclara Siméon d'une voix enthousiaste.

André Mignier secoua la tête.

— Elle te fera une épouse très respectable, je t'assure, certifia André Barbault.

— Non! Si vous lui avez fait des promesses pour moi, vous devrez vous rétracter, parce que c'est non, annonça André fermement.

Siméon lui lança un regard excédé.

— Bon sang! Quel imbécile tu fais! Nous te trouvons une épouse et tu lèves le nez.

— Je me trouverai bien une épouse tout seul et lorsque cela me conviendra, rétorqua André.

Les deux hommes, exaspérés, se regardèrent fixement pendant un moment, puis la tension retomba lentement.

— Elles seront déçues. Ça aurait été parfait pour les trois femmes, qui ne veulent pas être séparées. Trois sœurs qui épousent trois amis, dit Siméon.

André s'adressa à André Barbault.

— Pourquoi tu ne l'épouses pas, toi?

— Ces trois femmes sont comme des sœurs pour moi. Je ne peux pas, révéla-t-il.

Siméon haussa les épaules et poussa un soupir de résignation.

— Dommage. Nous aurons au moins essayé.

Un peu plus tard, ils s'attablèrent et dégustèrent les délicieux poissons cuisinés avec des oignons.

— Et toi, André, tu n'as pas rencontré de femme ? l'interrogea André Mignier.

Son ami fit une moue de tristesse, puis il haussa les épaules en signe de résignation. Pourtant, il n'avait rien de rebutant et il semblait être un charpentier prospère. André Mignier se promit de l'inciter à retourner à Québec avec Siméon le dimanche suivant. Peut-être y aurait-il des femmes qui n'auraient pas encore trouvé d'époux.

— Nous devons mettre les bouchées doubles, car il faut avoir terminé ma maison et avoir fait la récolte de blé à la fin août, avant le mariage. La dame qui s'occupe des filles à marier est très exigeante. Elle ne veut pas laisser une jeune fille épouser un homme qui n'est pas prêt à recevoir une épouse sous son toit et qui n'a pas prévu de quoi la nourrir pour l'hiver, indiqua Siméon.

— Une fois ta maison terminée, il faudra aussi construire une cabane pour moi, ajouta André Mignier.

— J'ai bien peur que vous ayez une autre maison à construire aussi, dit André Barbault.

— Pourquoi ? s'enquit André, étonné.

— Une fois que les trois jeunes femmes nous ont quittés, Jean Giron nous a informés que Madeleine Deschalets l'intéressait, mais qu'elle lui avait clairement fait comprendre qu'elle voulait habiter près de ses sœurs. À mon avis, il va aller voir dame Guillemette Hébert pas plus tard que demain pour obtenir une terre à nos côtés, expliqua-t-il.

— Et que fera-t-il de celle qu'il a déjà à la Petite-Auvergne?

— Il peut facilement la louer ou la vendre, car la maison est déjà construite, son champ est défriché et ensemencé, répondit André Barbault.

— Il m'a dit effectivement vouloir obtenir une concession près des nôtres, avança Siméon, mais je ne crois pas qu'il construira sa maison cette année. Il a affirmé avoir trop de travail pour l'instant. Je crois qu'il attendra l'an prochain ou peut-être même l'année d'après, s'il réussit à convaincre Madeleine de patienter.

— Il devra avoir de bons arguments, car Madeleine est du genre tenace, commenta André Barbault.

— En tout cas, je lui demanderai, car il ne faut pas oublier que, chaque dimanche, nous devrons aller visiter nos promises, histoire de nous assurer qu'aucun autre homme ne nous les ravira… et, évidemment, pour faire plus ample connaissance, ajouta Siméon, les yeux brillants.

Ils finirent de manger en silence, laissant André à sa réflexion. Il voyait l'air heureux de Siméon et se demanda si un jour il pourrait se réjouir de se marier. L'année suivante, il devrait tenter sa chance à l'arrivée des filles à marier. Il n'était pourtant pas assuré qu'une femme voudrait l'épouser; pour preuve, André Barbault n'avait pas encore trouvé d'épouse. Il deviendrait difficile de s'occuper de la maison, de défricher, d'ensemencer et de récolter sans aide. Sans parler des longs mois d'hiver, enfermé seul sans rien à faire dans sa cabane… Cette seule pensée lui fit froid dans le dos.

20

3 septembre 1668, Québec

Marie Jacques pénétra lentement dans l'église. Elle cherchait André depuis plus de deux mois maintenant. Toujours accompagnée d'un chaperon, elle avait demandé à plusieurs passants s'ils le connaissaient, mais sans succès. Elle avait même arpenté en vain les rues près de la berge pendant plusieurs jours pour s'informer auprès des hommes qui arrivaient de Trois-Rivières ou de Ville-Marie. Personne n'en avait entendu parler. C'était désespérant.

Lorsqu'elles avaient débarqué, au début du mois de juillet, les jeunes femmes étaient pour la plupart mal en point. Le manque de nourriture et d'exercice les avait affaiblies. Leurs vêtements étaient crasseux et il tombait une pluie diluvienne. Néanmoins, rien n'aurait pu altérer le bonheur que Marie Jacques avait ressenti d'être arrivée saine et sauve en Nouvelle-France.

On les avait conduites en charrette à la haute-ville, car elles n'avaient pas assez de force pour monter le chemin abrupt qui menait en haut des falaises. De bons repas et du repos leur avaient permis de reprendre des forces, et elles avaient pu laver leurs vêtements et se rendre présentables. Plusieurs d'entre elles furent hébergées chez des femmes qui s'occupaient des filles à marier. Marie Jacques habitait chez la veuve Lalime comme Marie Major, Françoise Leclerc et dix autres jeunes femmes.

La veuve Lalime s'était entretenue avec Marie Jacques à plusieurs reprises au cours des semaines précédentes. Elle lui enjoignait de se trouver un époux. Marie Jacques l'entendait encore lui déclarer de sa voix nasillarde :

— Vous êtes une des plus belles jeunes femmes du groupe, vous n'êtes pas chétive, vous êtes polie et respectueuse. Je sais que des hommes s'intéressent à vous. Comment se fait-il qu'aucun ne vous convienne ? Si vous continuez à faire la difficile, les meilleurs auront trouvé une épouse.

Marie Jacques n'osait parler d'André de peur qu'on lui ordonne de cesser ses recherches. Chaque fois qu'elle interrogeait quelqu'un, elle prenait toujours la précaution de mentionner qu'elle devait lui transmettre un important message de la part de sa mère. Elle avait rassuré la veuve en lui disant qu'elle prendrait certainement époux bientôt. Elle combattait le découragement avec ardeur et n'osait penser à ce qui lui arriverait si elle ne retrouvait pas André.

Sans l'avoir cherché, elle avait reçu plusieurs propositions, mais elle les avait déclinées, au désespoir de la veuve Lalime. La plupart des jeunes filles venues avec elle étaient soit déjà mariées, soit engagées auprès d'un homme. Marie Major avait elle aussi rencontré un homme qui se nommait Antoine Roy dit Desjardins. La veille, elle avait confié à Marie Jacques qu'elle avait accepté de l'épouser. D'ici quelques jours, le notaire rédigerait leur contrat de mariage. Françoise Leclerc avait épousé Michel Riffault et elle vivait désormais dans le village de la Petite-Auvergne.

Au fil des jours, Marie Jacques avait assisté à de nombreux mariages, étudiant la foule dans l'espoir de découvrir

André. En entrant dans l'église Notre-Dame, elle ne put s'empêcher de formuler une prière.

— Mon Dieu, donnez-moi la force de continuer, murmura-t-elle.

Comme chaque fois, elle regarda d'abord l'homme qui se mariait, espérant de tout cœur que ce ne soit pas lui. Puis, elle avança lentement vers le chœur en longeant l'allée latérale gauche de l'église tout en scrutant le visage des hommes.

Soudain, elle le vit. Son cœur fit un bond qui lui coupa le souffle. Ses mains se mirent à trembler et elle resta pétrifiée un moment. Il avait la tête penchée, fixant ses pieds, ne s'intéressant nullement à la cérémonie. « Merci, mon Dieu, il n'y a aucune femme à ses côtés ! » se réjouit-elle intérieurement.

Lorsqu'elle eut retrouvé suffisamment ses esprits pour être en mesure de marcher, elle retourna au fond de la nef afin de remonter l'allée centrale. Les gens autour d'elle se levaient et s'agenouillaient selon le rituel de la messe. Elle prit place sur le banc libre tout juste derrière lui, son corps tout entier tremblant d'émotion. Sur le bout des pieds, elle s'approcha et murmura à son oreille :

— Quelle est la personne que tu souhaiterais voir en ce moment ?

Il sursauta violemment et se retourna d'un bloc.

— Sainte-Marie, mère de Dieu !

Marie Jacques sentit qu'elle était sur le point de défaillir et tendit la main vers lui pour prendre appui, mais avant qu'elle ne tombe, il la souleva dans ses bras.

— Laissez-moi passer, cette jeune femme se trouve mal, dit-il.

Marie Jacques, accrochée à lui, ne pouvait le quitter des yeux. Ils sortirent de l'église et André se dirigea à l'ombre du feuillage d'un grand arbre, un peu plus loin. Il s'assit sur un muret en pierre, ne lâchant toujours pas Marie Jacques, puis il enfouit son visage dans son cou. Il resserra son étreinte et ses épaules se mirent à trembler. Après un long moment, il releva la tête et il lui sourit à travers ses larmes.

— Toi ! finit-il par répliquer.

Elle haussa les sourcils, perplexe.

— C'est toi la personne que je voulais voir le plus au monde. J'étais en train de penser à toi et tu apparais ! J'espère ardemment que je ne suis pas en train de rêver !

Marie Jacques éclata en sanglots. Différentes émotions s'étaient bousculées en elle au cours des mois précédents : l'espoir, l'attente, la peur du voyage et, aussi, celle de ne pas le retrouver. Il la serra tendrement dans ses bras et elle appuya sa joue contre sa large poitrine.

— Tu... tu ne m'as pas oubliée, alors ? balbutia-t-elle.

Il l'éloigna un peu de lui pour la regarder dans les yeux.

— Ne t'ai-je pas dit, il y a quatre ans, que je t'aimerai toujours ?

André était encore plus beau que dans son souvenir. Son visage était le même, sauf quelques petites rides au coin des lèvres. Sa musculature, par contre, s'était considérablement développée.

— Je t'ai cherché partout. Où te cachais-tu ? demanda-t-elle.

— Tout d'abord, dis-moi, comment est-il possible que tu sois ici ?

— Je suis veuve maintenant...

— Ah ! Je suis incapable de te dire que je suis désolé, fit-il.

— ... et ensuite, j'ai écouté mon cœur, poursuivit Marie Jacques.

Soudain, des éclats de voix leur firent tourner la tête. Les six couples qui s'étaient mariés ce jour-là sortaient de l'église en se félicitant mutuellement. Plusieurs d'entre eux les observèrent et, au grand dam de Marie Jacques, les trois sœurs Deschalets vinrent vers eux, accompagnées des nouveaux époux de Madeleine et de Claude.

André et Marie Jacques se levèrent lentement.

— André, c'est toi qui as perturbé mon mariage ? s'écria Siméon.

— Pardonne-moi, j'ai reçu un immense choc. Je retrouve tout juste ma fiancée perdue, expliqua André.

Le cœur de Marie Jacques se remplit de joie. Elle avait retrouvé l'homme qu'elle aimait et il l'aimait toujours. Elle remarqua alors que Siméon Leroy la fixait d'un air ébahi.

— Je vous présente Marie Jacques Michel. Marie Jacques, laisse-moi te présenter Siméon Leroy, mon ami et voisin, dit André en désignant l'époux de Claude Deschalets.

La main de Marie Jacques se crispa légèrement sur le bras d'André. Il le perçut puisqu'il lui jeta un regard interrogateur. Elle leva les yeux sur les sœurs Deschalets et lut sur leurs visages le même désappointement.

— Jean Giron, également mon ami, poursuivit André en désignant l'homme au bras de Madeleine.

Marie Jacques serra la main des deux compagnons d'André en essayant de masquer sa déception.

— Enchanté. Si je puis me permettre, vous êtes une très jolie fiancée, affirma Siméon en s'inclinant.

— Je ne te le fais pas dire ! Néanmoins, vous avez aussi de très jolies épouses que je n'ai pas encore l'honneur de connaître, signala André aux deux hommes.

Siméon et Jean s'empressèrent de présenter leurs épouses ainsi que leur nouvelle belle-sœur, Élisabeth.

— Nous nous connaissons déjà, nous étions sur le même bateau, roucoula Madeleine en serrant le bras de Jean.

Ils bavardèrent un moment, puis Jean annonça qu'ils se rendaient à sa maison pour célébrer les deux mariages.

— J'irai vous rejoindre plus tard, annonça André.

Une fois qu'ils furent de nouveau seuls, André se tourna vers Marie Jacques, lui prit la main et la regarda droit dans les yeux.

— Je serais très honoré si tu acceptais de devenir mon épouse, déclara-t-il tendrement.

Le sourire de Marie Jacques lui répondit avant même que les mots ne franchissent ses lèvres.

— Je serais plus qu'honorée d'être ton épouse.

Il la serra dans ses bras de longues minutes.

— Je suis tellement heureux que tu sois venue me rejoindre ! Il t'en a fallu, du courage, lui dit-il en caressant sa joue.

— Ce dont j'ai eu le plus peur, c'est de ne pas te retrouver, lui confia-t-elle.

— Nous nous sommes retrouvés et plus rien ni personne ne nous séparera désormais, je t'en fais le serment, promit-il d'une voix ferme.

Il avait changé en quatre ans. Il avait une nouvelle assurance, une fermeté qui plaisait à Marie Jacques. Était-ce l'armée qui en était responsable ?

— Allons de ce pas aviser la veuve Lalime que j'ai enfin accepté une demande en mariage, suggéra Marie Jacques.

André la regarda d'un air interrogateur.

— En fait, elle s'appelle Jeanne Duguay. C'est la veuve d'Antoine Lebohême dit Lalime, maître-armurier, mais tout le monde l'appelle la veuve Lalime. Elle héberge plusieurs filles à marier et elle veille à ce que nous nous trouvions un bon époux, expliqua Marie Jacques.

— Des *filles à marier* ?

— C'est une idée de Nou… euh… d'une bonne amie. Je n'avais pas d'argent pour payer la traversée. Étant donné que je suis orpheline de père et que je voulais venir en Nouvelle-France pour prendre époux et fonder une famille, je répondais aux exigences. La seule petite entorse, c'est que je ne voulais me marier qu'avec toi, mais je ne leur ai pas dit, précisa-t-elle avec une moue malicieuse.

— Courageuse et astucieuse !

Marie Jacques se mit à rire. Son bonheur était si grand qu'elle peinait à y croire. André la regardait avec des yeux remplis d'amour qui la faisaient fondre. Elle se sentait enfin en sécurité et dorénavant, pourvu qu'elle soit avec lui, il pouvait l'emmener où il voudrait.

Une fois chez la veuve Lalime, Marie Jacques conduisit André au salon où avaient lieu tous les entretiens entre la dame et les prétendants des jeunes femmes. Lorsque celle-ci entra dans la pièce, Marie Jacques se leva, ainsi qu'André.

— Madame Lalime, je vous présente mon futur époux, André Mignier. Il vient de l'île de Ré, tout comme moi, nous nous connaissons un peu. Il se cherche une épouse, expliqua Marie Jacques.

Le visage de madame Lalime s'éclaira.

— Parfait ! Il est judicieux de choisir une personne qui vient de la même région, c'est le conseil que je donne toujours, car c'est plus facile de bien s'entendre. Dites-moi, Monsieur Mignier, pourquoi êtes-vous venu en Nouvelle-France ?

— Je suis arrivé il y a trois ans avec Alexandre de Prouville, marquis de Tracy. Je faisais partie de la compagnie du sieur Alexandre de Berthier et j'ai décidé de m'établir ici. J'ai reçu une concession de dame Guillemette Hébert et j'ai commencé à défricher, répondit-il.

La veuve semblait satisfaite des réponses et commençait visiblement à se détendre.

— Vous avez bien sûr une cabane de construite pour accueillir votre future épouse ?

— Non, pas encore, mais...

Marie Jacques se tourna brusquement vers lui. La veuve avait froncé les sourcils et regardait André avec un air désolé.

— Malheureusement, dans ce cas, je ne puis vous permettre de l'épouser, affirma la dame.

— Quoi ? s'écrièrent en chœur André et Marie Jacques.

La veuve eut un mouvement de recul devant leur réaction. Elle fronça encore plus les sourcils de suspicion. Elle redressa les épaules et les observa tour à tour.

— Il est de mon devoir de m'assurer que les jeunes femmes qui me sont confiées choisissent des époux qui ont une maison pour les abriter et qui peuvent les nourrir pendant l'hiver qui vient. J'entends bien respecter ma mission.

André se détendit.

— Soyez assuré que ma cabane sera construite avant le mariage. Ma récolte de blé est déjà faite et mon potager m'en a donné suffisamment pour nous nourrir tous les deux. Ma maison n'est pas encore bâtie, tout simplement parce que j'ai aidé à construire celle de mon ami Siméon Leroy qui a épousé aujourd'hui une de vos protégées. Il m'aidera à son tour au cours des prochaines semaines, expliqua-t-il calmement.

Marie Jacques s'apaisa. Elle prit conscience qu'elle avait retenu son souffle depuis qu'il avait avoué ne pas posséder encore de maison.

— Dans ce cas, je vous donnerai mon autorisation finale dès que votre demeure sera construite, déclara la veuve.

— Cela me convient parfaitement. J'ai bien l'intention de prendre grand soin de cette jeune femme, soyez sans crainte.

Elle scruta son regard un long moment.

— Vous me semblez honnête, jeune homme, finit-elle par répliquer.

André prit le bras de Marie Jacques et, après avoir salué madame Lalime, ils sortirent en silence.

— Ouf! Mon cœur a fait un bond quand elle a dit que je ne pouvais pas t'épouser parce que tu n'avais pas de maison.

— Moi aussi!

Il s'arrêta et lui prit les mains. Ces mains, pleines de cals, étaient celles d'un homme qui a travaillé dur et sans relâche.

— Je construirai notre maison le plus rapidement possible. Je ne reviendrai que lorsque ce sera fait. Je ne veux pas être séparé de toi plus longtemps qu'il ne le faut.

Elle hocha la tête en silence, la gorge nouée à la pensée de ne pas pouvoir le voir durant plusieurs jours.

— En attendant, je vais te donner de l'argent pour que tu nous procures des draps et des couvertures. Achète aussi ce qui est nécessaire pour cuisiner, dit-il.

— J'ai apporté plusieurs articles…, commença-t-elle.

Elle s'interrompit.

— André, tu as de l'argent?

— Oui, tu n'as pas à t'inquiéter. Je t'expliquerai, assura-t-il.

Il la prit dans ses bras et la serra tendrement, puis il lui murmura à l'oreille:

— Tu es la personne que je veux le plus au monde voir chaque soir avant de m'endormir et chaque matin à mon réveil.

21

3 septembre 1668, une concession près de Charlesbourg

André retourna chez lui dans un état de grande fébrilité. En cours de route, il laissa éclater un cri de bonheur qui résonna dans la forêt et fit s'envoler les oiseaux. Le choc subi à la vue de Marie Jacques commençait à s'estomper, laissant place à une douce euphorie. Il ne pouvait croire en sa chance. Finalement, il allait pouvoir épouser Marie Jacques. Comment avait-elle su qu'il était en Nouvelle-France? Ce devait être Catherine qui l'en avait informée.

— Merci, Catherine, de m'avoir fait promettre de t'écrire! cria-t-il, les yeux levés vers le ciel.

Lorsqu'il fixa de nouveau la route, il vit deux hommes qui venaient dans sa direction et le regardaient d'un air surpris.

— Bonjour, Messieurs! Ne faites pas attention à moi, dit-il d'un ton enjoué.

Ils le saluèrent, rassurés par sa bonne humeur communicative, puis continuèrent leur chemin. André arriva enfin chez Jean Giron, au village de la Petite-Auvergne, où avait lieu la noce. Le soleil brillait encore en cette fin d'après-midi et une table avait été dressée dehors.

Jean s'empressa de lui tendre un gobelet de vin et ils trinquèrent à la santé des nouveaux époux. Madeleine invita

André à venir goûter le petit festin. Il ne se fit pas prier, car il était affamé. Une fois son assiette remplie à ras bord, il vit Madeleine pousser sa sœur Élisabeth devant lui. Celle-ci semblait mal à l'aise.

— Allez-vous épouser Marie Jacques ? demanda-t-elle anxieusement.

— Oui, dès que j'aurai construit ma maison, affirma-t-il.

Elle sembla étrangement rassurée. Il piqua un morceau de jambon avec son couteau et l'avala avec délice.

— J'ai bien vu comment vous la regardiez, je vous souhaite bien du bonheur, dit Élisabeth.

— Je l'aime plus que tout au monde.

Elle eut soudain l'air triste.

— Vous trouverez aussi un bon époux, soyez sans crainte, assura André.

Il se retourna et remarqua que Madeleine s'était approchée. À son expression, on voyait qu'elle n'appréciait pas ce qu'elle entendait. Elle s'avança vers eux.

— Vous pourriez être un bon époux pour ma sœur. Elle est forte et pourrait vous donner un bon coup de main, déclara-t-elle.

— Madeleine ! s'écria Élisabeth.

Madeleine lança un regard furieux à sa sœur et, d'un geste, la fit taire.

— Qu'en pensez-vous ? poursuivit Madeleine en s'adressant à André.

— Comme je l'expliquais à votre sœur, rien ni personne ne pourra m'empêcher d'épouser Marie Jacques. Je suis désolé.

Elle demeura interdite un instant, manifestement peu habituée à être contrariée.

— Vous l'aimez à ce point ?

— En effet, à ce point, rétorqua-t-il fermement.

Elle le regarda un moment et sembla vouloir ajouter quelque chose, mais elle se ravisa et tourna les talons sans un mot.

Élisabeth, à ses côtés, était rouge de honte.

— Veuillez lui pardonner, ma sœur n'a aucune mauvaise intention, balbutia-t-elle.

— Ce n'est rien, fit André.

Il mordit dans un morceau de pain frais tandis qu'Élisabeth plongeait son nez dans son gobelet de vin.

— En fait, je suis bien satisfaite que vous ne vouliez pas m'épouser, indiqua-t-elle en relevant la tête.

Elle sembla prendre conscience, avec un peu de retard, de l'insulte que sa phrase contenait et rougit encore un peu plus.

— Non pas que vous ne feriez pas un bon époux, précisa-t-elle.

André l'observa d'un air moqueur, ce qu'elle ne vit pas, puisqu'elle n'osait lever les yeux sur lui.

— Je suis plutôt ravie que les plans de ma sœur aient été déjoués. Je pourrai me trouver un époux à ma guise et je ne serai plus sous son emprise. Elle a beau être la plus jeune, elle agit comme si elle était l'aînée.

Elle jeta un coup d'œil autour d'elle, puis posa sa main sur sa bouche pour cacher sa mine réjouie.

— Je la connais, elle est furieuse !

Lentement, elle retrouvait son aplomb.

— L'homme qui vous a remplacé comme témoin, puisque vous étiez sorti de l'église, me plaît bien, ajouta-t-elle.

— Qui est-ce ?

— Il se nomme François Paris, dit-elle.

— Je ne le connais pas. Si je n'avais qu'un conseil à vous donner, ce serait celui-ci : d'une façon ou d'une autre, assurez-vous de lui faire savoir qu'il vous plaît.

Ayant retrouvé son sourire, Élisabeth alla rejoindre ses sœurs et André chercha Siméon des yeux. Il se dirigea droit sur lui.

— Dès demain, nous devons entreprendre la construction de ma maison.

— Ta maison ?

— Je vais bientôt avoir une épouse, je ne veux pas d'une cabane !

Siméon regarda son ami et sembla heureux de le voir si enjoué.

— Entendu, une maison. Félicitations !

~

— Madame Lalime, j'ai maintenant terminé de construire notre maison. Puis-je avoir votre autorisation pour épouser Marie Jacques ? demanda André.

— Bien sûr, Monsieur Mignier, rien ne me fera plus plaisir, répondit-elle avec entrain.

André se tourna vers Marie Jacques et pressa sa main dans la sienne. Il avait travaillé d'arrache-pied pendant quatre semaines en compagnie de Siméon. Il restait à construire l'étable, mais il avait encore du temps avant l'hiver. Il serait même possible de la construire au printemps, puisqu'il n'avait pas l'intention d'acheter d'animaux avant plusieurs mois.

— Dimanche prochain, le notaire Romain Becquet viendra rédiger les contrats de mariage de quelques couples. Est-ce que cela vous intéresse aussi ? s'enquit madame Lalime.

André consulta Marie Jacques du regard. Elle acquiesça.

— Nous serons présents.

— Le notaire viendra en après-midi.

Après l'avoir remerciée, André sortit avec Marie Jacques à son bras. Ils descendirent vers la Basse-Ville, puis s'arrêtèrent près d'un gros rocher en face du fleuve.

— Décris-moi ta nouvelle maison, lui demanda Marie Jacques.

— *Notre* nouvelle maison, rectifia André.

— *Notre* nouvelle maison, répéta Marie Jacques d'une voix affectueuse.

— Elle est toute en bois, contrairement aux maisons de notre île. Ici, comme tu as pu le remarquer en remontant le Saint-Laurent, du bois, il y en a à profusion.

Il se revit, avec ses frères, faisant la traversée jusqu'à la côte pour aller acheter du bois, puisqu'il n'y avait pas assez d'arbres dans l'île de Ré pour fournir aux habitants le combustible nécessaire pour la cuisine et le chauffage.

— Elle est suffisamment grande pour nous deux et… nos enfants, expliqua-t-il.

Marie Jacques tiqua, puis blêmit et pencha la tête.

— Qu'y a-t-il? questionna André.

Marie Jacques ne répondit pas, mais de grosses larmes se mirent à couler sur ses joues. André lui prit le menton pour la forcer à le regarder.

— Que se passe-t-il? demanda-t-il doucement.

Marie Jacques le fixa avec des yeux chargés de douleur. Elle leva la main et caressa sa joue.

— Je comprendrai, je t'assure, si tu ne veux plus m'épouser, souffla-t-elle.

— Et pourquoi diable ne voudrais-je plus t'épouser? s'étonna-t-il.

— Parce que je ne peux pas avoir d'enfants.

— Ah !

Il était touché par son évidente détresse.

— En trois ans, avec Jean Gardin, je n'ai pas eu d'enfants. Le docteur m'a dit que j'avais certainement un problème, continua-t-elle.

André comprit qu'elle lui donnait la chance de se libérer. Elle avait fait preuve de courage et d'honnêteté pour lui laisser le choix, même si elle avait beaucoup à perdre. Il l'aimait plus que tout, et plus encore en cet instant. Certes, il voulait des enfants, mais avant tout, il ne pouvait renoncer à elle.

— Rien ne m'empêchera de t'épouser.

Marie Jacques sourit à travers ses larmes. André la prit dans ses bras et la serra très fort en la berçant doucement.

— Tu me fais penser à Nouchka, dit-elle, le visage collé contre son torse.

— Nouchka ? La vieille Nouchka ? La sorcière ?

Elle se redressa et planta ses yeux dans les siens.

— Je t'interdis de l'appeler ainsi. C'est elle qui m'a donné le courage de venir te retrouver. Je ne serais pas ici sans elle.

— Eh bien ! lâcha-t-il, étonné.

Marie Jacques se tourna vers le fleuve et, pendant un moment, sembla perdue dans ses pensées. Les quelques mèches de ses cheveux qui s'étaient détachées et échappées de sa coiffe blanche ondulaient dans la brise.

— Elle me disait : « Fais confiance à la vie, ma petite. »

Marie Jacques avait parfaitement imité l'accent chantant de Nouchka. Elle refit face à André et poursuivit, les yeux brillants.

— Elle m'a appris qu'elle était l'amie de ma grand-mère, qui m'avait enseigné les rudiments de l'utilisation des herbes. Elle m'a prise sous son aile et m'a enseigné tout ce qu'elle savait, comme le lui avait demandé ma grand-mère avant de mourir. C'est elle qui a eu l'idée de me faire fille à marier.

— Une excellente idée! approuva André.

— Si tu savais comme elle est gentille. Elle me manque énormément.

André connaissait la douleur que l'on ressent au moment de partir et de laisser derrière soi les gens et les lieux que l'on aime. Il mesurait à sa pleine valeur le sacrifice qu'elle avait fait.

— Tu as dû avoir de la difficulté à la quitter, alors…

— Beaucoup. Mais elle avait compris à quel point je t'aimais.

— Et ta mère? Elle t'a laissée partir ou tu t'es enfuie? voulut savoir André.

Marie Jacques lui jeta un regard à la fois amusé et légèrement excédé.

— Ma mère m'a laissée partir. Elle venait de se remarier…

— J'aurais dû m'en douter, l'interrompit-il.

«Du moment qu'elle a quelqu'un pour s'occuper d'elle», se dit André avec amertume.

— Avant de partir, j'ai eu une longue conversation avec ma mère. Elle m'a avoué avoir fait une erreur en m'obligeant à épouser Jean Gardin. Elle avait très peur et l'avait choisi pour sa bonne situation financière. Elle l'a regretté peu de temps après, mais le mal était fait.

— Effectivement, le mal était fait, grogna-t-il.

— Elle m'a chargée de te dire quelque chose.

— Que me veut-elle? soupira-t-il.

— Elle m'a dit: «Demande-lui de me pardonner.»

André sursauta.

— Elle t'a dit ça ! Elle devait sûrement être très ébran-
lée par ton départ et voulait t'amadouer pour que tu
restes...

Marie Jacques secoua la tête.

— Elle savait que je partirais tout de même. Elle reconnaissait pleinement qu'elle avait fait une erreur et souhaitait
de tout son cœur que je sois heureuse avec toi. Elle aussi
avait compris que je t'aimais encore, même après toutes ces
années.

— Mmphm...

En son for intérieur, André n'était pas convaincu de la
sincérité de la mère de Marie Jacques. Il jugea inutile de
chagriner sa fiancée avec ses soupçons, puisque de toute
façon ils ne la reverraient sans doute jamais.

— Parle-moi de tes amis, nos voisins, l'invita Marie
Jacques après un moment de silence.

Elle avait dû lire sur son visage qu'il valait mieux changer
de sujet.

André se leva et s'étira.

— Veux-tu marcher un moment le long du fleuve ? lui
proposa-t-il.

Marie Jacques accepta. André lui tendit le bras et ils se
promenèrent lentement le long de la rive, mais sans trop
s'éloigner de la ville.

— Siméon est le premier que j'ai rencontré en arrivant
dans ma compagnie. À ce moment-là, j'étais bouleversé de
t'avoir quittée et de m'être engagé dans l'armée. C'est un
homme courageux, travaillant et doté d'un grand sens de
l'humour. J'apprécie sa compagnie, dit-il.

Une brise soufflait du fleuve et les cheveux d'André
s'étaient en partie détachés. Il retira le cordon en cuir qui
les retenait et s'appliqua à les rattacher.

— Moyze Aymé est le deuxième homme que j'ai connu, il faisait aussi partie de la compagnie du Sieur de Berthier.

— Je ne l'ai pas encore rencontré, n'est-ce pas ? demanda Marie Jacques.

— Non, et j'aurais aimé que tu le connaisses, mais il est décédé il y a plus de deux ans.

André laissa son regard errer sur le fleuve. Il regrettait son ami. Il avait apprécié chacune des conversations qu'il avait eues avec lui.

— Tu as eu beaucoup de chagrin ? s'enquit-elle.

— Oui. Il me manque beaucoup. Si nous n'avions pas été dans l'armée, jamais nous n'aurions fait connaissance. Il n'était pas du même milieu que nous. Il excellait dans l'art de parler en société. Il pouvait même parler pendant de longues minutes sans avoir rien à dire de précis, se rappela-t-il.

André détourna ses yeux du fleuve pour les poser sur elle, une lueur amusée dans le regard.

— Je me rappelle d'un jour, en Martinique, alors que nous avions débarqué pour patrouiller, Siméon, Moyze et moi, nous nous sommes arrêtés à une hutte pour acheter de la nourriture. Nous n'en avions pas le droit, pendant notre service. Un lieutenant d'une autre compagnie nous a surpris. Moyze s'est chargé de lui parler. Après qu'il eut terminé, le pauvre homme ne savait plus s'il devait nous punir parce que nous avions désobéi ou nous féliciter parce que nous avions bien agi. Moyze est même allé plus loin et l'a convaincu qu'il faisait preuve de courage en nous laissant partir.

André demeura silencieux un long moment.

— En arrivant ici, Moyze a réussi à nous faire héberger tous les trois chez Thierry Delestre dit Levallon. Nous

avons passé deux belles années au sein de cette famille. Je
m'y sentais comme chez moi. J'ai hâte de te les présenter.

Marie Jacques sursauta et se mit à fouiller dans la poche
de sa jupe. Elle tendit à André quelques feuilles de papier
pliées.

— Parlant de famille… Avec toutes les émotions de nos
retrouvailles, j'ai complètement oublié de te remettre une
lettre que Catherine m'a confiée.

André mit le pli dans la poche de sa veste. Marie Jacques
lui fit signe de poursuivre son récit.

— Nous avons rencontré Bernard Chapelain à la pêche.
C'est un jeune homme énergique et vaillant. Il m'a amené
à la chasse avec lui. Puis, Moyze a rencontré Jean Giron,
un tailleur d'habits, et il nous l'a présenté. Jean est quelqu'un de calme et de posé.

Tout en parlant, André prit soudain conscience du bonheur qu'il ressentait en présence de Marie Jacques. Elle
seule pouvait lui apporter cette sensation de force et de
sérénité tout à la fois. Avec elle à ses côtés, il avait la certi-
tude qu'il pourrait accomplir des exploits.

— J'ai vraiment hâte que tu voies notre maison! J'espère
qu'elle te plaira, dit André.

— D'ailleurs, pour que je puisse la visiter le plus rapidement possible, que dirais-tu si nous allions trouver le curé
pour faire publier les trois bans?

— Bonne idée! Après, nous irons rendre visite à la
famille Delestre. Tu verras, Jeanne ressemble à ma petite
sœur Catherine. Pas physiquement, mais elle est aussi gentille et dégourdie qu'elle. C'est elle qui me lira ma lettre.

Un peu plus tard, Marie Jacques rencontra les membres
de la famille Delestre, qui l'accueillirent comme s'ils la
connaissaient depuis toujours. Puis, André demanda à

Jeanne de lui lire sa lettre. Ils sortirent tous les deux dans le jardin.

Jeanne commença sa lecture.

Bonjour,

Si tu reçois cette lettre, c'est que Marie Jacques t'a retrouvé. Elle est partie de l'île avec nos espoirs qu'à son arrivée tu ne sois pas marié. J'espère que tu seras en mesure de transmettre de tes nouvelles avant le départ des derniers bateaux de l'automne. Je suis incapable d'envisager de devoir attendre plus d'une année avant de savoir si tu as épousé Marie Jacques.

Jeanne releva les yeux vers André.

— Tu ne nous avais pas parlé d'elle, dit-elle avec malice.

— Je croyais l'avoir perdue pour toujours.

Toute la famille se porte bien et nous espérons que toi aussi. Nous avons reçu la nouvelle que tu t'établissais définitivement en Nouvelle-France avec joie et tristesse. Nous sommes heureux que tu puisses avoir une grande terre à toi. Tu nous manques pourtant et nous manqueras toujours.

Comment va la vie pour toi dans la colonie ? Raconte-nous l'hiver, tes grandes marches avec les soldats et le défrichement de ta terre. Une fois par mois, je relis une de tes lettres à la famille et nous essayons de t'imaginer là-bas. C'est Mère qui a instauré ce qui est devenu un petit rituel. C'est sa façon de te garder présent au sein de nos pensées. Nous attendons avec impatience les soirs où, après un bon repas, nous nous installons près du feu et où je relis une de tes lettres. Alors, je t'en supplie, raconte-nous dans quelles circonstances Marie Jacques t'a retrouvé.

Ton neveu, le petit Jean Mignier, est maintenant âgé de deux ans et demi. Il est adorable, mais sa mère a fort à faire pour le surveiller. Un vrai Mignier, incapable de rester en place. La semaine dernière, il est venu à la pêche avec nous pour la première fois. Il a couru pendant plus d'une heure sur le sable mouillé, trépignant et criant à tue-tête dès qu'il trouvait un poisson. Son père a dû le porter au retour, car il s'était endormi sur la plage tellement il était épuisé.

Le 17 janvier de cette année, notre sœur Marie, la plus jeune, a épousé Pierre Riorteau. Anne, sa première femme, est décédée l'an dernier et il a voulu se remarier rapidement parce que ses trois petits enfants avaient besoin d'une mère. Marie était très heureuse de se marier, mais un peu moins de quitter le village. Nous devons maintenant marcher un peu plus de deux heures pour lui rendre visite. Mère a trouvé difficile de laisser partir sa fille, même si elle aura bientôt vingt-trois ans. Marie vient la voir souvent, ce qui la rassure, mais, après son départ, on peut voir que les trois enfants de Pierre Riorteau l'ont épuisée. Mère n'a plus la même vitalité qu'auparavant, malheureusement.

Père va très bien et est encore solide comme le roc. L'automne dernier, il a réussi à produire cinq barriques de vin de nos vignes. Outre celle qu'il a dû remettre à Jean Lambert en paiement de la location de notre maison, il nous en est resté deux pour notre consommation et deux pour vendre au marché.

Cet été, pour la première fois, André ira travailler aux marais salants, tout comme tu le faisais. Il partira de juin à septembre avec notre frère Michel. Pierre continuera à travailler dans les vignes avec notre père. La maison nous paraîtra vide, mais mère pourra se reposer.

Nous attendrons de tes nouvelles avec impatience. Dans moins d'une heure, je pars avec père pour aller remettre ma lettre à Marie Jacques. Elle est inquiète du voyage à venir, mais encore plus de ne pas te retrouver. Je ne sais pas ce que tu as fait pour conquérir une femme telle que Marie Jacques. J'espère de tout cœur qu'elle pourra être à tes côtés pour le reste de ta vie.

Nous t'embrassons et mère me demande de t'écrire de prendre bien soin de toi.

Catherine

Jeanne releva les yeux sur André.

— Il faut écrire à ta famille sans tarder.

— Aujourd'hui, il est trop tard, mais comme je reviens la semaine prochaine pour signer notre contrat de mariage, je passerai te voir, affirma André.

— Dis-moi ce que tu voudrais que j'écrive et, cette semaine, je commencerai ta lettre et nous n'aurons qu'à compléter lors de ta visite, proposa Jeanne. Tu auras ainsi plus de temps avec Marie Jacques.

André la remercia chaleureusement et ils retournèrent rejoindre les autres.

22

Près de la résidence de la veuve Lalime, sur la rue Saint-Louis en la Haute-Ville, André chercha Marie Jacques des yeux parmi plusieurs couples qui attendaient pour signer leurs contrats de mariage. Elle devait le guetter puisqu'elle s'avançait déjà vers lui. Il la prit dans ses bras et la serra tendrement.

— J'ai vérifié, nous avons encore un peu de temps ; nous sommes le troisième couple à faire rédiger son contrat de mariage, indiqua Marie Jacques.

La maison étant déjà bondée, ils attendirent à l'extérieur.

— Ne me dis pas que tu vas te marier toi aussi !

André se tourna et se retrouva face à Jean Delguel, l'aide-magasinier du régiment. Ils se saluèrent cordialement, puis André lui présenta Marie Jacques.

— Vous ne le savez peut-être pas encore, Mademoiselle, mais vous allez épouser un homme qui possède de très grandes qualités, déclara Jean Delguel.

André rougit d'embarras.

— J'en connais déjà un bon nombre, mais je suis certaine que j'en découvrirai encore d'autres, répondit Marie Jacques.

— Marie Jacques est née dans l'île de Ré, tout comme moi. Nous nous connaissons depuis plusieurs années, expliqua André.

— Et vous, qui allez-vous épouser ? s'enquit Marie Jacques.

— Louise Vaucher. La connaissez-vous ? demanda Jean Delguel.

— Bien sûr, nous sommes toutes deux hébergées ici depuis plusieurs semaines, souligna Marie Jacques.

Soudain, des éclats de voix venant de l'intérieur de la maison attirèrent leur attention.

— Voyons, ma jolie, vous ne pouvez pas faire ça ! s'exclama un homme.

— Ne m'appelez pas *ma jolie*, je ne vous le permets pas !

Une jeune femme d'une vingtaine d'années sortit en trombe de la maison. Elle semblait furieuse et serrait les poings. Elle descendit les escaliers en faisant voler sa jupe dans tous les sens. Un homme apparut à sa suite sur le seuil de la porte.

— D'accord, mais revenez, dit-il.

— Il n'en est pas question ! répliqua la jeune femme.

L'homme la toisa du haut de l'escalier, une lueur mauvaise dans les yeux. Il sauta au pied des marches et la rattrapa. Il lui saisit le bras et tira brusquement pour la forcer à se retourner. D'un seul mouvement, les hommes autour s'approchèrent. Il s'en rendit compte et lui lâcha le bras.

— Il n'est plus question que je vous épouse, décréta-t-elle.

Un autre homme s'avança.

— Elle ne veut plus vous épouser. Laissez-la tranquille, dit-il.

La jeune femme en profita pour tourner les talons et s'éloigner d'un pas déterminé. L'homme la regarda un moment puis, dépité, partit dans la direction opposée.

— À mon avis, il a dû lui faire une remarque désobligeante de trop, plaisanta Jean Delguel.

André se tourna vers Marie Jacques.

— La connais-tu ? questionna-t-il.

— Elle était sur le même bateau que moi, elle s'appelle Anne, mais je la connais peu, répondit Marie Jacques.

— Voilà Louise qui vient certainement me chercher, indiqua Jean Delguel.

Louise Vaucher venait de sortir de la maison et promenait son regard sur les gens. Jean lui fit signe et un sourire apparut sur son visage. Elle descendit les trois marches et alla vers eux d'un pas énergique. Louise Vaucher était une jeune femme de dix-sept ans au visage rond et ouvert.

Elle salua Marie Jacques et André, puis se tourna vers Jean, son futur époux.

— Nous sommes les prochains, nous devons y aller, dit-elle.

— Retrouvons-nous plus tard pour célébrer, proposa Jean.

— D'accord.

Un peu plus tard, André et Marie Jacques se présentèrent à leur tour dans la maison où régnait une joyeuse agitation. Des hommes et des femmes discutaient ensemble dans le vestibule et dans un coin du salon ; le notaire Romain Becquet trônait derrière une table dressée à son intention. Des chaises avaient été placées devant, et Jean Delguel et Louise Vaucher y prenaient alors place. Deux hommes se tenaient debout sur le côté, attentifs.

Le notaire restait penché sur le document qu'il était en train de rédiger et posait ses questions sans même relever la tête. Lorsqu'il eut terminé, il en fit la lecture aux futurs époux. Le bruit des conversations était tel qu'il était difficile de l'entendre.

— Ah ! Vous voilà. Ne bougez pas, vous êtes les suivants, signala la veuve Lalime.

Elle repartit aussi rapidement qu'elle était apparue.

Une fois que le notaire eut terminé sa lecture, il leva les yeux sur les futurs époux. Ceux-ci hochèrent la tête en signe d'approbation. Le notaire fit signer Jean Delguel, puis les hommes près de la table, témoins de cette union.

Jean Delguel et Louise Vaucher se levèrent et serrèrent la main du notaire et des témoins. La veuve Lalime réapparut aux côtés d'André et de Marie Jacques pour les conduire à la table. En croisant Jean Delguel, André lui demanda s'il voulait être son témoin.

André et Marie Jacques prirent un siège devant la table où officiait le notaire.

— J'arrive juste à temps! s'exclama Bernard Chapelain.

Il venait de faire irruption dans la maison et approchait de la table à grands pas. Il serra la main de Marie Jacques après qu'André l'eut présentée. Le notaire fronça les sourcils pour exprimer clairement son mécontentement d'être ainsi interrompu pendant l'exercice de ses fonctions. Après avoir présenté ses excuses, Bernard recula et fit signe au notaire de poursuivre tout en faisant un clin d'œil à André.

André était ravi que Bernard ait pu être présent. Il aurait aimé que Siméon et Jean Giron y soient aussi, mais ils étaient à l'instant même en train de creuser le puits au milieu de sa cour.

— Je crois que nous serons plus utiles à creuser qu'à être assis à écouter le notaire lire le contrat, ne crois-tu pas? Tu ne voudras sûrement pas que ta femme n'ait pas d'eau pour cuisiner, avait avancé Siméon.

Ils avaient raison, bien sûr, d'autant plus qu'André tenait à ce que tout soit parfait à l'arrivée de Marie Jacques. Ses deux amis lui avaient assuré qu'ils seraient présents à leur mariage.

Pour débuter, Maître Becquet leur demanda leur nom.

— André Mignier dit Lagacé…

— Un instant, l'interrompit Bernard.

Le notaire releva la tête vers lui d'un air exaspéré.

— J'ai entendu dire que c'était le surnom de Lagâchette qui t'avait été attribué par les soldats, ajouta Bernard sans se démonter.

— Eh bien…

Bernard se tourna vers Jean Delguel.

— J'ai raison, n'est-ce pas?

— C'est bien le surnom que j'ai entendu, confirma Jean.

Il n'échappa pas à André que Jean n'avait pas répondu clairement.

— Est-ce que j'inscris Lagâchette? s'enquit le notaire.

— Oui, vous pouvez l'inscrire, affirma André.

Le notaire leur posa ensuite une longue série de questions tout en rédigeant son document. Il avait rédigé trois pages où chaque ligne était parfaitement droite et l'écriture, serrée et régulière. Une fois qu'il eut terminé, il en fit lecture à voix haute:

— «Par devant Romain Becquet, notaire royal, furent présents en leurs personnes, André Mignier dit Lagâchette, habitant, demeurant à Charlesbourg, fils de Michel Mignier, demeurant sur l'île de Ré, et de Catherine Masson, ses père et mère, d'une part; et Marie Jacques Michel, présente en ce pays, fille du défunt Jacques Michel et de Jeanne Dupont, ses père et mère demeurant sur ladite île de Ré, d'autre part. Lesquels en la présence et de l'avis et consentement de leurs amis communs ici assemblés, à savoir la veuve Lalime, Bernard Chapelain, Jean Delguel et autres personnes.»

Le notaire releva la tête et ouvrit la bouche sans émettre aucun son. Puis, il écarquilla les yeux et, pendant un instant, parut ahuri. L'assistance se figea, se demandant ce qui avait bien pu provoquer une telle réaction. Le pauvre eut juste le temps de sortir son mouchoir pour y enfouir son visage et éternuer bruyamment, puis il se redressa et vit les mines à la fois soulagées et amusées de ses clients. Il s'excusa en remontant ses lunettes du bout de l'index, se recomposa un air digne et reprit sa lecture.

— « … ont fait les accords et promesses de mariage, c'est à savoir que ledit André Mignier a promis et promet de prendre pour femme et légitime épouse ladite Marie Jacques Michel, comme elle promet de le prendre pour son mari et légitime époux. Ce mariage pourra se faire et solenniser en face de notre mère, la Sainte Église catholique, apostolique et romaine, le plus tôt que faire se pourra et qu'il sera avisé et délibéré entre eux, si Dieu et notre mère la Sainte Église y consentent pour être, lesdits futurs conjoints, uns et communs de tous les biens meubles, acquêts et conquêts immeubles du jour de leurs épousailles suivant la coutume de la ville, prévôté et vicomté de Paris, suivie et régie en ce pays. »

Le notaire leva les yeux pour vérifier si tous semblaient d'accord jusque-là. Ne notant aucune opposition, il poursuivit.

— « Ne seront, lesdits futurs conjoints, tenus aux dettes l'un de l'autre, faites et créées avant le futur mariage. Ledit futur époux prend ladite future épouse avec tous ses droits, noms, raisons et avoirs qu'elle a et qui pourront lui échoir à l'avenir tant par succession, donation qu'autrement, et aussi ledit époux a déclaré que ladite Marie Jacques Michel, sa future épouse, lui a apporté et mis en communauté de biens jusqu'à la somme de cent livres tournois. »

« Jusqu'ici, tout va bien », pensa André.

— «Et arrivant dissolution dudit futur mariage sans enfants procréés, lesdits futurs conjoints, se sont fait et font donation l'un à l'autre, entre vifs en la meilleure forme et manière que donation puisse avoir lieu, ce acceptant tant l'un que l'autre, tous les biens, meubles et immeubles qui se trouveront leur appartenir au jour du trépas du premier mourant, sans en réserver ni retenir aucun, pour en faire et disposer par ledit survivant ainsi que bon lui semblera.»

André avait senti la main de Marie Jacques se raidir dans la sienne à la mention d'un possible mariage sans enfants. Il y avait répondu discrètement en caressant sa main de son pouce.

— «Et pour faire insinuer ces présentes partout où il appartiendra, suivant l'ordonnance, lesdits futurs conjoints ont fait et constitué pour leur procureur, le porteur des présentes, auquel ils ont donné pouvoir de se faire et d'en requérir acte, car ainsi, permettant et obligeant chacun en droit, soit renonçant. Fait et passé audit Québec à la maison de ladite veuve Lalime, en l'an mille six cent soixante et huit, le septième jour d'octobre après midi, en présence de Jean-Baptiste Gaudon, Sieur de Bellefontaine, et de Henry Petit demeurant audit Québec, témoins qui ont signé à ces présentes avec partie des susnommés et notaire. Et les futurs conjoints ont déclaré ne savoir écrire ni signer. De ce enquis suivant l'ordonnance.»

André jeta un coup d'œil à Marie Jacques : elle semblait satisfaite.

— Si tout vous semble conforme, nous allons procéder à la signature du document, proposa le notaire Becquet.

Il tendit la plume à Jean-Baptiste Gaudon, Sieur de Bellefontaine, témoin choisi par le notaire, qui signa le document. Il avait formé de grandes lettres rondes que quatre longs traits traversaient en diagonale. Il remit la plume à Henry Petit, l'autre témoin du notaire, qui se contenta de tracer de petites lettres sans fioritures.

Le notaire récupéra la plume et la tendit à la veuve Lalime qui s'avança et signa à son tour.

— D'autres veulent signer? demanda le notaire.

Bernard Chapelain s'avança, prit la plume et signa, suivi de Jean Delguel. Le notaire prit finalement la plume et visa le document.

Le couple se leva et André tendit la main au notaire, qui leur souhaita longue vie. Ils sortirent de la résidence en compagnie de Jean Delguel, de Louise Vaucher et de Bernard Chapelain.

— Si vous êtes d'accord, nous pourrions aller au fort Saint-Louis pour célébrer la signature de nos contrats de mariage, proposa Jean.

André, Marie Jacques et Louise acceptèrent avec joie.

— Je n'ai jamais eu l'honneur d'entrer dans le fort, alors je ne raterai pas cette occasion! s'exclama Bernard.

Deux maisons plus loin, ils arrivaient à la grande place qu'ils traversèrent en direction du fort Saint-Louis. Une fois la palissade franchie, Jean Delguel leur demanda de l'attendre et disparut dans l'enceinte du bâtiment. Lorsqu'il revint, il tenait un cruchon et cinq verres.

— Venez, j'ai obtenu la permission de l'intendant Jean Talon d'aller sur la terrasse.

Il les conduisit dans un long couloir et ils parvinrent sur une longue terrasse en bois qui surplombait la falaise rocheuse. La vue sur le Saint-Laurent fit pousser aux deux femmes des exclamations de ravissement.

Le soleil avait commencé à décliner et était en partie caché par quelques longs nuages colorés de rose et d'orangé. La marée était montante et faisait ondoyer la surface du fleuve. On pouvait apercevoir près du rivage des canards qui plongeaient sans se presser à la recherche de leur nourriture.

— Quel paysage! s'extasia Louise Vaucher.

Des officiers se tenaient à l'autre bout de la terrasse et discutaient entre eux. Des chaises et des bancs avaient été disposés et ils y prirent place tandis que Jean Delguel servait le vin. Ils levèrent leurs verres à leurs épousailles.

— Quelle est la date de votre mariage? s'enquit Jean.

— Le vingt-trois octobre, soit dans deux semaines, répondit André.

— Oh! C'est bientôt, commenta Louise.

— Et le vôtre? demanda Marie Jacques.

Louise fit une jolie moue triste et battit des cils en direction de Jean.

— Le vingt-huit novembre, soupira-t-elle.

Jean Delguel haussa les épaules en signe d'impuissance.

— C'est parce que nous avons besoin de lui jusqu'à cette date.

L'intendant Jean Talon venait d'apparaître sur la terrasse. Il souleva son tricorne et s'inclina devant Louise.

— Je peux vous assurer que ce n'est pas de gaieté de cœur que je le prive de votre si charmante compagnie, affirma-t-il en se relevant.

Il salua Jean Delguel d'un mouvement de tête, puis se tourna vers André.

— Bonjour, Monsieur Mignier, heureux de vous voir à nouveau. Je n'ai toutefois pas l'honneur de connaître la jeune femme qui vous accompagne.

André s'empressa de présenter Marie Jacques. Puis, Jean Talon s'adressa à Bernard.

— Vous êtes Bernard Chapelain, si je me souviens bien, dit-il en lui serrant la main.

Entre-temps, Jean Delguel avait approché un banc et l'intendant prit place en leur compagnie. André était encore étonné que Jean Talon se souvienne de lui. Il l'avait rencontré pour une brève entrevue un an auparavant. Comme en écho à ses pensées, l'intendant l'interrogea sur ses travaux de défrichage et la construction de sa cabane.

— Ce pays a grand besoin d'hommes et de femmes comme vous. Je ne le répéterai jamais assez.

— J'ai entendu dire que vous nous quittiez, Monsieur l'intendant. C'est une grande perte pour ce pays, déplora Jean Delguel.

— Hélas ! Je dois impérativement aller régler des affaires de famille en France, répondit-il. De plus, je dois aussi aller voir un médecin pour quelques petits problèmes de santé. Je devais y retourner l'année dernière, mais le ministre Colbert a insisté pour que je reste une année de plus.

— Allez-vous revenir pour continuer l'immense travail que vous avez déjà accompli ? La Nouvelle-France a aussi grand besoin de vous, commenta Jean Delguel.

Jean Talon repoussa le compliment d'un geste vague de la main.

— Il y a tant à faire ici. Si mes affaires et ma santé me le permettent, j'essaierai de revenir.

Il se leva et, après les avoir salués, il retourna à l'intérieur du fort de son pas rapide et déterminé.

— C'est un grand homme, déclara Jean Delguel. Il a tellement fait pour la colonie. Il est infatigable, il a la tête qui déborde d'idées et mille projets en route.

— Savez-vous qu'il a instauré un système d'entraide pour faciliter l'installation des nouveaux colons ? lança

Bernard Chapelain. Lorsqu'un immigrant arrive, il lui donne une terre avec deux arpents défrichés et ensemencés, ainsi que des outils et de la nourriture pour une année. En contrepartie, l'immigrant doit défricher deux arpents et ensemencer une autre terre pour un prochain immigrant.

— C'est lui qui a organisé les recensements de 1666 et de 1667, renchérit Jean Delguel. Il a parcouru de grandes distances pour aller visiter des villages et interroger lui-même les habitants. Il a fait les compilations et envoyé les résultats à Colbert, le ministre du roi.

Daniel de Rémy de Courcelle, gouverneur de Nouvelle-France, sortit sur la terrasse. Il était grand et mince et marchait d'un pas rapide. Il était accompagné d'un homme à qui il semblait donner des directives. Les plis de son front et la façon dont il serrait ses lèvres légèrement ourlées amenèrent André à croire qu'il avait de nombreux soucis. Ses vêtements étaient de bonne qualité et il portait sa perruque noire aux cheveux longs, ondulés et libres. Il passa près d'eux en les saluant d'un mouvement de la tête.

— Il semble soucieux, remarqua André à voix basse.

— Depuis que le marquis de Tracy est parti, ses relations avec Jean Talon se sont détériorées. Il n'est pas rare de les voir s'affronter, expliqua Jean Delguel.

Les deux hommes discutèrent un moment, puis se séparèrent. Le gouverneur rentra et l'autre homme vint rejoindre leur groupe. Ce fut à ce moment qu'André le reconnut.

— Je vous présente Pierre Chamard, cuisinier et pâtissier du château, dit Jean Delguel.

Tous lui rendirent son salut. André l'avait rencontré à Charlesbourg lors du feu de la Saint-Jean-Baptiste, l'année précédente. Au sourire chaleureux de Pierre, il comprit que lui aussi s'en souvenait.

— Malheureusement, nous, simples soldats, ne pouvons profiter des talents de Pierre. Ils sont exclusivement réservés à nos nobles dirigeants, ajouta Jean, moqueur.

Pierre leva les yeux au ciel, feignant d'être profondément exaspéré.

— Lors des fêtes de fin d'année, tu viendras me trouver, je te donnerai des pâtisseries.

— Tu me dis ça chaque année et je n'en ai jamais vu, rétorqua Jean.

— C'est parce que tu ne viens jamais les chercher ! En plus de les cuisiner, dois-je aussi te les livrer ?

— Cette année, je viendrai, promit Jean.

— Vous êtes tous témoins, déclara Pierre en s'adressant au groupe.

— Je suis bien prêt à accompagner Jean, pour pouvoir témoigner en mon âme et conscience, ajouta Bernard.

Tous éclatèrent de rire. Ils discutèrent encore une heure, profitant d'un rare moment de détente.

~

14 octobre 1668, Québec

André marchait en compagnie de Siméon, de Jean Giron et d'André Barbault en direction de la Haute-Ville. Ils avaient été avisés la semaine précédente que dame Guillemette Hébert était prête à signer les contrats de concession.

Jean Giron avait réussi à obtenir de cette dernière une concession à côté de celle de Siméon, car peu de temps après son mariage, Madeleine Deschalets avait décrété qu'elle voulait habiter près de sa sœur Claude et non au village de la Petite-Auvergne.

Les quatre hommes marchaient d'un bon pas tout en discutant. Ils furent conduits dans l'antichambre meublée de plusieurs chaises qui tenait lieu de salle d'attente. Plusieurs hommes étaient déjà présents, discutant bruyamment dans une atmosphère de fébrilité. Ils se mêlèrent au groupe, chacun s'informant de la terre des autres.

André et ses compagnons furent appelés ensemble. Ils entrèrent dans le salon où ils avaient rencontré dame Hébert l'année précédente. Le notaire Jean Lecomte était assis à une table installée au milieu de la pièce. À sa gauche, assise dans un fauteuil confortable, dame Guillemette Hébert semblait affaiblie. Les hommes la saluèrent ainsi que le notaire et prirent place sur les chaises qui avaient été apportées à leur intention.

— Je vous reçois tous les quatre ensemble parce que vos contrats sont exactement les mêmes, sauf bien sûr pour vos noms et le nom de vos voisins qui y sont inscrits. Dame Hébert ici présente désirait régulariser tous les contrats de concession et je ne veux pas allonger la procédure indûment en lisant quatre contrats identiques. Cela vous convient-il ? demanda le notaire.

Tous les quatre acceptèrent avec empressement.

— Je vous ferai donc la lecture du contrat d'André Mignier.

Le notaire prit le temps de s'éclaircir la gorge avant de commencer :

— « Par devant Jean Lecomte, notaire en la juridiction de la ville de Québec, fut présente en sa personne Guillemette Marie Hébert, veuve de feu Guillaume Couillard, habitant en la haute-ville de Québec, laquelle confesse avoir donné et concédé et, par ces présentes, concède dès maintenant et à toujours à André Mignier, ce présent et acceptant pour lui ses hoirs et ayant cause à l'avenir, la quantité de deux arpents de terre de front sur la rivière Saint-Charles par trente de profondeur, tenant d'un côté aux habitations d'en haut du Sieur Fournier et d'autre à André Barbault, pour en jouir, lui, ses hoirs et ayant cause. Laquelle concession, ladite bailleresse se réserve la quantité de deux arpents de bois debout au lieu le plus proche du désert. Et a la charge de s'y établir et d'y tenir feu et lieu dès la présente année ou autre pour lui et de payer à ladite dame Couillard, ses hoirs et ayants cause, par chaque arpent de terre de front la somme de trente sols, et douze deniers de cens pour le total de la concession et deux chapons vifs, le tout payable par chaque année au jour de la saint Martin. Lesdits cens et rentes portant lots et rente, saisines et amendes suivant la coutume de Paris. Ledit preneur jouira du droit de chasse au-devant et au-dedans de ladite concession, souffrira les chemins qui seront trouvés nécessaires par les officiés, tiendra les terres de ses déserts closes, faute de quoi il ne pourra prétendre aucuns dépens, dommages ni intérêts pour les dégâts que les bestiaux de ses voisins pourraient lui avoir faits et en cas qu'il soit bâti un moulin, sera tenu y faire moudre ses grains. Et ledit André Mignier a reconnu être en possession du dix octobre mille six cent soixante-huit. Fait et passé audit Québec au logis de ladite dame Couillard le quatorzième jour d'octobre mille six cent soixante-huit en présence de François Lecomte et Jean de Palluau, témoins, en ce requis, et ledit André Mignier a déclaré ne savoir écrire ni signer. De ce enquis suivant l'ordonnance et ont signé. »

Le notaire releva le nez de ses feuilles et regarda André.

— Est-ce que tout vous semble en ordre ?

— J'en suis satisfait, assura André.

— Nous procéderons donc à la signature. Dame Hébert, à vous l'honneur, dit Jean Lecomte.

Dame Guillemette Hébert s'extirpa difficilement de son fauteuil, s'avança vers le bureau du notaire et signa, suivie des deux témoins et du notaire qui rassembla les documents et les mit de côté. Il lut ensuite les particularités des contrats de Siméon, de Jean Giron et d'André Barbault et les fit signer.

Après avoir chaleureusement remercié dame Hébert, le notaire et les témoins, les quatre hommes sortirent et se félicitèrent bruyamment.

— Avant de retourner à la maison, je vais aller au marché pour faire quelques achats, dit Siméon.

— Moi, je vais rendre visite à Marie Jacques chez la veuve Lalime. Ne m'attendez pas, je reviendrai en fin de journée, prévint André Mignier.

Jean Giron et André Barbault accompagnèrent Siméon à la place du marché. André les salua et partit d'un pas rapide. Même s'il l'avait vue à peine une semaine plus tôt, Marie Jacques lui manquait. Elle devait l'attendre puisque, lorsqu'il arriva près de la maison, elle sortit presque en courant.

— Allons tout de suite jusqu'au fleuve, proposa-t-elle, lorsqu'il fut à portée de voix.

Sans même ralentir, elle lui prit le bras et le fit pivoter vers la gauche. Il accorda son pas au sien tandis qu'elle jetait des regards par-dessus son épaule.

— Ma parole, on dirait que tu t'es enfuie !

— Tu n'as pas tort.

Ils dévalèrent la côte, puis elle lança un dernier regard derrière elle.

— Je crois que nous l'avons semée, fit Marie Jacques.

Rendus près du fleuve, ils continuèrent à marcher le long de la rive.

— À quelle dangereuse personne avons-nous échappé ?

— Une dame d'âge mûr.

— Ah !

— La veuve Lalime s'est mise en tête de me faire accompagner d'un chaperon.

Elle soupira, visiblement exaspérée.

— C'est bon pour les jeunes filles de dix-sept ans. J'en ai trente et un, je suis assez vieille pour bien me conduire et nous allons nous marier dans moins de dix jours.

Ils étaient arrivés près du rocher où ils avaient déjà discuté. André s'arrêta brusquement et la fit pivoter. Elle se retrouva dans ses bras. Il se pencha vers elle et l'embrassa longuement.

— Elle voulait empêcher cela ? murmura André.

Marie Jacques ouvrit à demi les yeux. « Mon Dieu, qu'elle est belle ! » songea André.

— Quelque chose comme ça, balbutia-t-elle.

— Nous avons bien fait de nous enfuir, souffla-t-il.

Il l'embrassa de nouveau, plus langoureusement encore. Après un moment, il sentit que les jambes de Marie Jacques ne la porteraient plus très longtemps et il l'aida à s'asseoir sur le rocher.

— Je t'aime de toute mon âme, dit-il.

— Et moi, plus encore. Encore plus d'une semaine à attendre, gémit-elle.

— Je t'ai attendue plus de quatre ans, alors neuf jours, ce sera vite passé, la rassura André.

— Pour toi, certainement. Tu dois être bien dans ta maison.

— *Notre* maison.

— N'empêche, tu y es sûrement mieux que moi. C'est devenu invivable chez la veuve Lalime. Je crois qu'elle commence à être exaspérée de nous toutes. Nous sommes sous sa surveillance depuis plus de trois mois maintenant. Il faut dire que certaines jeunes filles lui donnent du fil à retordre. Certaines n'arrivent pas à se décider entre deux ou trois époux possibles.

Marie Jacques se redressa brusquement.

— Je ne vais pas passer mon précieux temps avec toi à me plaindre. Alors, raconte-moi, comment t'en sors-tu dans l'aménagement de *notre* maison?

André prit place sur le rocher, en face du fleuve, puis il saisit la main de Marie Jacques.

— Je vais terminer le caveau à légumes cette semaine. J'ai fini de creuser, mais il me reste à recouvrir le sol de planches.

— J'irai cueillir les légumes du potager dès mon arrivée. Au fait, qu'avons-nous comme provisions pour l'hiver? s'enquit Marie Jacques.

— Au printemps, nous n'avons ensemencé qu'un potager pour Siméon et moi, car nous partagions tous les deux une cabane. Dans le potager, il y a des carottes, des oignons, des panais, des poireaux, des choux, des haricots et des pois. Lorsqu'un soldat du régiment décide de s'établir ici, il reçoit à son choix cent livres tournois ou cinquante livres et des vivres pour une année. Comme je prévoyais passer l'hiver seul et que j'avais un potager, j'ai opté pour les cent livres tournois. J'ai acheté et entreposé dans le grenier des sacs de farine et d'orge. Au cours de l'hiver, j'irai chasser pour nous procurer de la viande.

— J'irai au marché cette semaine pour y acheter du lard salé, décida Marie Jacques.

Elle appuya sa tête sur l'épaule d'André.

— Grâce à toi, nous ne manquerons de rien. Depuis que nous nous sommes retrouvés, tu as dû mettre les bouchées doubles pour m'accueillir, remarqua-t-elle.

— Crois-moi, je suis tellement heureux de t'épouser que j'ai de l'énergie pour quatre.

— Aïe ! Déjà, en temps normal, tu en as plus que la moyenne ! Arrives-tu à dormir ?

D'un lent mouvement du pouce, André caressa la paume de la main de Marie Jacques et lui lança un regard suggestif.

— Je me reposerai cet hiver. Au fond du lit, avec toi, rétorqua-t-il malicieusement.

Marie Jacques rougit et se pelotonna un peu plus contre lui. André releva la tête et laissa son regard errer sur le fleuve. Il se sentait merveilleusement bien en sa présence. Elle lui apportait le calme dont il avait besoin. Après un long moment, il sauta du rocher et tendit la main à Marie Jacques.

— Allez, viens. Nous devons rentrer si je veux pouvoir faire le chemin du retour jusqu'à Charlesbourg avec un peu de clarté.

Ils marchèrent lentement le long du fleuve.

— J'ai encore de la difficulté à croire que nous serons ensemble tous les jours, lui confia Marie Jacques.

Les souvenirs de son premier mariage malheureux, de la longue traversée et des deux mois passés à le chercher, de plus en plus inquiète de ne jamais le retrouver, firent affluer de grosses larmes qui débordèrent sur ses joues. André s'arrêta, l'entoura de ses bras et la serra de toutes ses forces.

— Je ne sais pas ce qui m'arrive. Je suis tellement heureuse…

André l'éloigna un peu et, avec ses pouces, essuya ses larmes.

— Petite femme courageuse, va ! Je remercierai Dieu tous les jours que tu aies eu l'audace de monter dans un bateau et de supporter cette horrible traversée pour venir me rejoindre. C'est ce que moi j'ai encore du mal à croire.

23

23 octobre 1668, Québec

Marie Jacques était en route pour l'église Notre-Dame de Québec en compagnie de la veuve Lalime. Cette semaine-là, le temps s'était écoulé avec lenteur, la rendant encore plus impatiente.

— Vous marchez trop rapidement pour mes vieilles jambes ! s'exclama la veuve.

— Pardonnez-moi.

La veuve Lalime l'observa d'un air songeur.

— Vous qui avez mis des mois avant d'acquiescer à une demande, vous voilà bien amoureuse de cet homme. J'ai peine à croire que vous l'avez revu par hasard et décidé de l'épouser sans préméditation…

Marie Jacques lui jeta un bref regard.

— Habituellement, les jeunes filles sont inquiètes, certaines au point de pleurer tout le long du chemin en se rendant à l'église ; les autres, au mieux, sont neutres. Vous, vous courez presque, remarqua-t-elle.

Marie Jacques sentit un frisson de peur remonter le long de sa colonne vertébrale.

— Euh… je… nous…

— Ne dites rien ! l'interrompit la veuve.

Marie Jacques la scrutait, sur ses gardes. La veuve la fixa un moment, puis un grand sourire éclaira son visage. Elle avait dû être très belle dans sa jeunesse, se dit Marie Jacques. La dame semblait avoir compris, mais elle ne voulait pas d'explication. Qu'arriverait-il ? Marie Jacques devrait-elle rembourser le prix de la traversée ?

— Pourquoi ? demanda simplement Marie Jacques.

— Parce que j'adore les histoires d'amour. Un jour, une personne nous est venue en aide, à mon mari et à moi, et je suis heureuse que le destin me donne enfin l'occasion d'aider à mon tour, révéla-t-elle.

La veuve Lalime semblait transformée. Une grande fébrilité la poussait à marcher d'un pas plus rapide tout en posant de nombreuses questions, de sorte que Marie Jacques dut raconter toute l'histoire.

— Un mariage d'amour, c'est tellement rare ! s'extasia la veuve.

Elles arrivèrent à l'église. Plusieurs personnes étaient déjà présentes, car de nombreux mariages devaient être célébrés. Le mardi était une bonne journée pour se marier. Le dimanche, les prêtres devaient célébrer la messe, le mercredi était le jour de la dénonciation de Jésus par Judas, et le vendredi, c'était le jour de la commémoration de sa mort. Le jeudi, entre les deux, était peu propice aux longues fêtes.

Marie Jacques aperçut André qui se tenait à l'avant avec les autres hommes. Les femmes se tenaient à l'arrière en compagnie des personnes qui les conduiraient à l'autel. Le prêtre, Henri de Bernières, était pour le moment occupé à signer le registre en compagnie du couple qui venait de se marier et de leurs témoins.

Lorsqu'André fut appelé, la veuve Lalime, fébrile, prit le bras de Marie Jacques et la conduisit devant le prêtre qui les voyant approcher, sembla étonné que la dame affiche un si large sourire. Marie Jacques, quant à elle, n'avait d'yeux que pour André. Enfin! Ce jour arrivait enfin! Combien de fois avait-elle imaginé ce moment?

Marie Jacques traversa la cérémonie dans un état second. Elle regarda André lui glisser un anneau d'argent à l'annulaire gauche, puis leva les yeux. Il la dévisageait avec tellement d'amour qu'elle se sentit fondre. Ensuite, il l'embrassa un peu plus longuement que la bienséance ne le permettait. Elle entendit les exclamations de surprise de leurs amis et le rappel à l'ordre du prêtre sous la forme d'un raclement de gorge insistant. Lorsqu'elle se retourna, elle vit la veuve Lalime qui les observait, des larmes glissant sur ses joues.

Marie Jacques se laissa conduire par André vers la petite table où le registre paroissial avait été déposé. Le prêtre rédigea un texte qu'il lut ensuite à voix haute:

— «Le vingt troisième jour du mois d'octobre de l'an mille six cent soixante et huit, après fiançailles et la publication des trois bans de mariage entre André Mignier, fils de Michel Mignier et de Catherine Masson, ses père et mère, de la paroisse de Saint-Martin de Ré, Évêché de La Rochelle, d'une part; et de Marie Jacques Michel, veuve du défunt Jean Gardin, de la paroisse de Sainte-Catherine de ladite île de Ré, d'autre part. Ne s'étant découvert aucun empêchement, je, soussigné, prêtre, curé de cette paroisse, les ai mariés selon la forme prescrite par la Sainte Église en présence de Siméon Leroy, de François Paris, de Jean Giron et de Bernard Chapelain.»

Henri de Bernières signa le registre après avoir reçu l'accord de tous.

André et Marie Jacques sortirent, se soutenant l'un l'autre, accompagnés des félicitations des personnes présentes.

— Maintenant, allons festoyer! annonça Siméon.

André parut soudain malheureux.

— Je dois aller chercher les affaires de Marie Jacques. J'ai donné rendez-vous à un charretier qui transportera le tout, dit-il.

— Ne t'en fais pas, nous avions prévu te donner un coup de main, puis nous rendre tous ensemble faire la noce chez Siméon; tout est déjà organisé, assura Bernard Chapelain.

André et Marie Jacques, émus, les remercièrent chaleureusement.

Marie Jacques marcha avec les trois sœurs Deschalets devant la charrette tandis que les hommes suivaient derrière en discutant joyeusement. Au début, un certain malaise avait régné entre les femmes, mais la conversation était désormais un peu plus fluide. Marie Jacques voulait que rien n'assombrisse ce jour de bonheur.

Après deux heures de marche, ils arrivèrent à la maison d'André Mignier. Elle était de forme rectangulaire, de vingt pieds sur quinze pieds, construite en troncs d'arbre équarris à la hache et posés les uns sur les autres, et possédait un toit en planches. La porte, au centre de la plus longue façade, faisait face au chemin. La minuscule fenêtre fermée par un papier huilé et munie d'un volet en bois se trouvait à gauche de la porte. Marie Jacques trouva sa nouvelle maison splendide.

Elle se sentit soudain soulevée, puis se retrouva dans les bras d'André.

— Il ne faudrait pas que tu trébuches en franchissant le seuil, ça nous porterait malheur, lui murmura-t-il.

Ils entrèrent dans la maison et André marcha jusqu'au centre avant de tourner lentement sur lui-même. Marie Jacques découvrit sa nouvelle demeure avec émerveillement. La porte faisait face à un âtre suffisamment grand pour y faire tourner un cochon entier. Il y avait un buffet en bois clair dans le coin à droite de l'âtre, et une table et des bancs lui faisaient face. De l'autre côté, il y avait un grand coffre dans le coin et une grande paillasse adossée au mur gauche. Les murs internes en billots de bois équarris dégageaient une bonne odeur de pin. Le plancher était en terre battue, sauf dans le coin droit, derrière la porte, où une trappe menait au caveau à légumes.

André l'embrassa tendrement.

— Bienvenue dans notre maison.

— Elle est magnifique ! J'ai peine à y croire. Une maison rien que pour nous !

André enfouit son nez dans le cou de Marie Jacques.

— Tu peux me déposer maintenant, dit-elle d'une voix rieuse.

André lui obéit à regret. Une voix venue de l'extérieur les interpella.

— Pouvons-nous commencer à transporter vos affaires à l'intérieur ou faut-il attendre encore un peu ?

André et Marie Jacques sortirent sous les exclamations grivoises de leurs amis. Une fois la charrette déchargée, ils se rendirent chez Siméon. Une barrique de vin fut apportée par André Barbault et Jean Giron. Quand tous furent servis, Siméon réclama le silence.

— Levons nos verres à la santé des nouveaux mariés. Le destin vous a finalement réunis après plusieurs années d'attente. Je vous souhaite beaucoup de bonheur. Longue vie à vous deux !

André se tourna vers Marie Jacques et leva son verre. Ils burent sans se lâcher des yeux. Ensuite, André s'avança d'un pas.

— En France, nous aurions eu droit à une grande noce, entourés de nos familles. Ici, notre famille, ce sont nos amis. Une nouvelle vie commence pour nous tous. Nous venons de régions différentes, mais nous sommes à présent réunis en cette Nouvelle-France. Nous devrons compter sur l'amitié et l'entraide de chacun d'entre nous pour passer au travers des difficultés qui se présenteront chaque jour. Je nous souhaite à tous bonheur et prospérité. Longue vie à nos amitiés !

Un concert d'approbations fusa. Ils levèrent leur verre et burent, puis Siméon serra André dans ses bras, visiblement ému. Marie Jacques en eut les larmes aux yeux. Elle ne pouvait être plus heureuse qu'en cet instant. Elle remercia en pensée Nouchka de l'avoir poussée à venir ici.

Les sœurs Deschalets entreprirent de sortir toute la nourriture qu'elles avaient préparée tandis que les hommes allèrent chercher du bois et rallumèrent le feu. Un pot-au-feu de lièvre débordant d'oignons, de carottes, de navets, de poireaux et d'ail mijotait dans l'âtre et dégageait une odeur exquise. Claude remplit généreusement l'écuelle de chacun. Ils s'assirent sur des bancs près du feu et mangèrent en discutant joyeusement, tenant leur écuelle sur leurs genoux. Pour le dessert, Madeleine avait cuisiné trois grosses tartes aux pommes dont elle servit une grande portion à chacun.

Ils chantèrent pendant plus d'une heure, puis Bernard Chapelain les divertit avec plusieurs contes. Ils burent un dernier verre de vin, puis André et Marie Jacques remercièrent chaleureusement leurs amis. Il était prévu que Jean,

Madeleine et Élisabeth dormiraient chez Siméon et Claude. Bernard Chapelain et François Paris passeraient la nuit chez André Barbault. André et Marie Jacques firent la route avec ces derniers jusqu'à leur maison. André avait pris la main de Marie Jacques pour la soutenir et l'empêcher de trébucher. Il tenait de son autre main un tison encore rouge de braise pour allumer le feu dans leur cheminée, qu'il avait pris soin de préparer avant de partir. Une fois à l'intérieur, André alla tout de suite vers l'âtre. Marie Jacques voyait son visage s'éclairer lorsqu'il soufflait sur le tison. Des étincelles jaillirent et tombèrent sur les brins d'herbe secs, qui s'embrasèrent. André continua à souffler doucement pour activer la flamme. Lorsque le feu eut pris de la vigueur, il y ajouta quelques rondins.

Puis, André revint vers elle. La lueur de la flamme ne lui permettait pas de distinguer les traits de son visage.

— Que tu es belle ! souffla-t-il.

Marie Jacques tendit les bras et enlaça tendrement son nouvel époux. Il l'embrassa d'abord doucement, puis de plus en plus passionnément. Il caressait son dos et la pressait contre lui. Malgré les nombreuses couches de vêtements, elle sentit la dureté de son désir. Il la relâcha et entreprit de défaire les agrafes de son mantelet, puis les lacets de son corset. Marie Jacques avança les mains vers les lacets de sa braguette et, à tâtons, essaya de les détacher. André, impatient, finit par défaire lui-même ses lacets. Ils se déshabillèrent fébrilement, sans se quitter des yeux.

Ils s'embrassèrent en allant vers la paillasse, se cognant au passage aux divers objets qui encombraient la pièce. Enfin, André souleva les couvertures et ils se laissèrent tomber ensemble. Ils s'embrassaient comme s'ils avaient peur que l'autre disparaisse d'un moment à l'autre. Leurs mains se promenèrent sur leurs corps avec fébrilité, toute douceur envolée. Lorsqu'André pénétra Marie Jacques, il poussa un long soupir de satisfaction et s'immobilisa quelques secondes. Elle tremblait de tous ses membres et ses mains étaient crispées dans son dos. Il se mit à bouger de plus en plus vite accompagné des gémissements de plaisir de Marie Jacques. Ils atteignirent l'extase en moins de deux minutes.

Ils reprirent leur souffle en silence, couchés sur le dos.

— Pardonne-moi, fit André.

Marie Jacques se tourna vers lui et s'appuya sur un coude.

— Te pardonner quoi?

— Je me suis jeté sur toi…

— Hum! C'est vrai, confirma-t-elle.

Marie Jacques vit qu'André, honteux, évitait de la regarder.

— Je suis vraiment désolé, dit-il.

— Tu pourrais réparer ton énorme faute en recommençant tout doucement, suggéra-t-elle en caressant son torse.

Étonné, il ouvrit les yeux et se tourna à son tour vers elle. À la lueur du feu, il découvrit que le désir brillait dans ses yeux à demi fermés. Sans se faire prier, il entreprit alors d'explorer lentement toutes les parties de son corps jusqu'à ce qu'elle le supplie de la prendre, là, maintenant. Il lui obéit, d'un air malicieux, comme s'il savourait une douce vengeance.

— N'hésite jamais à te jeter sur moi, l'encouragea-t-elle après avoir repris ses sens.

— Hum! Tu l'auras voulu!

André alla ajouter une bûche dans l'âtre en la voyant frissonner. Il revint en vitesse et se précipita sous les couvertures. Marie Jacques poussa un petit cri lorsqu'il posa ses pieds frigorifiés sur ses mollets. Ils se pelotonnèrent sous les couvertures, serrés l'un contre l'autre. Après un moment, réchauffés, ils s'endormirent.

Au petit matin, ils se réveillèrent en sursaut lorsque quelqu'un tambourina furieusement sur la porte.

— Ohé! Il y a quelqu'un, là-dedans?

Ils entendirent des rires. André se redressa.

— Allez, sortez du lit. Nous vous attendons chez Siméon pour le déjeuner, dit Bernard Chapelain.

— D'accord, cria André. Nous vous rejoignons.

André se tourna vers Marie Jacques.

— As-tu bien dormi?

— Il y a longtemps que je n'avais pas si bien dormi, affirma-t-elle.

Marie Jacques s'assit lorsqu'elle vit André faire le tour de la pièce des yeux et prendre une mine consternée. La pièce était remplie de caisses en bois, de coffres et d'objets divers. Leurs vêtements retirés en hâte la veille étaient négligemment éparpillés à travers les lieux.

— Reste sous les couvertures, je vais rallumer le feu et je t'apporte tes vêtements, proposa André.

Il se précipita vers sa culotte, qu'il revêtit à la hâte. Il récupéra sa chemise un peu plus loin et la mit. Il trouva un bas et chercha l'autre en vain.

— Juste là.

Marie Jacques pointait du doigt le coin opposé. André contourna le coffre, ramassa son bas et l'enfila en sautillant vers l'âtre. Le feu n'était plus qu'un lit de braises. Il se pencha, sa joue touchant presque le plancher, souffla et réussit à provoquer une flamme après plusieurs minutes d'effort. Il ajouta du bois, attrapa les vêtements de Marie

Jacques et s'approcha de la paillasse. Elle s'habilla en vitesse et vint se placer devant la cheminée pour se réchauffer.

— Je n'ai pas eu le temps de calfater les trous dans la charpente, je le ferai cette semaine, signala André.

— Je t'aiderai.

André retrouva sa veste, le châle de Marie Jacques, et prit leurs écuelles. Le soleil brillait et la journée s'annonçait magnifique malgré un vent froid. Lorsqu'ils arrivèrent chez Siméon, leurs amis les accueillirent avec des questions égrillardes sur la qualité de leur sommeil.

Claude avait cuisiné deux immenses omelettes aux champignons et de grosses miches de pain frais circulaient pour que tous puissent s'en servir un morceau. Les femmes s'assirent à table et les hommes mangèrent debout ou sur un banc près de l'âtre, faute de place.

Ils se quittèrent en se promettant de se rendre à l'église ensemble, le dimanche suivant. André et Marie Jacques firent le chemin en compagnie d'André Barbault et de Bernard Chapelain. Ils se séparèrent devant la maison d'André et Marie Jacques.

— Je crois que nous devrions mettre un peu d'ordre, dit Marie Jacques.

— Tu as raison, soupira André.

Le grand coffre de voyage de Marie Jacques trouva sa place sous la fenêtre et le petit, près de la paillasse. André ouvrit les caisses de bois. Dans le buffet qu'André Barbault lui avait fabriqué, ils rangèrent la vaisselle que Marie Jacques avait apportée. Sur le mur près de l'âtre, André avait posé des crochets servant à suspendre les louches, cuillères de cuisine et poêlons.

— Allons maintenant faire le tour de votre potager, suggéra Marie Jacques.

Ils sortirent et se rendirent chez Siméon. Un minuscule potager, en comparaison du sien dans l'île de Ré, avait été sommairement aménagé. Siméon avait déjà avisé André qu'il avait pris la moitié des légumes pour lui et que l'autre moitié l'attendait.

— Nous pourrions cueillir tous les légumes et les entreposer dans le caveau, qu'en penses-tu ? demanda André.

Marie Jacques acquiesça. André approcha la brouette qu'il avait apportée. Il prit sa pelle et entreprit de déterrer tous les légumes. Une heure plus tard, ils revinrent chez eux et André les transporta tous dans le caveau. Une fois qu'il eut terminé, Marie Jacques alla jeter un coup d'œil. Elle descendit les trois barreaux de la petite échelle et mit pied sur le sol. Le caveau avait quatre pieds de profond et était de forme rectangulaire. Marie Jacques avait tout juste la place pour tourner sur elle-même.

De chaque côté, André avait posé des planches en bois servant d'étagères. Les choux, plus lourds, avaient été déposés au fond, les navets sur la tablette du dessus avec les carottes et, de l'autre côté, les oignons, les poireaux et l'ail se partageaient l'autre tablette. Une caisse en bois remplie de petits pois à écosser était posée sur la dernière planche. Marie Jacques frissonna ; il faisait frais dans le caveau, les aliments se conserveraient bien.

Elle ressortit et vit André qui l'observait avec inquiétude.

— Il est parfait. Tout est parfait. Je suis la plus heureuse des femmes.

Il lui sourit amoureusement. Lui aussi était heureux. Le vide qui avait si longtemps envahi son cœur avait complètement disparu.

Les jours suivants, ils s'employèrent à calfater la maison avec un mélange de glaise et de paille. Une fois que ce fut terminé, un après-midi, Marie Jacques partit à la recherche de noix dans la forêt pendant qu'André fendait du bois.

En marchant, elle s'émerveillait de découvrir cette multitude d'arbres, pour l'heure dénués de feuilles. Dans l'île de Ré, il n'y avait pas de forêt. Marie Jacques marchait lentement, cherchant un arbre qui produisait des noix. Nouchka lui avait décrit un arbre dont l'écorce était parsemée de larges crêtes rugueuses et de petites crevasses plus foncées. Il n'y en avait pas dans l'île de Ré, mais Nouchka avait cueilli des noix en Russie et croyait qu'elle pourrait en trouver en Nouvelle-France où, lui avait-on dit, la terre était envahie d'arbres.

Tout en cherchant, Marie Jacques laissa son esprit vagabonder. La vie avec André s'était révélée jusqu'ici douce et agréable. Quel contraste avec Jean Gardin, qui la tenait toujours sous tension ! Elle ne savait jamais quel geste déclencherait son courroux. Elle avait véritablement pris conscience du malheur dans lequel elle avait vécu autrefois lorsque, la veille, en préparant le repas, elle avait laissé tomber par inadvertance un bol en terre cuite. Aussitôt, elle s'était excusée et s'était mise à ramasser les morceaux avec nervosité.

André était resté interdit un moment, puis s'était avancé vers elle et l'avait forcée à se relever. Comme elle ne le regardait pas, il lui avait pris le menton et l'avait soulevé jusqu'à ce que ses yeux rencontrent les siens. Ce qu'il y avait lu n'avait pas dû lui plaire parce qu'elle avait pu voir la tristesse envahir son visage.

— C'était si pénible ? avait-il demandé d'une voix blanche.

Marie Jacques n'avait pas réussi à soutenir son regard et avait baissé les yeux. Il l'avait alors prise dans ses bras et l'avait serrée fort tout en caressant ses cheveux.

Elle se sentait merveilleusement bien avec André. Il n'était pourtant plus le jeune homme impulsif et impétueux au sourire irrésistible qui avait conquis son cœur. Son long voyage, la guerre contre les Iroquois et la mort de ses compagnons avaient laissé des traces. Certes, il était toujours aussi énergique, c'était profondément ancré en lui, mais il était moins impatient, moins insouciant. Marie Jacques ne l'en aimait que plus.

Toute à ses pensées, elle faillit ne pas voir l'arbre qui ressemblait à la description qu'en avait faite Nouchka. Elle s'approcha, s'accroupit et fouilla parmi les feuilles mortes. Elle découvrit de petites coques cannelées recouvertes d'un duvet dense.

— Merci, Nouchka ! se surprit-elle à s'exclamer.

Elle en ramassa jusqu'à remplir la poche de son tablier. Puis, elle se releva en se disant qu'elle allait revenir le lendemain pour en cueillir de nouveau.

Marie Jacques jeta un coup d'œil autour d'elle, se demandant quelle direction prendre. Elle choisit la droite, à peu près certaine d'être venue de ce côté. Elle marcha pendant plus d'une heure, de plus en plus inquiète. Lorsqu'elle atteignit un gros amas rocheux qu'elle n'avait jamais remarqué, elle dut se rendre à l'évidence : elle était perdue. La panique monta en elle et elle se mit à courir dans le sens opposé, mais elle n'arrivait même plus à discerner si elle venait de cette direction.

Elle se laissa tomber au pied d'un arbre et se mit à pleurer. André l'avait avertie que la forêt abritait plusieurs animaux, dont des loups et des ours. Il lui avait conseillé de ne pas s'aventurer trop loin, mais elle avait marché sans se soucier de rien et, à présent, elle était perdue.

Il était impossible que tout se termine ici, seule dans la forêt, attaquée par une bête sauvage ! Sa vie venait tout juste de prendre une tournure inespérée. Jamais elle n'avait été aussi heureuse. Ses pleurs redoublèrent. Après un moment, épuisée, elle se calma et songea qu'il valait mieux qu'elle fasse le moins de bruit possible pour éviter qu'une bête ne l'entende. Elle frissonna et serra son châle un peu plus sur ses épaules. Elle repensa aux nuits qu'elle avait passées sur la paillasse, au chaud, en compagnie d'André. Ses douces caresses et son ardeur la laissaient vidée de toutes forces et elle s'endormait comblée et en sécurité. Ses larmes se remirent à couler.

André devait s'inquiéter désormais. Le soleil ne brillait plus et, bientôt, les ombres envahiraient la forêt. Elle frissonna de peur, ramena les genoux sur sa poitrine et les entoura de ses bras. Ses yeux allaient et venaient autour d'elle. Elle voyait des branches s'agiter par la force du vent ou par le passage des oiseaux et entendait toutes sortes de bruits, la forêt étant loin d'être silencieuse. Son imagination l'amena à croire qu'il y avait une meute de loups qui rôdait à proximité, attendant la nuit. Elle enfouit son visage dans ses bras, incapable de regarder une seconde de plus.

Lentement, les bruits de la forêt s'estompèrent. Les oiseaux ne piaillaient plus et les petits bruits de course sur les feuilles s'étaient espacés jusqu'à cesser. Marie Jacques releva la tête et découvrit qu'il faisait sombre. Les habitants de la forêt semblaient s'endormir tranquillement. Elle souhaita ardemment que les loups et les ours dorment aussi.

Quelques heures plus tard, il lui sembla entendre des cris. Elle tendit l'oreille en retenant son souffle, puis les distingua de nouveau. Elle tenta de leur répondre, mais un faible son sortit de sa gorge nouée par l'angoisse. Elle inspira profondément pour se calmer, puis hurla de toutes ses forces. Une exclamation lui répondit.

— Je suis ici, s'époumona-t-elle.

— J'arrive, cria André.

Elle entendait des pas de plus en plus rapprochés. Elle se releva difficilement, ses muscles étant noués par le froid, puis, soudain, André la heurta de plein fouet. Il la rattrapa de justesse et la serra dans ses bras jusqu'à lui faire mal. Marie Jacques tremblait et sanglotait, incapable de dire un mot.

— Es-tu blessée?

Il était dans un tel état d'agitation qu'il avait crié.

— Nnnon, nnon, hoqueta Marie Jacques. J'ai... fffroid.

André retira sa veste et l'enroula autour de son épouse, qu'il frictionna. Siméon et André Barbault avaient entendu leurs cris et se dirigeaient vers eux.

— Elle va bien? demanda Siméon d'une voix inquiète.

— Oui, mais elle a froid, répliqua André.

— Dépêchons-nous, dit André Barbault.

André la souleva dans ses bras et se mit en marche, éclairé par la torche que Siméon tenait à bout de bras. André marmonnait une suite de mots que Marie Jacques ne comprit qu'au moment où elle cessa de claquer des dents.

— Merci, mon Dieu... Merci, mon Dieu... Merci, mon Dieu...

Sa voix enrouée exprimait une reconnaissance immense. Comme il avait dû être inquiet! Il faisait trop sombre pour qu'elle puisse distinguer l'expression de son visage. Marie Jacques étira sa main et lui caressa la joue.

Une fois chez eux, il la déposa sur la paillasse et lui retira tous ses vêtements, puis l'enfouit sous les couvertures. Ensuite, Marie Jacques entendit vaguement frapper à la porte.

— Voici un peu de vin, fais-le chauffer près de l'âtre avant de lui en faire boire, suggéra André Barbault avant de repartir.

André mit le pichet près du feu, qu'il activa. Marie Jacques sentit qu'il tirait la paillasse près de l'âtre. Elle était à présent tout près et les flammes l'aveuglaient. Elle se détourna et vit, au fond de la maison, dans l'ombre, André qui marchait de long en large en fulminant. Comment avait-elle pu être aussi sotte? Par sa propre faute, l'incident aurait pu se terminer de façon dramatique.

— Tu as raison d'être en colère contre moi. Je n'ai pas respecté les avertissements que tu m'avais donnés. Je me suis promenée dans la forêt comme une jeune imbécile, admit Marie Jacques.

En deux pas, André fut près d'elle.

— Je ne suis pas en colère contre toi!

— Tu aurais raison de l'être, je suis vraiment désolée, dit-elle en tremblant.

André prit une profonde inspiration, tentant manifestement de se calmer.

— Je suis en colère contre moi. Je n'aurais jamais dû te laisser te promener seule dans la forêt. J'aurais dû t'accompagner. Par ma faute, il aurait pu t'arriver malheur, il aurait pu…

Sa voix se brisa. André s'effondra sur la paillasse et vint appuyer sa tête sur le ventre de Marie Jacques.

— Il ne m'est rien arrivé grâce à toi, rappela-t-elle.

Elle posa la main sur son visage et se mit à caresser doucement ses longues mèches. Après un moment, il parla, la voix étouffée.

— Je t'ai imaginée morte, dit-il.

Il releva les yeux et la regarda avec intensité. Les flammes éclairaient son visage d'une lueur orangée et faisaient briller ses cheveux.

— J'ai été séparé de toi une fois déjà, je ne pourrais pas te perdre une autre fois.

Son visage refléta une telle détresse que Marie Jacques en fut surprise. Pour la première fois, elle prit conscience que la douleur d'André, à la suite de leur séparation, était encore vive. Tout comme la sienne, elle devait se l'avouer. Il était temps à présent de laisser derrière eux cette souffrance et de s'ouvrir au bel avenir qui était le leur désormais. Elle se résolut à mettre tout en œuvre pour que s'efface de leur mémoire jusqu'au moindre souvenir de cette épreuve.

— Allons, cessons de penser à ce qui aurait pu arriver. Nous sommes maintenant en sécurité et au chaud dans notre maison, dit-elle.

L'évocation de la chaleur rappela à André que le pichet de vin devait maintenant être suffisamment réchauffé. Il le prit et le tendit à Marie Jacques, qui but directement au goulot. Ils finirent de boire le vin ensemble, sans se quitter des yeux.

Marie Jacques posa une main sur sa nuque, l'attira à elle et l'embrassa avec ferveur. Sa bouche était chaude et ses lèvres avaient le goût du vin. André s'écarta à regret, se redressa, retira en hâte ses vêtements et se glissa sous les couvertures. Ils firent l'amour avec ardeur pour célébrer le début de leur nouvelle vie, agrippés l'un à l'autre, repoussant le froid, la tristesse et la peur.

Remerciements

J'aimerais tout d'abord remercier mon mari, Robert Sévigny, pour son soutien inébranlable ainsi que pour l'aménagement de mon lieu d'écriture.

Mes filles, Audrey Sévigny et Alexandra Sévigny, mes premières lectrices, pour leurs encouragements et leur enthousiasme à lire mon manuscrit.

J'adresse toute ma reconnaissance aux membres de mon comité de lecture, pour leurs commentaires constructifs : Philippe Bellefeuille, Sonia Noël, Lucie Poulin, Martine Lagassé, Claudette Mercier, Jean Sévigny, Christiane Auray, Linda Bouchard et Josée Mongeau.

Toute ma gratitude va à ma correctrice, Francine Cryans, qui m'a fait bénéficier de sa précieuse touche tout au long de l'écriture du roman.

Je tiens à mentionner Émile Audy, descendant direct de Siméon Leroy dit Audy, que je remercie pour le partage de ses connaissances sur son ancêtre.

Un grand merci à Danielle Pinsonneault de la Société d'histoire des Filles du Roy, qui a accepté avec générosité de porter son regard acéré pour tout ce qui concerne la venue et l'établissement des Filles du Roy en Nouvelle-France.

Merci à Elizabeth George d'avoir écrit *Mes secrets d'écrivain*. Mon apprentissage de l'écriture repose sur ce livre.

À l'agence littéraire Trait d'union de Dominique Girard, pour son travail d'évaluation et ses judicieux conseils jusqu'à la fin de l'aventure.

Le dernier, mais non le moindre : un immense merci à mes deux admirables éditrices, Claire Jaubert dans un premier temps, puis Jacinthe Moffet, et au directeur littéraire André Gagnon de chez Hurtubise pour la concrétisation et la poursuite de mon rêve. J'apprécie au plus haut point d'être partie prenante de chaque étape du processus de publication.

Suivez-nous

Achevé d'imprimer en mars 2016
sur les presses de Marquis-Gagné
Louiseville, Québec